Le secret du lac

Linda Howard

Le secret du lac

Traduit de l'américain
par Véronique Vaquette

Éditions J'ai lu

Titre original :

AFTER THE NIGHT
Published by arrangement with Pocket Books,
a division of Simon & Schuster Inc., NY

1

C'était une journée idéale pour rêver. La lumière dorée qui parvenait à percer l'épaisse barrière végétale de la forêt dessinait des ombres mouvantes sur le sol du sous-bois. L'odeur douce et rosée de la sève du chèvrefeuille embaumait la chaleur humide de cette fin d'après-midi d'été, se mêlant aux riches senteurs brunes de l'humus et au parfum vert acide des feuilles. Depuis sa plus tendre enfance, Clémence Devlin s'amusait à associer couleurs et odeurs.

En général, c'était l'apparence des éléments qui déterminait son choix. La terre sentait marron, vert l'odeur piquante des feuilles, jaune d'or le pamplemousse ; jamais elle n'en avait goûté, mais un jour, au supermarché, elle avait timidement osé en prendre un pour le humer. Le parfum léger et acidulé lui avait mis l'eau à la bouche.

Si l'odeur des objets était facile à associer aux couleurs, il n'en allait pas de même avec les personnes. Une seule tonalité ne suffisait pas à les définir. Renée, sa mère, par exemple, avait un parfum pimenté rouge sombre agrémenté d'effluves noirs et jaunes. Le jaune était une belle couleur pour les objets, mais pas pour les humains, comme le vert, d'ailleurs. Son père, Amos, était un mélange horrible de vert, de violet, de jaune et de noir.

Trouver ses couleurs à lui n'avait pas été très

compliqué ; depuis qu'elle était toute petite, l'odeur écœurante d'alcool qui imprégnait Amos lui évoquait instantanément la vue répugnante de ses vomissures. Presque chaque jour, il buvait jusqu'à s'en rendre malade comme un chien. Boire, se saouler, vomir, l'existence de son père se résumait à cela. Elle fronça le nez et se dépêcha de chasser les images déplaisantes.

La meilleure odeur du monde était celle de Gray Bouvier, décida-t-elle, en admirant les jeux de lumière sur la frondaison. Son secret, bien enfoui au creux de son cœur, lui tira un sourire ravi. Rien ne la rendait plus heureuse que d'apercevoir Gray en ville. Elle avait réussi plusieurs fois à s'approcher suffisamment de lui pour entendre les inflexions profondes de sa voix. Tout à l'heure, il avait même été si près qu'elle avait pu sentir son odeur fascinante, et comble de bonheur, il lui avait touché l'épaule ! Elle en était encore toute tourneboulée. En marchant, elle se remémora la scène avec délices.

Un peu plus tôt dans l'après-midi, Jodie, sa sœur aînée, avait volé deux dollars dans le porte-monnaie de Renée pour s'acheter du vernis à ongles et Clémence l'avait accompagnée au supermarché de Prescott. Le parfum de Jodie était orange et jaune, pâle imitation de celui de leur mère. En quittant le magasin, sa sœur avait caché le précieux vernis dans son soutien-gorge pour que Renée ne le découvrît pas. A treize ans, Jodie avait déjà une poitrine de femme et elle adorait se moquer de sa sœur qui à onze ans n'était toujours pas formée. Ces derniers mois pourtant, les petits seins plats de Clémence avaient commencé à gonfler et elle tirait constamment sur son T-shirt pour les dissimuler. Aujourd'hui, elle avait mis son préféré, le violet aux couleurs de l'université de Louisiane et il lui avait porté chance car, en sortant du magasin, sa sœur et elle s'étaient presque heurtées à Gray, qui y entrait. C'est alors que le miracle s'était produit.

— Tu en as un beau T-shirt ! avait dit Gray en lui tapotant l'épaule d'un air amusé.

Sa première année à l'université venait de s'achever et il était revenu passer les vacances dans sa famille. Il était arrière dans l'équipe de football, avait 19 ans, et mesurait 1 m 95 pour 88 kilos. Clémence connaissait tous ces détails pour les avoir lus dans les pages sportives du journal local. Mais elle n'avait pas eu besoin du journal pour découvrir que Gray était beau, d'une beauté altière qui rappelait l'allure racée de Maximilien, le pur-sang de son père. Son teint mat et sa mâchoire carrée trahissaient ses ascendances créoles françaises. Avec ses épais cheveux noirs qui lui arrivaient aux épaules, il ressemblait à un chevalier du Moyen Age perdu au XXe siècle. Un chevalier tout droit sorti des romans que Clémence adorait lire.

Quand il lui avait touché l'épaule, son cœur s'était mis à battre follement et elle avait baissé la tête pour dissimuler sa rougeur tout en savourant à la dérobée le parfum entêtant et musqué du jeune homme, un chaud mélange de couleurs aux tonalités éclatantes où dominait un rouge encore plus profond que celui de Renée.

Elle se rembrunit au souvenir de la manière dont Jodie avait aussitôt tenté d'accaparer l'attention de Gray. Bombant la poitrine sous son chemisier rose vif largement décolleté, elle l'avait interpellé d'un air effronté :

— Et ma chemise à moi, elle n'est pas belle ?

— Je n'aime pas la couleur, avait-il répondu d'un ton glacial.

Gray ne portait pas leur famille dans son cœur et Clémence savait très bien pourquoi il les méprisait : Renée était la maîtresse de Guy Bouvier, le père de Gray, une liaison qui durait maintenant depuis des années. Clémence avait souvent surpris des conversations dans Prescott. Les habitants de la petite ville de Louisiane ne faisaient pas mystère de leur opinion sur sa mère et il y avait longtemps que la signification du mot « traînée » ne lui était plus inconnue.

Ecartant Jodie avec dédain, Gray était entré dans le supermarché. Jodie l'avait suivi des yeux quelques secondes avant de se retourner tout à coup vers Clémence pour la supplier d'un air doucereux.

— Tu veux bien me donner ton T-shirt ?

— Il est trop petit pour toi !

Dieu merci, c'était la vérité. Le T-shirt, vieux de deux ans, était même presque trop juste pour son petit corps mince. Et maintenant que Gray lui avait fait un compliment, pour rien au monde elle ne s'en serait séparée.

— Pfff ! Ça m'est égal, je m'achèterai le même, siffla Jodie.

Elle le ferait sans aucun doute, se dit Clémence en contemplant rêveusement le ciel. Mais celui-là, elle ne l'aurait pas. Sitôt rentrée à la maison, Clémence l'avait soigneusement plié et caché sous ses draps. Personne ne le trouverait puisqu'elle était la seule à faire les lits. Ainsi elle pourrait dormir avec toutes les nuits et, le matin venu, elle le remettrait dans sa cachette. Personne ne devait soupçonner son amour pour Gray.

Gray… la seule évocation de son prénom la faisait frissonner. Mais ce n'était rien comparé à la violence des sensations qu'elle éprouvait en sa présence. Il suffisait qu'elle l'aperçoive et son cœur s'emballait, ses jambes se mettaient à trembler et le rouge lui montait aux joues. Elle avait bien essayé de maîtriser ses émotions, mais sans succès. Pour se rassurer, elle se disait que son admiration pour lui n'avait rien que de très normal. Après tout, Gray était considéré comme un dieu à Prescott. Un dieu un peu vaurien sur les bords. Protégé par la fortune des Bouvier, il faisait les 400 coups et sa réputation de séducteur était déjà bien établie. Son charme insouciant faisait des ravages parmi les femmes de la région et quoique les Bouvier eussent déjà engendré bon nombre de noceurs, Gray semblait bien parti pour être le pire de tous.

Malgré tout, à l'inverse des habitants de Prescott, il ne s'était jamais montré méchant avec Clémence. Pas comme sa sœur Monica. Un jour, les croisant Jody et elle sur le trottoir, elle avait craché à leurs pieds. Heureusement, maintenant qu'elle fréquentait une école privée de La Nouvelle-Orléans, Monica revenait rarement dans la propriété familiale. Elle passait même la plupart des vacances chez des amies. Gray aussi était parti et Clémence avait eu le cœur gros pendant des mois après son départ. La ville de Baton Rouge, où était située l'université de Louisiane, n'était pas très loin de Prescott, mais avec les matchs de football il n'avait guère de temps libre et ne revenait que pour les vacances scolaires. Dès que Clémence le savait de retour, elle allait traîner en ville. Elle adorait le voir déambuler dans les rues de sa démarche nonchalante, grand, fort, et tellement séduisant.

Elle aurait fait des kilomètres ne serait-ce que pour l'apercevoir et si elle se promenait dans les bois à présent, c'était avec l'espoir de voir se reproduire le hasard qui les avait mis en présence tout à l'heure. Durant l'été, Gray allait souvent se baigner au lac. Le vaste plan d'eau de près d'un hectare situé au milieu de la propriété des Bouvier était tout en longueur et en méandres ; peu profond et large en certains endroits, il se rétrécissait au détour de certaines courbes, sans que l'on puisse alors en deviner la profondeur. La grande demeure des Bouvier était bâtie à l'est du lac, la masure des Devlin à l'ouest, mais aucune des deux maisons ne donnait sur l'eau. Seule la villa d'été des Bouvier avait vue sur le lac. Elle ne comprenait que deux chambres en rez-de-chaussée, une cuisine et un salon. Une véranda, protégée par une moustiquaire, faisait le tour de la maison. Devant, se trouvait le hangar à bateaux près de la petite jetée, et un barbecue en briques. Quelquefois pendant l'été, Gray y venait avec des amis et ils passaient l'après-midi à chahuter, se baigner ou faire du bateau. Clémence les observait des heures durant, cachée à la lisière des bois.

Peut-être serait-il là aujourd'hui, songea-t-elle, avec au creux de l'estomac cette drôle de sensation qu'elle avait toujours lorsqu'elle pensait à lui. Ce serait merveilleux de le voir deux fois dans la même journée !

Elle était pieds nus et son short élimé découvrait ses petites jambes grêles. Elle ne craignait pas les égratignures, ni même les morsures de serpent ; Clémence était une créature farouche, la forêt était son élément. Elle avait attaché ses longs cheveux auburn avec un élastique pour être libre de ses mouvements et se faufilait entre les arbres comme un elfe.

Peut-être qu'un jour il la verrait cachée dans les buissons ou postée derrière un arbre. Il lui tendrait la main et lui proposerait de partager leurs jeux. Quel bonheur ce serait de faire alors partie de la joyeuse bande d'adolescents bronzés qu'elle enviait si fort !

Avant même d'atteindre la clairière où s'élevait la maison, elle aperçut la Corvette garée devant l'entrée et son cœur recommença sa sarabande. Gray était là ! Elle retint sa respiration et se dissimula derrière le tronc d'un gros arbre.

Mais pourquoi ce silence ? Pas un bruit d'éclaboussures, ni de cris ou de rires. Peut-être pêchait-il tout seul ? A moins qu'il n'ait été faire une balade en bateau... Elle s'approcha pour avoir une meilleure vue de la jetée. Le ponton de bois était désert. Oui, il avait dû prendre le bateau. Le problème, c'était qu'elle ne pouvait pas l'attendre indéfiniment. Elle avait réussi à voler ces quelques heures de liberté, mais il lui faudrait bientôt rentrer pour préparer le dîner et s'occuper de Scottie.

Déçue, elle s'apprêtait à s'en aller lorsqu'elle perçut un son étouffé. Elle s'arrêta, tendit l'oreille pour essayer de le localiser et, quittant la lisière des bois, s'avança avec précaution vers la villa. Un murmure indistinct lui parvint de l'intérieur. Il était là ! D'ici, elle ne pouvait l'apercevoir, mais peut-être qu'en se rapprochant elle pourrait au moins entendre clairement le son de sa voix.

Pieds nus, Clémence progressa aussi silencieusement qu'un petit animal sauvage, s'arrangeant pour ne pas être aperçue des fenêtres. Le murmure semblait provenir des chambres à l'arrière du bâtiment.

Arrivée près du porche, elle se cacha au bas de l'escalier. Elle eut beau écouter avec attention, elle ne parvint pas à comprendre ce qui se disait mais, pas de doute, c'était la voix chaude de Gray ! Elle l'aurait reconnue entre mille. Soudain il y eut comme un gémissement plus aigu. La curiosité fut trop forte. Elle se redressa et gravit les marches à pas de loup, puis appuya doucement sur la poignée de la porte de la galerie. Elle n'était pas verrouillée. Avec précaution, elle entrebâilla l'écran de quelques centimètres et se glissa furtivement par l'interstice. Refermant silencieusement le battant, elle attendit quelques secondes. On ne l'avait pas entendue, tout allait bien. Elle se mit à quatre pattes et longea la galerie. Une des fenêtres des chambres était ouverte. C'était de là que venait le murmure.

Il y eut un nouveau gémissement.

— Gray, soupira une voix féminine.

La voix de Gray s'éleva de nouveau mais, à son grand dam, Clémence ne parvint toujours pas à saisir un traître mot. Les sons qu'il prononçait n'avaient aucun sens pour elle. Puis elle l'entendit dire «*Ma chérie*» et tout devint clair. Il parlait en français ! Aussitôt, les sons, qui tout d'abord lui avaient paru mystérieux, devinrent limpides. Les Devlin n'étaient ni cajuns ni créoles mais en Louisiane presque tout le monde parlait et comprenait plus ou moins le français.

En faisant un effort, Clémence parvint à capter vaguement le sens des paroles de Gray. On aurait dit qu'il essayait d'apprivoiser un cheval rétif. Sa voix était douce et cajoleuse, ses mots, tendres et rassurants.

Curieuse, Clémence se plaqua au rebord de la fenêtre et se risqua à jeter un coup d'œil dans la chambre. Le spectacle qu'elle découvrit la laissa interdite. Gray et la fille étaient nus, allongés sur le lit près de l'autre fenêtre. Ils ne pouvaient pas la voir. Heureusement car, paralysée par la stupeur, elle n'aurait pas pu s'enfuir même s'ils l'avaient regardée droit dans les yeux.

Gray lui tournait le dos, le bras gauche enfoui sous les cheveux blonds en désordre de la jeune fille. Allongé à demi sur elle, il l'embrassait langoureusement et le bruit de leurs baisers résonnait dans le silence. Puis il bougea légèrement et Clémence s'aperçut que sa main droite allait et venait entre les cuisses de sa compagne.

Clémence avala sa salive ; à force de retenir son souffle, sa poitrine la brûlait. Elle s'exhorta au calme et appuya sa joue contre le bois blanc. Ce qu'ils faisaient sur le lit n'était pas un mystère pour elle. Elle avait onze ans passés et n'était plus une petite fille. Il y avait de cela quatre ans, elle avait surpris Renée et Amos dans leur chambre, et son frère aîné, Russ, s'était fait un plaisir de lui expliquer en détail l'activité bizarre à laquelle se livraient ses parents.

La fille cria et Clémence se pencha davantage pour regarder. Au même moment, Gray changea un peu de position et son mouvement permit de voir le visage de la jeune fille. Elle la reconnut aussitôt. Lindsey Partain ! Son père était avocat à Prescott.

— Non ! protesta Lindsey. Non ! Il ne faut pas !

Mais elle n'esquissa pas un geste pour repousser

Gray. Au contraire, elle se cambra sous lui en criant et l'étreignit avec force, ses longues jambes enserrant les hanches du jeune homme. Elle criait, mais de plaisir.

Gray commença à bouger lentement; son jeune corps bronzé vibrait, puissant. Il y avait dans cette étreinte, crue et troublante, une beauté qui fascina Clémence. Gray était fort et follement viril comparé à la délicatesse et aux rondeurs féminines de sa compagne. Visage renversé en arrière, celle-ci agrippait de ses mains fines le large dos musclé de son amant, leurs deux corps ondulaient en harmonie.

Gray accéléra son rythme et Lindsey cria de nouveau en s'accrochant à lui. Elle serrait les dents comme si elle souffrait mais Clémence savait qu'il n'en était rien. Ses longs cheveux noirs collés contre ses tempes, Gray se tendit soudain et frissonna en poussant un cri étouffé.

Le cœur battant à toute allure, Clémence s'écarta de la fenêtre et s'en fut aussi silencieusement qu'elle était venue. C'était donc ça faire l'amour! Aucune comparaison avec le spectacle d'Amos vautré sur Renée et émettant ces petits bruits dégoûtants. Gray était encore plus beau sans vêtements qu'elle ne l'avait imaginé. Si le père était aussi séduisant que le fils quand il faisait l'amour, elle comprenait pourquoi Renée l'avait choisi.

Elle rejoignit la protection de la forêt et courut silencieusement au milieu des arbres. Il était tard. Elle allait probablement goûter à la ceinture de son père lorsqu'elle rentrerait. Amos la punirait de ne pas avoir préparé le dîner et de ne pas s'être occupée de Scottie. Mais ça lui était égal. Elle avait vu Gray.

Epuisé, mais comblé, Gray s'écarta de Lindsey, qui, paupières closes, reprenait son souffle. Il avait passé la majeure partie de l'après-midi à essayer de la convaincre de se donner à lui et il ne le regrettait pas. Devoir vaincre ses scrupules n'en avait rendu leur étreinte que meilleure.

Un éclair de couleur et un léger mouvement par la fenêtre ouverte attirèrent tout à coup son attention. Il tourna la tête vers les bois. Une petite silhouette aux cheveux roux disparaissait dans les arbres et il reconnut la plus jeune fille des Devlin. Que faisait-elle dans la forêt si loin de chez elle ?

Gray préféra ne rien dire à Lindsey. Elle risquait de s'affoler à l'idée que quelqu'un — même si ce n'était qu'une Devlin — ait pu les voir faire l'amour. Lindsey était fiancée à Dewayne Morton et avait une peur terrible de mettre son avenir en péril. Même si les Morton n'étaient pas aussi riches que les Bouvier, Dewayne était un beau parti et, à la différence de Gray, il présentait l'avantage d'être aisément manipulable. De toute façon Lindsey était suffisamment intelligente pour se rendre compte que Gray ne l'aurait jamais épousée.

— Que se passe-t-il ? murmura-t-elle en lui caressant l'épaule.

— Rien.

Il se retourna vers elle et l'embrassa longuement. Puis il relâcha son étreinte et s'assit au bord du lit.

— Il est tard, reprit-il.

Lindsey jeta un coup d'œil par la fenêtre et vit le soleil déjà bas à l'horizon. Elle se redressa brusquement.

— Zut ! Je dois dîner chez les Morton ce soir, je vais être en retard !

Elle sauta du lit et commença à ramasser ses vêtements épars.

Gray s'habilla sans se presser, l'esprit préoccupé par la petite Devlin. Les avait-elle vus ? Parlerait-elle ? C'était une drôle de petite fille, plus timide que sa sœur qui était bien partie pour être une traînée comme leur mère. Mais la plus jeune avait un regard sérieux, presque adulte. Ses yeux lui rappelaient ceux d'un chat ; ils étaient couleur noisette et constellés de paillettes dorées, tantôt vert tantôt jaune selon la lumière. Oui, elle avait dû les voir, mais elle n'en dirait sans doute rien. Elle savait que sa mère était la maîtresse de Guy et qu'en contrepartie leur logement était gratuit. Se mettre à dos un membre de la famille Bouvier serait trop risqué.

Pauvre petite maigrichonne. Malgré ses yeux innocents, elle était née au milieu de la racaille et n'en sortirait jamais, même si elle le désirait. Le père, Amos Devlin, était un stupide ivrogne et les deux fils, Russ et Nicky, petits escrocs paresseux et minables, suivaient gaillardement le même chemin. Renée non plus ne crachait pas sur la bouteille, mais elle n'en était pas esclave comme Amos. Malgré ses cinq enfants, c'était encore une femme splendide, aux yeux verts, à la peau blanche et délicate et à la chevelure auburn dont avait hérité la plus jeune. Renée n'était pas vicieuse et mauvaise comme son mari mais ses amants innombrables lui laissaient peu le loisir d'être une bonne mère. Adorant jouer de ses charmes, elle collectionnait les hommes comme les papillons.

Sa fille aînée, Jodie, avait de qui tenir ! A l'instar de sa mère, elle aguichait tout ce qui portait pantalon. Pourtant, elle n'était encore qu'au collège mais il aurait parié que sa virginité n'était plus depuis longtemps qu'un lointain souvenir. Plusieurs fois, elle avait essayé de le séduire, mais l'expérience ne le tentait pas.

Le dernier des Devlin était mongolien. Gray ne l'avait vu qu'une ou deux fois, toujours accroché aux jambes de la plus jeune. Comment s'appelait-elle déjà ? Ah oui, Clémence. Drôle de prénom pour une Devlin. Clémence, cela évoquait l'innocence, la pureté, mais avec une famille comme la sienne, l'avenir de cette pauvre gamine était déjà tout tracé. Dans quelques années, elle serait exactement comme sa mère et sa sœur; dès qu'elle serait un tant soit peu formée, tous les garçons de Prescott la poursuivraient simplement parce qu'elle s'appelait Devlin et elle ne leur résisterait pas bien longtemps.

Toute la région savait que son père couchait avec Renée depuis des lustres. Gray n'y trouvait pas spécialement à redire. Même s'il aimait sa mère, il ne pouvait blâmer Guy d'aller se distraire ailleurs. D'ailleurs sa mère elle-même ne s'en plaignait pas. Noëlle Bouvier avait horreur des contacts physiques, y compris de la part de ses enfants. A trente-neuf ans, aussi belle qu'une madone, elle en avait également la froideur. Comment diable avait-elle pu avoir des enfants? Et comment Guy aurait-il pu lui être fidèle? Doté du tempérament fougueux des Bouvier, Guy était un homme au sang chaud et il était passé dans de nombreux lits avant de prendre Renée pour maîtresse plus ou moins attitrée. Moyennant quoi il se montrait un mari attentionné pour Noëlle, laquelle s'accommodait très bien de ses frasques. Il ne la quitterait jamais. Gray ne se faisait pas le moindre souci à ce sujet.

La seule qui ne supportait pas cette situation était sa sœur, Monica. Frustrée du peu d'amour que leur témoignait leur mère, Monica adorait leur père et, jalouse comme une tigresse, ne supportait pas le temps que Guy consacrait à Renée. Elle se mettait dans des rages terribles au seul nom de Devlin. Heureusement l'atmosphère était plus calme maintenant qu'elle était à l'université.

— Gray, dépêche-toi!

La voix impatiente de Lindsey le tira de ses pensées. Il enfila sa chemise sans prendre la peine de la boutonner.

— Je suis prêt, répondit-il en l'embrassant. Ne t'affole pas, ma chérie, tu seras à l'heure. Tu es beaucoup trop jolie pour avoir besoin de beaucoup de temps pour te préparer.

Elle sourit, ravie du compliment, et se calma.

— Quand nous reverrons-nous ? demanda-t-elle comme ils sortaient de la maison.

Gray manqua éclater de rire. Il avait mis presque tout l'été pour arriver à ses fins et maintenant c'était elle qui en redemandait. Mais bizarrement, maintenant qu'il l'avait mise dans son lit, son enthousiasme s'était émoussé.

— Je ne sais pas, lâcha-t-il évasif, en montant dans la Corvette. Il faut que je retourne bientôt à la fac, l'entraînement de foot va reprendre.

Trop fine pour insister, Lindsey s'installa à son tour et pencha la tête, laissant le vent jouer dans ses longs cheveux tandis que la Corvette filait à toute allure sur la route privée qui rejoignait l'autoroute.

— Comme tu voudras, répondit-elle posément.

Pneus crissant sur l'asphalte, la Corvette s'engagea sur la bretelle d'accès. Lindsey jeta un coup d'œil inquiet à sa montre.

— Dans cinq minutes, tu seras chez toi, la rassura Gray.

Pour rien au monde, il n'aurait voulu compromettre ses fiançailles avec Dewayne !

Les yeux fixés sur la route, il repensa soudain à la petite Devlin, se demandant si elle était rentrée chez elle sans problèmes. Elle n'aurait jamais dû se promener seule dans les bois. C'était dangereux, elle pouvait se blesser ou se perdre, ou pire encore. Le lac était privé mais pas mal de jeunes de Prescott venaient s'y baigner et Gray ne se faisait pas d'illusions sur le comportement des garçons lorsqu'ils étaient en bande. Si Clémence les rencontrait, son jeune âge ne serait pas d'une grande protection. Le petit chaperon rouge n'aurait aucune chance en face des loups.

2

Trois ans plus tard

La voix exaspérée de Renée traversa soudain la fine cloison qui séparait la chambre de la cuisine.

— Clémence, occupe-toi donc de Scottie. Il m'agace à geindre comme ça !

Clémence posa la pomme de terre qu'elle était en train d'éplucher, s'essuya les mains et alla rejoindre son frère. Il grattait la moustiquaire de la porte en poussant de petits gémissements pour signifier qu'il voulait sortir. Un crochet, placé suffisamment haut sur le battant pour qu'il ne puisse pas l'atteindre, la maintenait fermée en permanence. Scottie n'avait aucun sens du danger et on lui interdisait de sortir seul, d'autant qu'il risquait de se perdre.

— Joue au ballon, Scottie, dit-elle, le prenant gentiment par la main pour l'éloigner de la porte. Je n'ai pas le temps d'aller me promener avec toi.

Obéissant, il partit à la recherche de sa balle, mais Clémence savait que dans cinq minutes il reviendrait quémander son attention. En soupirant, elle se remit à l'épluchage.

Au même instant, Renée sortit nonchalamment de la chambre, vêtue d'une courte robe rouge moulante qui mettait en valeur ses longues jambes aux mollets galbés. Renée avait un corps magnifique et elle le savait. Son épaisse chevelure auburn, qui l'auréolait d'un nuage carmin, dégageait un parfum musqué qui renforçait son charme voluptueux.

— Comment me trouves-tu ? demanda-t-elle.

Elle tourna sur elle-même, perchée sur des souliers vermillon à talons aiguilles, tout en s'accrochant des boucles en faux diamant aux oreilles.

— Très belle, répondit Clémence, disant ce que Renée voulait entendre.

Et c'était la vérité. Malgré sa vie dissolue Renée était encore belle à couper le souffle et ses traits délicats rayonnaient d'une jeunesse quasi indécente.

— Bon, j'y vais, déclara-t-elle en se baissant légèrement pour déposer un rapide baiser sur le front de sa fille.

— Amuse-toi bien, maman.

— Ne t'inquiète pas pour moi, répondit-elle en riant. Je m'amuse toujours.

Elle sortit en laissant la porte ouverte, descendant comme une reine les marches branlantes.

Clémence se leva pour refermer l'écran et la regarda grimper dans sa petite voiture de sport rutilante. Renée adorait sa voiture. Un jour, elle était apparue avec, sans un mot d'explication, mais bien sûr tout le monde savait que c'était un cadeau de Guy Bouvier.

Voyant Clémence près de la porte, Scottie vint la rejoindre et recommença à gémir.

— Je ne peux pas t'emmener dehors, Scottie, expliqua-t-elle d'un ton patient bien qu'il ne comprît pas grand-chose. Il faut que je m'occupe du dîner. Qu'est-ce que tu préfères, des frites ou de la purée ?

Elle ne le lui demandait que pour la forme. Scottie mangeait plus facilement la purée et c'était ce qu'elle préparerait de toute façon. Elle passa la main dans les cheveux bruns de son frère et retourna peler les pommes de terre.

Ces derniers temps, Scottie était moins vif et ses lèvres prenaient de plus en plus souvent une coloration bleu foncé lorsqu'il jouait. Son cœur faiblissait, comme les médecins l'avaient prédit et il n'y aurait pas de transplantation cardiaque miraculeuse pour lui. Même si les Devlin en avaient eu les moyens, aucun chirurgien n'aurait accepté d'opérer un petit garçon qui ne serait jamais capable de s'habiller normalement, de lire ou même de balbutier quelques mots. La gorge de Clémence se serrait lorsqu'elle songeait au peu de temps qui lui restait encore à vivre. Les médecins étaient déjà étonnés qu'il eût survécu aussi longtemps.

A une époque, Clémence s'était souvent demandé si Scottie était le fils de Guy Bouvier. Matériellement, c'était plus que possible ; cela l'avait rendue furieuse. Il aurait eu les moyens de le soigner, lui, ou au moins d'adoucir sa brève existence. Mais bien sûr, engendrer un fils débile n'avait rien de glorieux, mieux valait faire comme s'il n'existait pas !

Cela dit, Scottie pouvait aussi bien être le fils d'Amos. Comment savoir ? Il ne ressemblait à aucun des deux hommes ; simplement à lui-même. Il avait six ans à présent. C'était un petit garçon placide qu'un rien rendait heureux. Clémence était la seule à s'en occuper. Depuis le jour où Renée était rentrée avec lui de la maternité, elle l'avait protégé et soigné, l'éloignant des crises de violence de son père toujours saoul ou des taquineries sadiques de ses autres frères. Quant à Renée et à Jodie, elles l'ignoraient purement et simplement.

C'était pour garder Scottie que Clémence refusait toujours de sortir avec sa sœur le soir. Jodie se moquait d'elle mais elle s'en fichait. De toute façon, les distractions de sa sœur lui faisaient horreur : le fin du fin pour Jodie était de se procurer illégalement de l'alcool, de s'enivrer et de coucher avec les garçons avec lesquels elle traînait. Ensuite elle rentrait à la maison les vêtements froissés et tachés, empestant la bière et riant comme une idiote, et prenait un malin plaisir à lui raconter par le menu sa soirée. Ça ne la gênait même pas que les garçons avec lesquels elle avait couché ne lui adressent pas la parole lorsqu'ils la rencontraient en plein jour.

Clémence eut un frisson de dégoût. Elle enrageait d'humiliation en voyant le mépris qu'affichaient les gens lorsqu'ils la regardaient, elle ou quelqu'un de sa famille. « La racaille Devlin », comme ils disaient, « des ivrognes et des traînées »...

Mais je ne suis pas comme eux ! hurla-t-elle silencieusement. Pourquoi les gens avaient-ils autant de préjugés ? Pourquoi étaient-ils aussi aveugles ? Ils ne voyaient donc pas qu'elle ne se maquillait pas, qu'elle ne s'habillait pas de manière aguichante comme Renée et Jodie ? Elle ne buvait pas, ne fréquentait pas les endroits mal famés, se tenait loin des hommes ; ses vêtements étaient peut-être de mauvaise qualité mais toujours propres, elle ne manquait jamais le collège et avait de bonnes notes. Plus que tout au monde, elle aurait voulu qu'on la respecte et que les vendeurs dans les magasins cessent de l'épier parce qu'ils s'imaginaient, bien sûr, qu'elle allait les voler. Mais elle s'appelait Devlin et à Prescott cela suffisait pour la cataloguer.

Pour ne rien arranger, elle était le portrait de sa mère. Elle avait la même chevelure flamboyante, le même teint de porcelaine, les mêmes pommettes hautes et les mêmes yeux verts en amande. Son visage, pourtant, était différent de celui de Renée : plus mince, plus épuré, les lèvres moins pulpeuses. Renée était voluptueuse, Clémence était plus grande et plus délicate.

— Je leur montrerai un jour que je suis différente, Scottie, murmura-t-elle.

Le petit garçon ne réagit pas et continua à frapper la porte grillagée.

Comme toujours lorsqu'elle avait besoin de se remonter le moral, Clémence pensa à Gray. Ses sentiments à son égard ne s'étaient pas estompés depuis la fois où elle l'avait vu faire l'amour avec Lindsey Partain ; avec l'âge, ils s'étaient même renforcés. L'admiration enfantine qui la paralysait lorsqu'elle avait onze ans avait laissé la place à une aspiration de femme, mélange inextricable de romantisme et de sensualité.

Car elle était beaucoup plus mûre que les jeunes filles de son âge et ses rêves n'avaient rien de platonique. Depuis qu'elle avait vu Gray dans la villa d'été avec Lindsey Partain — Lindsey Morton à présent —, il lui suffisait de fermer les yeux pour le revoir, nu et splendide. Elle imaginait ses longues jambes, ses fesses musclées, ses deux adorables fossettes au creux des reins, ses épaules larges et puissantes, son torse aux muscles saillants. Elle rêvait qu'il lui faisait l'amour en lui murmurant des mots tendres en français de sa voix profonde et cajoleuse.

De loin, elle avait suivi avec admiration ses succès à l'université. Il venait brillamment d'obtenir son MBA de finances qui lui permettrait de reprendre plus tard la direction des affaires familiales. Bien qu'il fût excellent joueur de football, il avait en effet refusé de devenir professionnel et était revenu travailler avec son père. Ce qui signifiait que, dorénavant, elle l'apercevrait plus souvent.

Le retour de Monica l'avait nettement moins enthousiasmée. Elle aussi était revenue pour de bon. Plus dédaigneuse que jamais, elle détestait tout ce qui avait trait de près ou de loin aux Devlin. Clémence ne pouvait pas vraiment lui en vouloir. Comment Monica aurait-elle pu réagir autrement alors que son père était l'amant attitré de Renée Devlin et que toute la ville en faisait des gorges chaudes ?

Si elle avait eu un père comme Guy Bouvier, elle

aussi aurait probablement été jalouse de son affection. D'ailleurs, lorsqu'elle était plus jeune, Clémence s'imaginait parfois que c'était lui son vrai père. Guy était grand, beau, et son visage mince à la peau mate ressemblait tant à celui de Gray. Et puis il avait toujours été gentil avec elle. Il lui était même arrivé de lui faire des petits cadeaux. Sans doute parce qu'elle ressemblait à Renée. A l'époque, elle se disait que si Guy avait été son père, Gray aurait été son frère et elle aurait eu le droit d'habiter dans la même maison que lui...

Mais à présent, elle était très contente qu'il n'en fût rien car sinon, son mariage avec Gray aurait bien sûr été impossible. Et elle avait décidé d'épouser Gray.

Ce rêve secret était si insensé qu'elle se demandait parfois si elle n'avait pas perdu l'esprit. Un Bouvier épouser une Devlin? Elle n'aurait pas fait un pas dans la demeure familiale vieille de plus d'un siècle que six générations de Bouvier se lèveraient de leurs tombes pour la jeter dehors. Quel scandale ce serait dans Prescott!

Et pourtant elle ne pouvait s'empêcher d'y croire. Elle se voyait dans sa robe blanche de mariée se diriger vers l'autel où l'attendrait Gray; il se retournerait et la regarderait s'avancer, ses yeux sombres brillant de désir. Ensuite, il la prendrait dans ses bras pour lui faire passer le seuil de leur maison, pas celle des Bouvier, mais une autre qui ne leur appartiendrait qu'à eux deux, puis il la déposerait sur un grand lit blanc. Il l'étreindrait et lui dirait des mots d'amour en français comme il l'avait fait pour Lindsey...

Le hurlement de Scottie tira brutalement Clémence de sa rêverie et elle lâcha pomme de terre et couteau pour se précipiter vers lui. Scottie ne pleurait jamais à moins de s'être fait très mal. Debout près de la porte, il regardait son doigt en criant. Clémence le prit dans ses bras et revint s'asseoir à la table en le gardant sur ses genoux. Elle prit doucement sa main pour l'examiner. Une coupure petite mais profonde entaillait le bout de son index où perlait une goutte de sang; il avait dû se blesser sur le grillage de la moustiquaire.

— Ce n'est rien, ça va passer, fit-elle d'une voix rassurante en le serrant contre elle et en essuyant ses larmes. Je vais te mettre un sparadrap et ça ira mieux, d'accord?

Scottie adorait les pansements. A la moindre petite égratignure, Clémence devait lui couvrir les jambes et les bras de sparadraps jusqu'à ce qu'il n'y en ait plus. Elle avait appris à ne laisser que quelques pansements dans la boîte et à cacher les autres.

Elle passa le doigt blessé sous l'eau et prit la boîte à pharmacie rangée sur une étagère. La mine ravie, Scottie tendit son index potelé. Clémence appliqua le sparadrap sur la blessure en le plaignant à haute voix. Le petit garçon se pencha pour examiner l'intérieur de la boîte et poussa un grognement en tendant l'autre main.

Avec un sourire, Clémence se prêta au jeu. Déposant un baiser sonore sur la paume de Scottie, elle colla un deuxième sparadrap sur son pouce.

Le petit garçon examina de nouveau le contenu de la boîte et tendit sa jambe droite d'un air rayonnant.

Quand la boîte fut vide, Scottie émit un petit soupir satisfait, se tortilla pour descendre des genoux de sa sœur et repartit vers la porte tandis que Clémence se remettait à l'épluchage.

Durant l'été, il faisait jour jusqu'à dix heures et Scottie avait la permission de se coucher un peu plus tard mais, ce soir-là, il avait l'air si exténué que Clémence lui donna son bain et le mit au lit avant même la tombée de la nuit. Son cœur se serra en l'embrassant pour lui souhaiter de beaux rêves. Scottie était un petit garçon si adorable. Pourquoi fallait-il qu'il soit condamné ?

Vers neuf heures et demie, la vieille camionnette d'Amos arriva en pétaradant. Comme d'habitude, une forte odeur de whisky enveloppait son père lorsqu'elle alla lui ouvrir la porte.

Il trébucha sur le seuil et se redressa de justesse.

— Où est ta mère ? aboya-t-il.

— Elle est sortie.

Amos tituba jusqu'à la table.

— La garce, marmonna-t-il, jamais là ! Toujours à traîner avec son richard !

Furieux, il écrasa soudain son poing sur la table.

— Le dîner est prêt, papa, dit Clémence, espérant que le bruit n'avait pas réveillé Scottie. Je te l'apporte tout de suite.

— J'ai pas faim !

Il trébucha, se remit debout tant bien que mal et commença à ouvrir tous les placards et à en refermer bruyamment les portes.

Clémence intervint :

— Il y a une bouteille dans la chambre des garçons, je vais la chercher.

De toute façon, avec ou sans elle, il trouverait le moyen de se saouler.

Ce n'était pas la peine de le laisser tout casser dans la maison. D'autant que ses hurlements risquaient de réveiller Scottie. Elle se précipita dans la petite chambre obscure et chercha à tâtons sous le lit de Nick pour trouver la bouteille. Il n'en restait qu'un quart mais ça suffirait à calmer son père. Elle ouvrit le bouchon et lui tendit le whisky.

— Tiens.

— Tu es une bonne fille, fit-il en prenant la bouteille d'un air réjoui. Pas une traînée comme ta mère et ta sœur.

— Ne dis pas ça.

Elle ne supportait pas de l'entendre insulter Renée

et Jodie. Si quelqu'un devait leur jeter la pierre, ce n'était certainement pas lui.

— Je dis ce que je veux ! Et ne me réponds pas si tu ne veux pas prendre une raclée !

Clémence se mit prudemment hors de portée. Il était déjà trop ivre pour tenir debout et s'il ne pouvait pas l'atteindre, il ne la battrait pas. Evidemment il pouvait toujours lui jeter quelque chose à la figure mais elle était habituée à esquiver ses projectiles.

— Ah, ils sont beaux les mômes qu'elle m'a donnés ! Il n'y a que Russ et Nick qui vaillent quelque chose. Jodie est une traînée comme sa mère, toi une sainte nitouche qui se croit maligne et le dernier est complètement crétin.

Baissant les yeux pour que son père ne puisse pas voir ses larmes, Clémence s'assit sur le divan défoncé et s'affaira à plier le linge qu'elle avait lavé le matin même. Il ne fallait surtout pas laisser voir à Amos qu'il l'avait blessée. Dès qu'il trouvait plus faible que lui, il devenait sadique, et plus il était saoul, plus il s'acharnait. Le mieux était de l'ignorer. Comme tous les ivrognes, il oubliait facilement le fil de ses pensées. Bientôt il dormirait comme une bûche.

La méchanceté de son père n'aurait pas dû l'atteindre. Il y avait bien longtemps qu'elle ne l'aimait plus et qu'il ne lui faisait plus peur. L'alcool avait fait de lui une loque morale et physique.

Pourtant, en faisant un effort, Clémence parvenait encore à discerner ce qui chez lui avait dû un jour séduire Renée. Grand sans être immense, on voyait qu'il avait dû être mince et musclé, et son corps bien qu'empâté n'était encore pas trop mal. Il avait des traits réguliers. A jeun, Amos aurait même été plutôt bel homme. Le problème, c'était qu'il ne l'était jamais. Elle ne le connaissait qu'ivre, pas rasé, ses cheveux bruns emmêlés et un peu clairsemés sur le sommet du crâne tombant sur son front en mèches grasses, les yeux injectés de sang, le visage congestionné. Ses vêtements tachés puaient toujours l'alcool et la sueur aigre.

Il finit de boire la bouteille en silence puis rota bruyamment.

— Faut que j'aille pisser, annonça-t-il en titubant vers la porte.

Clémence ne broncha pas, continuant à plier le linge avec des gestes mesurés.

Amos rentra en fermant son pantalon.

— Je vais me coucher, déclara-t-il en zigzaguant vers la chambre.

Il perdit l'équilibre et se raccrocha de justesse au chambranle puis se laissa tomber tout habillé sur le lit. Lorsque Renée rentrerait et qu'elle le trouverait vautré dans ses vêtements sales, elle hurlerait comme d'habitude et réveillerait la maisonnée.

Quelques minutes plus tard les ronflements sonores d'Amos emplissaient le bungalow. Clémence se leva aussitôt et alla dans la pièce rajoutée à l'arrière qui servait de chambre aux deux sœurs. Hormis Renée et Amos qui avaient un grand lit, ils dormaient tous sur des lits de camp. Elle alluma l'ampoule nue qui pendait au plafond, se déshabilla rapidement et passa sa chemise de nuit. Elle prit ensuite le livre caché sous ses draps. Maintenant que Scottie et Amos dormaient, elle était tranquille pour au moins deux bonnes heures avant l'arrivée des autres.

Depuis toute petite, Clémence avait appris à saisir chaque moment de liberté. Il y en avait trop peu dans sa vie pour les laisser échapper. La plupart du temps, elle les consacrait à lire. Elle adorait les livres et dévorait tout ce qui lui tombait sous la main. Les mots étaient comme un philtre magique. Lorsqu'elle lisait, la vie et ses misères disparaissaient ; elle naviguait alors dans un univers merveilleux où la « racaille Devlin » n'existait plus. Elle devenait quelqu'un de différent, quelqu'un de bien.

Elle avait appris à ne pas lire devant son père ou ses frères qui se moquaient d'elle ou allaient même parfois jusqu'à lui arracher le livre des mains pour le jeter au feu. Ses efforts pour le récupérer provoquaient toujours chez eux des hurlements de rire. Sa mère, elle, se contentait de grommeler, prétendant que Clémence perdait son temps et qu'elle ferait mieux de s'occuper à quelque chose d'utile, mais Renée ne s'en était jamais prise aux livres. Jodie aussi se moquait d'elle, mais pas méchamment comme ses frères. Elle ne comprenait pas que sa sœur préfère rester le nez dans un livre au lieu de l'accompagner dans ses sorties.

Mais Clémence tenait bon. Ces précieux moments de solitude, où elle pouvait lire en paix, lui étaient devenus indispensables. Et ce soir elle avait deux grandes heures de liberté pour se perdre dans les pages de *Rebecca*. Elle prit la bougie qu'elle gardait sous son lit, l'alluma, la posa sur la caisse qui lui servait de table de nuit, éteignit l'ampoule et s'installa sur son lit de camp, dos au mur. Elle préférait la lueur de la flamme à la lumière crue du plafonnier. Un jour, elle s'achèterait une vraie lampe de chevet. Une lampe à la lumière douce faite pour la lecture et elle aurait aussi un gros oreiller qui lui calerait parfaitement le dos.

Un jour…

Un peu avant minuit, elle se résigna la mort dans l'âme à abandonner sa lecture. Elle aurait voulu continuer à lire mais ses paupières lourdes se fermaient malgré elle, les mots dansaient devant ses yeux. Elle se leva à contrecœur pour remettre le livre dans sa cachette, se glissa sous les draps élimés et souffla la bougie.

Comme de bien entendu, à peine fut-elle dans le noir que le sommeil la déserta. Elle ne dormait toujours pas quand Nick et Russ rentrèrent. Il devait être près d'une heure. Elle les entendit trébucher sur les marches du porche. Ils hurlaient et riaient en commentant les exploits de leurs camarades de beuverie. Tous deux étaient encore mineurs et n'avaient pas le droit d'acheter d'alcool, mais la loi qui empêcherait un Devlin de se saouler n'avait pas encore vu le jour. Nick et Russ arrivaient toujours à se procurer du whisky ou du gin, quitte parfois à le voler. Ni l'un ni l'autre ne travaillait. Vu leur réputation, personne ne voulait les embaucher et ils passaient leur temps à traîner en ville.

— Tu as vu le vieux Poss, dit Nick en pouffant. Boum !

Russ s'étranglait de rire en écoutant son frère. D'après leur discours incohérent, Clémence en déduisit que « le vieux Poss » avait été effrayé par un bruit de détonation. Apparemment ils trouvaient l'événement hilarant mais auraient probablement tout oublié le lendemain matin.

Ils réveillèrent Scottie qui gémit mais ne pleura pas et Clémence décida de rester couchée. Elle n'aurait pas aimé devoir aller dans la chambre des garçons en chemise de nuit. Elle entendit Nick dire : « La ferme ! Dors ! » et Scottie se tut. L'écho de leurs ronflements emplit bientôt l'obscurité.

Une demi-heure plus tard, Jodie rentra à son tour. Elle au moins essaya de ne pas faire de bruit, marchant sur la pointe des pieds, chaussures à la main. L'odeur de bière et de sexe lui collait à la peau. Elle ne prit même pas la peine de se dévêtir et se laissa tomber sur son lit de camp dans un grand soupir.

— Tu dors, Clémence ? demanda-t-elle au bout d'un moment d'une voix traînante.

— Oui.

— J'en étais sûre. Tu aurais dû m'accompagner, on a drôlement rigolé. Si tu savais ce que tu as manqué...

— Si je ne le sais pas, ça ne me manque pas, murmura Clémence.

Jodie étouffa un rire et la laissa tranquille.

Après ça, Clémence dormit d'un sommeil léger en attendant le retour de Renée. Par deux fois, elle se réveilla en sursaut. Sa mère était-elle rentrée sans qu'elle s'en aperçoive ? Elle se leva pour regarder à la fenêtre, mais la voiture rouge n'était pas garée dehors.

Renée ne rentra pas cette nuit-là.

3

— Papa n'est pas rentré cette nuit.

L'air boudeur, Monica se tenait debout près de la fenêtre de la salle à manger. Gray ne répondit pas et continua à prendre son petit déjeuner ; il lui en fallait plus pour lui couper l'appétit. Voilà donc pourquoi Monica était déjà levée... D'habitude elle restait au lit au moins jusqu'à dix heures. Elle aurait dû s'être habituée depuis le temps ! Guy avait toujours eu et aurait toujours des maîtresses ; et Renée Devlin, quoi qu'on en dise, avait plus de chien que la plupart de ses conquêtes.

Du reste, Noëlle se moquait bien que son mari passe ses nuits dehors et puisqu'elle n'en souffrait pas, Gray s'en moquait aussi. Bien sûr, il aurait réagi différemment si sa mère avait été malheureuse, mais c'était loin d'être le cas. Elle aimait Guy, à sa façon, c'est-à-dire à distance. Et tant que son mari avait des aventures, il la laissait tranquille. Cet arrangement d'une autre époque n'aurait pas du tout convenu à Gray. Mais si ses parents y trouvaient leur compte, tant mieux pour eux.

Sa sœur, elle, ne l'acceptait pas. Selon elle, la famille devait être un lieu privilégié d'amour, d'entraide et de dévotion, et elle essayait désespérément de faire coller la réalité à son idéal.

— Ce n'est pas normal, quand même! reprit Monica avec véhémence.

— Mère est-elle au courant? demanda Gray d'une voix calme.

A supposer qu'elle le fût, il doutait fort que cela l'inquiétât mais il garda sa réflexion pour lui. Il aimait sa sœur et ne voulait pas lui faire de peine même si son attitude l'agaçait parfois.

— Elle n'est pas encore levée.

— A quoi bon se tourmenter alors? Elle pensera simplement qu'il est sorti tôt.

— Mais il est avec *l'autre*! lança Monica en se tournant vers lui, les yeux pleins de larmes. Avec la Devlin!

— Tu n'en sais rien, temporisa Gray. Il a très bien pu jouer au poker toute la nuit.

De fait, Guy adorait jouer aux cartes, mais en l'occurrence Gray ne se faisait pas d'illusions. Il savait que le poker n'avait rien à voir avec sa fugue nocturne. Guy avait vraisemblablement passé la nuit avec Renée Devlin ou une autre. Car bien qu'elle fût sa maîtresse attitrée, Renée n'avait pas l'exclusivité.

— Tu crois? demanda Monica avec espoir.

— C'est bien possible, répondit Gray en haussant les épaules.

Il finit son café et repoussa sa chaise.

— Quand il rentrera, reprit-il, dis-lui que je suis allé à Baton Rouge visiter la propriété dont nous avions parlé. Je rentrerai vers quinze heures au plus tard.

L'air triste de sa sœur le désola. Il la prit par les épaules pour la consoler. Pauvre Monica! Elle n'avait pas hérité de l'esprit de décision et de l'arrogante assurance des Bouvier. Même Noëlle, aussi distante fût-elle, savait toujours ce qu'elle voulait et comment arriver à ses fins. Monica, elle, était fragile et bien que Gray n'eût que deux ans de plus qu'elle, il l'avait toujours protégée.

Monica enfouit son visage contre son épaule.

— Qu'est-ce que je vais faire s'il a passé la nuit avec cette femme ? demanda-t-elle d'une voix étouffée.

Incapable cette fois de maîtriser son impatience, Gray répondit d'un ton plus sec qu'il n'aurait voulu :

— Rien. Ça ne te regarde pas.

Piquée au vif, sa sœur s'écarta et lui lança un regard de reproche.

— Comment peux-tu dire une chose pareille ? Je me fais du souci pour lui.

— Je le sais, dit-il plus doucement, mais ça ne sert à rien. Tu ne le changeras pas.

— Tu le soutiens toujours, riposta-t-elle d'un ton accusateur. Au fond tu es exactement comme lui !

Elle se détourna pour masquer ses larmes.

— Je parie, continua-t-elle, que la soi-disant propriété de Baton Rouge a de longues jambes et une paire de gros seins ! Je te souhaite bien du plaisir !

— J'en aurai, ne t'en fais pas pour moi.

De fait, Monica ne se trompait qu'à moitié. S'il allait à Baton Rouge, c'était effectivement pour son travail, mais ce qu'il ferait après était une autre affaire. Et après tout, pourquoi pas ? Il était jeune, vigoureux et, depuis son adolescence, n'avait jamais manqué d'aventures amoureuses. Il savait parfaitement que son nom et la fortune de sa famille n'étaient pas complètement étrangers à son succès auprès des femmes, mais, à la vérité, il se moquait bien de savoir si elles s'intéressaient à lui ou à son compte en banque puisqu'il n'était jamais tombé amoureux. En revanche, il adorait faire l'amour. Il aimait sentir la chaleur d'un corps de femme entre ses bras. Il aimait les odeurs, les sensations, les bruits de l'amour...

Mais cela, sa sœur ne pouvait sûrement pas le comprendre. Il n'en aurait pas juré mais il était presque certain que Monica était encore vierge. Bien qu'elle fût beaucoup plus sensible que leur mère, elle lui ressemblait beaucoup par certains côtés, notamment pour ce qui était de garder ses distances face aux hommes. Sa sœur n'avait pas de chance. Elle avait hérité de la froideur de Noëlle mais pas de son assurance, de l'émotivité de Guy mais pas de sa sensualité. Drôle de mélange! Lui, par contre, avait la même sensualité que leur père, heureusement tempérée par la rigueur de sa mère car même s'il adorait faire l'amour, il ne serait jamais esclave de sa sexualité comme l'était Guy. Il savait se maîtriser, Dieu merci.

Désirant faire la paix, il tira gentiment une des longues mèches brunes de Monica.

— Ecoute, je vais passer un coup de fil à Alex. Il saura peut-être où est papa.

Alexander Chelette, avocat à Prescott, était le meilleur ami de Guy.

Monica sourit malgré ses larmes.

— Bonne idée, comme ça il dira à papa de rentrer.

— Ça m'étonnerait, répondit-il en riant. Mais au moins, tu n'auras plus de raison de te faire du souci.

Comment à vingt ans Monica pouvait-elle être aussi naïve? Enfin, dès qu'il aurait parlé à Alex, il dirait à sa sœur que leur père faisait une partie de poker, même si l'avocat lui donnait le numéro de la chambre d'hôtel que Guy réservait à ses conquêtes.

Il alla dans le bureau. C'était là que leur père gérait les affaires financières des Bouvier et qu'il initiait Gray à la tâche qui serait la sienne. Bientôt celui-ci reprendrait le flambeau et cette perspective effaçait largement le léger regret d'avoir renoncé à une carrière de footballeur professionnel. D'ailleurs, cela n'avait pas été un grand sacrifice. Il se savait très bon joueur mais les affaires lui plaisaient nettement plus. C'était un jeu tout aussi passionnant auquel il pourrait jouer beaucoup plus longtemps et qui lui rapporterait bien davantage.

Il caressa du bout des doigts l'acajou luisant du bureau. Sur la gauche dans un grand cadre, se trouvait une photo de Noëlle et tout autour étaient disposés des instantanés de Monica et de lui à différents âges. Classiques photos familiales. Sauf que Noëlle avait davantage l'air d'une reine avec ses sujets que d'une mère avec ses enfants. Il n'y avait rien de maternel chez elle. Les rayons du soleil matinal jouant sur la photo accentuaient encore le côté majestueux de sa beauté.

Car elle était très belle et sa beauté n'avait rien à envier à celle de Renée Devlin. Mais autant Renée était solaire, sensuelle et radieuse, autant Noëlle, pâle et inaccessible, avait le rayonnement froid de la lune. Elle portait toujours ses longs cheveux noirs en un chignon lâche et avait de très jolis yeux bleus dont aucun de ses enfants n'avait hérité. Elle n'était pas d'origine créole mais américaine de pure souche et lorsque Guy l'avait épousée, certains y avaient vu une mésalliance. La dignité froide de Noëlle, plus hautaine que n'importe quelle héritière créole, avait rapidement fait taire les critiques et, à présent, le seul vestige qui rappelât les origines de sa mère était son prénom à lui : « Grayson », que l'on avait du reste écourté en Gray.

Tout en s'asseyant pour téléphoner, il jeta un coup d'œil au carnet de rendez-vous de son père ouvert à la page du jour. Guy avait rendez-vous à dix heures avec leur banquier, William Grady. Etrange... Jamais jusqu'à présent son père n'avait laissé ses aventures empiéter sur son travail. Et il y avait peu de chance qu'il se soit rendu à son rendez-vous avec Grady sans être d'abord passé à la maison se raser et se changer.

Saisi d'une vague appréhension, Gray composa rapidement le numéro d'Alex Chelette. La secrétaire décrocha après la première sonnerie.

— Chelette et Anderson, j'écoute !

— Bonjour, Andréa. Alex est là ?

— Bien sûr, répondit-elle, ayant immédiatement reconnu la voix de Gray. A moins d'un tremblement de terre, et encore, il est toujours au bureau à neuf heures pile. Je vous le passe tout de suite.

Il entendit le déclic d'attente, mais il connaissait bien Andréa et savait qu'elle n'utilisait jamais l'interphone à moins qu'un étranger ne fût dans le bureau. La plupart du temps, elle faisait pivoter sa chaise vers la porte du bureau d'Alex juste derrière elle et criait le nom de la personne qui le demandait.

Gray esquissa un sourire en se rappelant comment s'était soldée la seule tentative d'Alex de la convaincre d'adopter des manières plus conformes à la dignité d'un cabinet d'avocats. Horriblement vexée, Andréa avait entamé une sorte de guerre des tranchées. Elle ne s'était plus adressée à lui que par interphone et, cessant de l'appeler par son prénom, lui avait donné du Monsieur Chelette long comme le bras. Lorsque Alex s'arrêtait devant son bureau pour lui parler, elle se levait en prétextant un besoin urgent et se conformait stricto sensu à sa fonction, refusant de traiter les affaires courantes dont elle s'occupait auparavant. Très vite, Alex s'était retrouvé avec une telle masse de travail qu'il avait été obligé de venir plus tôt et de travailler plus tard parce que Andréa respectait à la lettre ses horaires. Bien sûr, il aurait pu la remplacer, mais les secrétaires de sa compétence ne se trouvaient pas aisément à Prescott. Au bout de deux semaines, il avait rendu les armes et Andréa repris ses habitudes.

La voix joviale à l'accent traînant d'Alex résonna tout à coup dans le combiné.

— Gray ! En voilà un coup de fil matinal ! Tu es déjà levé ?

Vaguement agacé, Gray retint un soupir. A la différence de son père, il commençait toujours sa journée de bonne heure, mais bien sûr tout le monde s'attendait à ce qu'il ait les mêmes horaires que Guy.

— Oui, fit-il laconique. Je dois aller à Baton Rouge. Dis-moi, saurais-tu par hasard où est mon père ?

Il y eut un bref silence à l'autre bout de la ligne.

— Non… Que se passe-t-il ?

— Il n'est pas rentré cette nuit et il a rendez-vous avec Bill Grady à dix heures.

— Bon sang ! Il n'a tout de même pas…

— Quoi donc ? fit Gray d'une voix coupante.

— Oh, rien ! Je dramatise sûrement. Il a simplement dû oublier de se réveiller. D'ailleurs, même quand il m'en a parlé, je n'ai jamais cru qu'il le ferait, je te le promets, Gray.

— Qu'il ferait quoi ?

Alex se mit à bredouiller :

— Eh bien, il a fait allusion une ou deux fois au fait que… Enfin, il avait beaucoup bu et il ne savait sûrement plus ce qu'il disait…

— Cesse de tourner autour du pot et explique-toi, bon sang !

— Il disait qu'il voulait quitter ta mère, murmura Alex. Pour partir avec Renée.

Sans un mot, Gray reposa doucement le combiné et resta immobile quelques secondes, le regard vide. C'était impossible ! Pourquoi son père se serait-il enfui avec Renée alors qu'il l'avait à sa disposition ? Alex se trompait. Guy n'était pas homme à abandonner ses enfants, sa femme et ses affaires sur un coup de tête. Pourtant Alex était son ami. Il le connaissait mieux que quiconque et s'il lui en avait parlé…

Un doute terrible s'insinua en Gray. Il se souvint de la joie de son père quand il lui avait annoncé sa décision de travailler avec lui. Etait-ce parce qu'il préparait sa fuite qu'il lui avait montré avec autant d'empressement comment gérer leur patrimoine.

Gray ne parvenait pas à y croire. Mais, au bout d'un moment, il ne put qu'accepter l'évidence : Alex avait vu juste ; son père ne reviendrait pas. Fou de colère, il saisit brutalement le téléphone et le projeta par la fenêtre. La vitre vola en éclats. Aussitôt, il entendit des pas se précipiter vers le bureau.

Chez les Devlin, tout le monde dormait encore lorsque Clémence se glissa hors de la maison avec Scottie pour l'emmener à la rivière. Il adorait patauger dans l'eau peu profonde en essayant d'attraper des écrevisses. Il n'y parvenait jamais mais c'était l'un de ses jeux favoris. La matinée était très belle, la lumière dorée trouait le feuillage et jetait des reflets dansants à la surface de l'eau. La nature sentait bon et Clémence respira à pleins poumons l'air frais et propre pour mieux chasser l'infecte odeur d'alcool qu'exsudait sa famille et qui lui collait à la peau.

Lorsqu'ils arrivèrent à la rivière, elle ôta le short et la chemise de Scottie, ne lui laissant que son slip pour qu'il puisse barboter. Elle suspendit soigneusement les vêtements sur une branche et, par précaution, suivit son frère dans l'eau. Scottie n'avait aucune conscience du danger, et si un serpent l'approchait, il n'aurait même pas l'idée de s'écarter.

Elle le laissa jouer dans l'eau deux bonnes heures puis, de peur qu'il ne s'épuise, le prit dans ses bras pour l'obliger à sortir. Scottie se débattit comme un beau diable mais elle ne céda pas et le rhabilla tandis qu'il se tortillait en tout sens pour s'échapper.

— Et si on cherchait des écureuils ? dit-elle afin de le distraire. Tu en vois ?

La ruse fonctionna. Scottie se mit aussitôt à regarder autour de lui, les yeux grands comme des soucoupes. Clémence le prit par la main et repartit lentement sur le sentier qui traversait les bois. Peut-être que, lorsqu'ils rentreraient, Renée serait là. Ce n'était pas la première fois que sa mère découchait, mais chaque fois Clémence ressentait la même inquiétude, l'angoisse qu'un jour Renée ne rentre pas. Elle savait bien que si sa mère rencontrait un homme riche suffisamment épris pour lui promettre monts et merveilles, elle n'hésiterait pas une seconde à les abandonner. La seule chose qui la retenait à Prescott était Guy Bouvier. Si jamais il la quittait, elle ferait sa valise sur-le-champ.

Tout à sa quête des écureuils, Scottie se laissa docilement conduire, mais lorsqu'ils arrivèrent en vue de la maison, il se mit à grogner de colère, refusant d'avancer.

— Arrête, Scottie ! dit-elle en le tirant sur la route étroite et poussiéreuse. Il faut que je rentre faire la lessive, mais je te promets que je jouerai…

Elle s'interrompit. Un bruit de moteur se rapprochait. « Ah, c'est maman qui rentre ! » se dit-elle, soulagée. Mais au lieu de la petite voiture rouge de Renée déboucha au détour du virage la Corvette noire décapotable de Gray. Clémence s'immobilisa, le cœur battant à tout rompre. Gray venait chez eux !

Ses jambes se mirent à trembler à l'idée qu'il allait peut-être lui parler, même si ce n'était que pour échanger un banal bonjour.

Il arrivait à sa hauteur et, les yeux rivés sur lui, elle le dévora du regard. Il était toujours aussi terriblement séduisant, songea-t-elle lorsque sa voiture les dépassa et qu'il lui adressa un bref signe de tête.

Fasciné par la Corvette, Scottie tira impatiemment sur sa main en se tortillant. Il avait une passion pour les voitures et Clémence devait toujours l'éloigner de celle de sa mère, car Renée ne supportait pas de trouver ses empreintes sales sur la carrosserie rutilante.

— Oui, on va aller la voir, murmura Clémence en suivant des yeux la Corvette qui venait de s'arrêter devant leur bungalow délabré.

D'un bond Gray jaillit du véhicule et, intriguée,

Clémence le regarda grimper rapidement les deux marches branlantes et ouvrir à toute volée la porte grillagée.

Pourquoi ne frappait-il pas ? Ce n'était pas normal !

Prise de panique, elle se mit à courir, tirant Scottie qui peinait sur ses petites jambes et qui poussa un cri pour protester. Le temps de se baisser pour le prendre dans ses bras et elle se remit à courir sans se soucier des graviers qui roulaient sous la plante de ses pieds nus. Le sang battait dans ses tympans, la peur lui serrait le ventre et, dans ses bras, Scottie se faisait de plus en plus lourd.

Elle entendit un grondement lointain. La voix d'Amos mêlée aux cris de Gray. Haletante, elle couvrit rapidement les derniers mètres et, Scottie toujours serré contre elle, ouvrit la porte pour se précipiter à l'intérieur. Elle s'immobilisa, clignant des paupières pour s'habituer à l'obscurité. Les violents éclats de voix venant de la chambre lui donnèrent l'impression d'être prisonnière d'un cauchemar.

Elle reprit son souffle et posa Scottie à terre mais, affolé par le bruit, il s'accrocha à ses jambes et enfouit son visage contre elle.

Dans la chambre, les insultes fusaient crescendo et, par la porte ouverte, elle vit Gray tirer Amos hors du lit et le traîner par le bras dans la cuisine. Amos hurlait et jurait, s'accrochant au chambranle, mais il ne faisait pas le poids et Gray le propulsa au milieu de la cuisine où il heurta la table.

— Tu vas te décider à me dire où est Renée ? cria Gray en marchant vers lui d'un air menaçant.

Instinctivement, Amos recula et son regard vitreux scruta la pièce comme s'il cherchait sa femme.

— Pas là, marmonna-t-il.

— Je le vois bien, espèce de crétin ! Alors où est-elle ?

Amos, qui se balançait d'avant en arrière sur ses talons, lâcha soudain un rot retentissant. Torse nu, les cheveux ébouriffés, pas rasé, les yeux injectés de sang et l'haleine chargée d'alcool, il avait l'air de ce qu'il était : une épave.

— Pourquoi que vous me traitez comme ça ? brailla le père de Clémence. Ce n'est pas parce que vous vous appelez Bouvier que vous avez tous les droits !

Malgré son ton bravache, Amos se protégea derrière son bras en voyant Gray se rapprocher.

— Où est Renée ? répéta Gray d'un ton glacé.

Amos haussa les épaules.

— Elle a dû sortir.

— Quand ?

— J'en sais rien ! Je dormais.

— Est-ce qu'elle est rentrée cette nuit ?

— Bien sûr ! Qu'est-ce que vous in... insinuez ? balbutia Amos.

Les effets de l'alcool ne s'étaient pas encore totalement évaporés et il paraissait ne rien comprendre à ce qui lui arrivait.

— Je dis que ta putain de femme t'a quitté ! hurla Gray, le visage déformé par la rage.

La terreur glaça Clémence et sa vision se brouilla.

— Ce n'est pas vrai, souffla-t-elle.

Gray l'entendit et tourna brusquement la tête vers elle.

— Toi, tu dois le savoir. Est-ce que ta mère est rentrée cette nuit ?

Malgré son angoisse, Clémence parvint à faire signe que non. Elle sentait le désastre se profiler devant elle et l'odeur âcre et jaune de la peur, sa propre peur, lui emplit les narines.

— C'est bien ce que je pensais, fit-il avec une grimace de mépris. Elle s'est enfuie avec mon père.

Clémence hocha de nouveau la tête sans pouvoir s'arrêter. « Non, hurlait-elle silencieusement. Mon Dieu, faites que ce ne soit pas vrai ! »

— Ça m'étonnerait, plastronna Amos en s'affalant

sur une chaise. Renée ne nous quitterait jamais, moi et les enfants. Et vot' père, il saute sur tout ce qui bouge, alors...

Sans le laisser achever, Gray bondit sur lui et son poing s'écrasa sur la mâchoire d'Amos qui tomba à la renverse. La chaise vola en morceaux comme du petit bois.

Scottie poussa un gémissement de frayeur et se blottit contre la hanche de Clémence mais elle était trop choquée pour pouvoir le rassurer.

Groggy, Amos se remit debout tant bien que mal, s'arrangeant pour rester à bonne distance de Gray de l'autre côté de la table.

— Pourquoi vous m'avez frappé ? geignit-il en se frottant le menton. J'ai rien fait. Si Renée et votre père sont partis ensemble, ce n'est pas ma faute !

— Eh, qu'est-ce que c'est que ce cirque ? demanda Jodie en faisant soudain son apparition dans la cuisine.

Clémence se tourna vers sa sœur et, rouge de honte, la regarda, horrifiée. Appuyée contre le chambranle, ses cheveux blond-roux tombant sur ses épaules nues, Jodie ne portait qu'une petite culotte noire en dentelle et feignait de se couvrir d'un caraco en dentelle noire qui lui cachait à peine les seins. Fixant Gray de ses grands yeux faussement innocents, elle esquissa une moue aguicheuse tout en battant des cils.

Gray toisa Jodie avec mépris et lui tourna le dos.

— Vous allez me faire le plaisir de débarrasser le plancher avant ce soir, dit-il en s'adressant à Amos d'une voix tranchante comme un couperet. Vous polluez mon environnement et j'en ai assez de vous voir ici !

— Espèce de salaud, coassa Amos. Vous n'avez pas le droit ! Il y a des lois...

— Ça suffit ! Vous ne payez pas de loyer. Vous n'avez aucun droit.

Il pivota sur ses talons pour sortir.

— Attendez! cria Amos en jetant un regard paniqué autour de lui comme s'il cherchait une soudaine inspiration. Faut pas vous mettre dans cet état. Peut-être que... qu'ils sont juste partis faire une virée tous les deux. Ils vont revenir. Oui, Renée reviendra, elle n'a aucune raison de nous quitter.

Gray eut un rire sec. D'un coup d'œil méprisant, il embrassa l'intérieur minable. Quelqu'un, sans doute la plus jeune des filles, faisait des efforts pour l'entretenir et le garder propre mais c'était peine perdue, autant essayer d'empêcher la marée de monter. Amos le regardait d'un air buté d'ivrogne. La fille aînée, toujours appuyée au chambranle, était vulgaire et obscène. Le plus jeune, trisomique, pleurait accroché aux jambes de l'autre sœur qui, l'air d'une statue de pierre, le fixait de ses immenses yeux verts. Ses cheveux auburn emmêlés tombaient sur ses épaules et ses pieds nus étaient sales.

A son regard Clémence devina ce qu'il pensait. Elle aurait voulu se volatiliser ou bien disparaître sous terre. Tout plutôt que d'affronter la condamnation sans appel qu'elle lisait dans les yeux de Gray.

— Aucune raison de vous quitter? jeta-t-il. A mon avis, elle n'a plutôt aucune raison de revenir!

Il passa devant Clémence et ouvrit la porte qui cogna contre le mur puis se referma violemment derrière lui. Le moteur de la Corvette rugit et la voiture s'éloigna dans un crissement de gravier.

A cet instant, bien trop tard, Russ et Nick sortirent de leur chambre, hirsutes et les yeux gonflés, mais leur apparition n'apporta aucun réconfort à Clémence. Elle se sentait paralysée. Scottie, en pleurs, s'accrochait toujours à elle. Il fallait faire quelque chose, mais quoi? Gray leur avait donné l'ordre de partir. Partir où? C'était impossible. Et pourtant, il allait bien falloir se débrouiller. Elle parvint à lever son bras aussi lourd que du plomb et posa la main sur les cheveux de Scottie.

— Ça va aller, dit-elle sachant bien que c'était un mensonge.

Sa mère n'était plus là et rien ne serait plus jamais comme avant.

4

Au bout d'à peine un kilomètre, Gray tremblait si fort qu'il dut arrêter la voiture. Il posa la tête sur le volant et ferma les yeux, essayant de maîtriser l'angoisse qui le submergeait. Jamais il n'avait été aussi désemparé.

A vingt-deux ans, il se sentait comme un enfant anxieux de se réfugier dans les jupes de sa mère, un peu comme le petit Devlin s'était blotti contre les jambes maigrichonnes de sa sœur. Mais il n'avait pas grand-chose à attendre de Noëlle. Enfant, elle ne l'avait jamais consolé et ne commencerait pas à présent. D'autant que, vu les circonstances, c'était lui qui allait devoir la réconforter. Sans parler de Monica.

Il n'arrivait toujours pas à comprendre comment son père avait pu les quitter ainsi et sa trahison lui déchirait le cœur. Lui et Guy avaient toujours été très proches et il avait grandi persuadé que cet amour était indestructible. Une certitude que l'abandon de son père venait de réduire à néant. Tout ce en quoi il avait cru jusqu'alors s'effondrait.

La tête lui tournait en songeant aux difficultés qu'il allait devoir affronter seul. D'abord le chagrin de Noëlle et celui de Monica quand il leur révélerait la vérité. Puis la montagne de problèmes financiers à résoudre pour éviter la ruine. Tout était au nom de

Guy et dès que la nouvelle de son départ se saurait, la fortune des Bouvier risquait de s'effondrer. Les investisseurs méfiants allaient vouloir quitter le navire, il n'aurait plus aucun pouvoir au sein des conseils d'administration et se ferait balayer en un tournemain. S'il voulait garder ne serait-ce que la moitié de leur capital, il allait falloir qu'il se batte comme un beau diable.

Son père savait tout cela. Il avait forcément dû lui laisser une lettre de procuration, un document lui donnant les pleins pouvoirs. Dans le cas contraire, il devrait demander à Alex de l'aider à élaborer une stratégie. Alex était un homme intelligent et un excellent avocat d'affaires ; il aurait pu mener une carrière beaucoup plus lucrative dans une grande ville, mais disposant déjà d'une fortune personnelle, il avait préféré rester à Prescott. C'était le meilleur ami de Guy et il avait toujours travaillé pour lui. Oui, Alex le conseillerait sur la conduite à adopter. Et toute aide allait être bonne à prendre.

Il redressa la tête, se sentant de nouveau maître de ses émotions. Une détermination farouche avait remplacé la douleur. Il démarra dans un crissement de pneus, abandonnant sur la route poussiéreuse les derniers vestiges de son enfance.

Il se rendit d'abord au bureau d'Alex à Prescott. Andréa l'accueillit avec un sourire resplendissant et son visage rond rougit de plaisir. Une réaction que Gray déclenchait assez souvent chez les femmes et, malgré ses quarante-cinq ans, Andréa n'échappait pas à la règle.

Il lui rendit machinalement son sourire, l'esprit préoccupé par les plans qu'il échafaudait.

— Alex est là ? Je dois le voir immédiatement.

— Il est dans son bureau. Vous connaissez le chemin.

Passant devant elle, Gray s'engouffra dans le bureau et referma la porte derrière lui. En le voyant, Alex leva les yeux de la pile de dossiers qui s'amoncelait devant lui et se dressa aussitôt. Son allure décontractée masquait mal son inquiétude.

— Alors ? Des nouvelles de Guy ?

— Non, et Renée Devlin est partie aussi.

— J'en étais sûr !

Alex s'effondra dans un fauteuil et se massa l'arête du nez, paupières closes.

— Je n'arrive pas à y croire, continua-t-il. C'est tellement insensé. Quel besoin avait-il de faire ça puisqu'il...

Il s'interrompit et regarda Gray, l'air un peu gêné.

— ... couchait avec elle de toute façon, termina Gray d'un ton sec.

Marchant jusqu'à la fenêtre, il regarda dehors, mains dans les poches. Prescott était une petite ville d'à peine quinze mille habitants, mais aujourd'hui il y avait beaucoup de circulation dans la rue principale autour du palais de justice. Bientôt tout le monde saurait que Guy Bouvier avait quitté sa femme et ses enfants pour une traînée.

— Ta mère est au courant ? demanda Alex d'une voix tendue.

— Non, pas encore. Ni Monica. Je le leur annoncerai quand je rentrerai.

Le choc et la douleur avaient disparu maintenant et il était capable de raisonner froidement, comme si quelqu'un d'autre avait pris les rênes à sa place. Il parla d'un ton résolu :

— Papa t'a-t-il laissé un document me donnant les pleins pouvoirs ?

— Oh, merde !

Gray le regarda, inquiet. De la part d'Alex, un tel écart de langage était pour le moins surprenant. Cela dit, il y avait de quoi ! Jusqu'alors, l'avocat n'avait probablement envisagé la disparition de Guy que sur un plan personnel, il venait de se rendre compte de l'imbroglio juridique auquel il allait lui falloir remédier.

— Non, il ne m'a rien laissé, révéla-t-il, accablé. Il devait avoir peur que je ne me doute de quelque chose et que j'essaie de le dissuader.

— Peut-être y a-t-il une lettre dans son bureau ? dit Gray. A moins qu'il nous téléphone dans un jour ou deux... en ce cas il n'y aura pas de problèmes sur le plan financier. Mais s'il n'appelle pas et qu'il n'y a pas de lettre... (Il s'interrompit et réfléchit rapidement.) Non ! Je ne peux pas me permettre d'attendre, il faut vendre au plus vite avant que la nouvelle ne se répande et que le prix des actions ne dégringole.

— Il va certainement appeler, fit Alex d'un ton faible. Il le fera. Il sait qu'il a des responsabilités. Il ne peut pas s'en laver les mains. C'est sa fortune qui est en jeu.

— Il s'est bien lavé les mains de sa famille, lança Gray acerbe. Et rien ne dit qu'il ne va pas se comporter ainsi avec ses affaires. D'autant qu'il n'a pas dû partir les mains vides.

Il resta silencieux un instant puis reprit :

— Je ne pense pas qu'il reviendra, ni qu'il téléphonera d'ailleurs. Je pense qu'il est parti pour de bon. Il ne se serait pas autant pressé de me mettre au courant de toutes ses affaires si sa décision n'avait pas déjà été prise.

— Alors il a forcément dû laisser une lettre te donnant les pouvoirs. Il est trop intelligent pour ne pas y avoir songé.

— Possible, mais je dois penser à ma mère et à Monica. Je ne peux pas courir le risque qu'elles se retrouvent ruinées du jour au lendemain parce que j'aurais trop attendu. Je vais liquider, j'ai besoin de capitaux pour recommencer de zéro.

Alex soupira.

— Très bien, je vais voir ce que je peux faire de

mon côté. Mais je te préviens, si Guy ne nous contacte pas et qu'il ne t'a pas laissé de procuration, nous risquons de courir droit à la catastrophe. La solution la plus sage serait que Noëlle divorce et qu'elle obtienne la moitié des biens, mais cela prendrait du temps...

— Et nous n'en avons pas, martela Gray, alors autant prévoir le pire. Je vais rentrer à la maison voir si je trouve quoi que ce soit. S'il n'y a rien, j'appellerai le courtier pour lui dire de vendre. Je te tiens au courant. Surtout n'en parle à personne, s'il te plaît.

Alex se leva.

— Ne t'inquiète pas, même Andréa n'en saura rien.

Il passa la main dans ses cheveux bruns, trahissant une nervosité très rare chez lui. Ses yeux gris étaient voilés de tristesse.

— Je suis désolé, Gray. Je me sens responsable, j'aurais dû m'en douter.

— Comment? répondit Gray en haussant les épaules. Qui aurait pu penser qu'il ferait une chose pareille? Papa est le seul à blâmer. Je ne comprends pas qu'il ait pu nous quitter pour une femme comme Renée. Mais il paraît que l'amour est aveugle...

Il s'interrompit, perdu dans ses pensées. Puis il se reprit et se dirigea vers la porte.

— Je t'appelle aussitôt que j'ai des nouvelles.

Dès qu'il fut sorti, Alex retomba dans son fauteuil et quand Andréa entra brusquement dans le bureau, il dut prendre sur lui pour faire bonne figure.

— Gray a des problèmes? demanda Andréa avec curiosité.

— Non. Il voulait juste discuter d'une affaire privée.

— Je vois... (Puis, visiblement frustrée par le laconisme de l'avocat:) Est-ce que je peux faire quelque chose?

— Non, tout va bien, soupira Alex. J'ai juste un petit coup de barre. Allez déjeuner et rapportez-moi un sandwich. J'attends un coup de fil, je ne peux pas bouger d'ici.

— Très bien. A quoi le sandwich ?

— Peu importe, fit-il en agitant la main. Je vous fais confiance.

Une fois qu'elle fut partie, Alex attendit quelques minutes avant d'aller fermer la porte du cabinet à clé, puis il s'assit sur la chaise d'Andréa, remit en route l'ordinateur qu'elle avait éteint et commença à taper.

— Que le diable t'emporte, Guy ! murmura-t-il.

Pour une fois Gray gara la Corvette au pied de l'imposant escalier à cinq marches menant à la galerie couverte. Noëlle n'aimait pas que les membres de la famille laissent leur véhicule devant la maison, et préférait qu'ils les mettent hors de vue dans le garage, arguant que les visiteurs n'avaient pas besoin de savoir qui des Bouvier était présent. Ainsi l'on pouvait plus aisément éconduire les importuns. Noëlle, dans ses principes, était très victorienne et d'habitude Gray s'inclinait à ses vues, mais aujourd'hui il avait d'autres chats à fouetter.

Il grimpa les marches du perron en deux enjambées et ouvrit la lourde porte en bois massif. Monica était probablement postée devant la fenêtre de sa chambre car elle descendit en hâte pour l'accueillir.

— Tu n'aurais pas dû te garer devant la maison, maman va être furieuse et papa n'est toujours pas rentré ! souffla-t-elle en jetant un coup d'œil inquiet vers la salle à manger où Noëlle prenait son petit déjeuner. Pourquoi as-tu cassé la vitre du bureau ? Tu t'es sauvé comme si tu avais le feu aux trousses.

Ignorant sa sœur, Gray se précipita vers le bureau de Guy, l'écho de ses pas résonnant sur le parquet du couloir. Monica, qui l'avait suivi, le regarda inspecter un à un les papiers de leur père.

— Je suis sûre que papa n'a pas passé la nuit à jouer au poker, dit-elle d'une voix tremblante. Appelle-le encore une fois et oblige-le à nous dire où il est.

— Plus tard, murmura Gray sans même la regarder.

Pas un des documents sur le bureau ne ressemblait à une procuration. Il commença à ouvrir les tiroirs.

— Gray! protesta Monica d'un ton suraigu. Je crois qu'il est plus urgent de trouver papa que de fouiller son bureau!

Il s'arrêta, respira profondément et se redressa.

— Monica, s'il te plaît, assieds-toi et tais-toi! dit-il d'une voix calme mais tendue. Je cherche un papier très important que papa a dû laisser ici. Je t'expliquerai dès que je l'aurai trouvé.

Elle ouvrit la bouche pour protester mais se ravisa en voyant son regard. Etonnée, elle s'assit et resta silencieuse tandis qu'il reprenait ses recherches.

Cinq minutes plus tard, il s'assit à son tour, désemparé. Il n'y avait pas de lettre. C'était à n'y rien comprendre. Pourquoi son père, après s'être donné autant de mal pour lui apprendre à gérer leurs affaires, s'était-il sauvé sans lui transmettre les pleins pouvoirs? Comme Alex l'avait souligné, Guy était bien trop malin pour ne pas y avoir songé. Peut-être avait-il ensuite changé d'avis? C'était la seule explication. Dans ce cas, il les contacterait probablement d'ici quelques jours, sachant que, sans son aval, Gray avait les mains liées.

Il n'aurait jamais cru possible que son père puisse ainsi mettre en danger leur patrimoine, mais il n'aurait jamais cru non plus qu'il les abandonnerait pour Renée Devlin... Les choses étant ce qu'elles étaient, mieux valait s'attendre au pire et être prêt à toute éventualité. Devant tant d'irresponsabilité, il ne pouvait plus se permettre de faire confiance à son père. Le sort de sa mère et de Monica était entre ses mains, et il ne mettrait pas en péril leur bien-être.

Il tendit la main pour prendre le téléphone puis, se rappelant l'avoir jeté par la fenêtre maintenant sans vitre, il alla dans le hall récupérer le poste posé sur le guéridon au pied de l'escalier. Monica, toujours silencieuse, le suivit, cachant difficilement son exaspération.

Il appela d'abord Alex. L'avocat décrocha dès la première sonnerie.

— Pas de lettre, annonça Gray. Débrouille-toi pour que j'aie les mains libres.

— J'ai déjà commencé à m'en occuper, répondit Alex simplement.

Gray appela ensuite son courtier. Ses instructions furent brèves mais explicites. En mettant les choses au pis, il aurait besoin du maximum de liquidités. En raccrochant, il sut que le plus dur lui restait maintenant à accomplir.

Monica le fixait de ses grands yeux noirs inquiets.

— Que se passe-t-il, Gray? C'est grave, n'est-ce pas?

Il prit une profonde inspiration.

— Viens, allons voir mère.

— Mais parle!

— Ce n'est pas le genre de nouvelles que j'ai envie de répéter, répliqua-t-il sèchement en la prenant par la main.

Dans la grande salle à manger, Noëlle savourait sa dernière tasse de thé en lisant la rubrique mondaine du journal de La Nouvelle-Orléans. Prescott avait sa propre gazette, dans laquelle on parlait régulièrement d'elle, mais apparaître dans celle de La Nouvelle-Orléans, capitale culturelle de la Louisiane, était tout de même autre chose! Que son nom y soit souvent cité faisait beaucoup d'envieux dans le comté. Elle était vêtue de blanc comme d'habitude, ses cheveux noirs retenus en arrière. Son maquillage était léger mais parfait, ses bijoux hors de prix mais discrets. Rien d'extravagant ni de frivole chez Noëlle. Tout en elle était sobre et classique, jusqu'à ses ongles soigneusement manucurés recouverts de vernis incolore.

Elle leva les yeux lorsque Gray et Monica arrivèrent dans la salle à manger.

— Bonjour, mère.

Depuis que Monica et Gray étaient sortis de l'enfance, Noëlle tenait à ce qu'ils l'appellent ainsi. Et bien sûr, le vouvoiement était de rigueur.

— Bonjour, Gray.

Sa voix ne trahissait jamais la moindre trace d'émotion, ni chaleur, ni affection, ni colère. De tels débordements auraient été bien trop vulgaires pour elle.

— Voulez-vous du thé ? proposa-t-elle.

— Non merci, mère. Il faut que je vous parle, il est arrivé un événement grave.

Il sentit la main de Monica trembler et la serra pour la rassurer.

Posément Noëlle mit de côté le journal.

— Peut-être serons-nous mieux dans mon salon, alors, dit-elle, toujours attentive à ce que les domestiques ne surprennent pas les conversations privées.

— Ce n'est pas la peine, répondit Gray. Ce que j'ai à vous dire ne sera bientôt plus un secret pour personne.

Il invita Monica à s'asseoir et, debout à côté d'elle, lui posa la main sur l'épaule, conscient que la nouvelle risquait de lui briser le cœur. Leur mère, elle, ne serait atteinte que dans sa dignité.

— C'est difficile à annoncer, reprit-il d'un ton neutre, car père n'a pas laissé de lettre ou quoi que ce soit expliquant son geste, mais il semble bien qu'il ait quitté la ville avec Renée Devlin.

Poussant un cri étouffé, Monica se pétrifia, livide. Noëlle reposa sa tasse sur la soucoupe sans un tremblement.

— Cela me surprend, répondit-elle avec une tranquille assurance. Partir en voyage d'affaires avec une femme pareille est de très mauvais goût.

— Mère, il n'est pas parti en voyage d'affaires. Papa et Renée Devlin se sont enfuis ensemble. Il ne reviendra pas.

Cette fois, Noëlle pâlit. Sa voix, pourtant, demeura ferme.

— C'est parfaitement absurde ! Votre père ne risquerait pas sa réputation pour...

— Mais bon Dieu, mère ! explosa Gray. Papa se fiche de sa réputation comme de sa première chemise !

— Grayson, ne sois pas vulgaire, je te prie.

C'était bien de sa mère de se soucier des convenances à un moment pareil ! Gray serra les poings, s'obligeant à parler calmement.

— Père est parti, dit-il en insistant sur chaque mot. Il vous a quittée pour Renée. Il ne reviendra pas. Personne n'est encore au courant mais dès demain matin tout le comté en parlera.

Les yeux de Noëlle se remplirent d'horreur lorsqu'elle réalisa la situation humiliante dans laquelle elle se trouvait.

— C'est impossible, murmura-t-elle. Il n'aurait jamais osé...

— C'est pourtant ce qu'il a fait !

Elle se leva en secouant la tête, le regard vide.

— Alors tout le monde saura qu'il m'a quittée pour cette... cette...

Incapable de terminer sa phrase, elle quitta rapidement la pièce.

Noëlle partie, Monica s'effondra sur la table et se mit à pleurer, la tête entre les bras. Gray s'accroupit près d'elle et la prit dans ses bras.

— Ne t'inquiète pas. On va s'en sortir, dit-il. Je risque d'être très occupé ces prochains jours, mais si tu as besoin de moi, je serai là.

Sa chaise tomba avec fracas tandis qu'elle se dégageait brusquement des bras de Gray et quittait en courant la salle à manger. L'écho de ses sanglots résonna dans le grand hall tandis qu'elle montait l'escalier. Quelques secondes plus tard, la porte de sa chambre claqua violemment.

Gray serra les dents pour ne pas se mettre lui aussi à hurler. Il se sentait des envies de cogner, son père en particulier. Mais l'égoïsme de sa mère le révulsait presque autant. Ne pouvait-elle pas au moins une fois dans sa vie oublier sa sacro-sainte dignité pour consoler sa fille ? Ne voyait-elle donc pas que Monica avait besoin d'elle ? Mais non, jamais elle ne s'était souciée d'autre chose que du qu'en-dira-t-on et il n'y avait aucune raison pour que cela change !

Un verre lui ferait le plus grand bien. Il sortit de la salle à manger et retourna dans le bureau où Guy gardait en permanence une bouteille de whisky. Au passage, Oriane, la gouvernante, qui montait l'escalier, une pile de serviettes dans les bras, lui jeta un coup d'œil inquiet. Elle n'était pas sourde, bien sûr, et avait dû entendre les cris et les sanglots. Cela allait discuter ferme entre elle, son mari Garron qui s'occupait du jardin, et Delfina la cuisinière. Il fallait qu'il leur parle mais pour l'instant il n'en avait pas la force. Après avoir bu son whisky, peut-être.

Il ouvrit le petit bar du bureau, prit la bouteille et remplit le verre presque au tiers. Le liquide ambré au goût légèrement fumé lui piqua la langue mais il l'avala d'un trait. Il buvait pour se calmer, pas pour le plaisir. Il venait de se remplir un deuxième verre lorsqu'un cri perçant résonna à l'étage, suivi des hurlements d'Oriane qui l'appelait.

Monica ! Dès qu'il entendit le cri d'Oriane, il

compris. Il se précipita hors du bureau, la peur au ventre, et gravit les marches quatre à quatre. Oriane vint à sa rencontre, les yeux exorbités.

— Oh mon Dieu ! Oh mon Dieu ! Vite !

Gray la repoussa, entra en trombe dans la chambre de Monica. Ne la voyant pas, il se précipita dans la salle de bains attenante et s'arrêta net, horrifié.

Le carrelage rose que Monica avait choisi elle-même assorti à la chambre était maculé de taches rouge vermeil. Assise sur le couvercle des toilettes, Monica regardait d'un air absent par la fenêtre. Ses grands yeux noirs étaient vides, ses mains croisées sagement. Le sang s'écoulait en flots réguliers des deux grandes entailles qu'elle s'était faites aux poignets, trempant sa robe et dégoulinant le long de ses jambes.

— Je ne voulais pas vous déranger, dit-elle d'une voix lointaine, je ne pensais pas qu'Oriane viendrait...

— Seigneur !

Prenant les serviettes que la gouvernante avait laissées tomber, Gray s'agenouilla près de sa sœur et lui banda les deux poignets aussi fort que possible.

— Bon sang, Monica, tu mérites une raclée !

— Fiche-moi la paix, je veux mourir, murmura-t-elle en essayant de se dégager, mais les forces commençaient déjà à lui manquer.

— Tais-toi ! aboya Gray en achevant de fixer le deuxième bandage. Tu en as déjà assez fait comme ça !

Après la matinée qu'il venait de passer, c'était la goutte d'eau qui faisait déborder le vase.

— Il ne t'est pas venu à l'idée de penser un peu à moi ? continua-t-il. De te dire que je pouvais avoir besoin de ton aide ! Tu n'es pas la seule à souffrir, tu sais !

Il la prit dans ses bras et partit en courant vers l'escalier. Blanche comme un linge, Noëlle les regarda passer sans un mot. Oriane et Delfina pleuraient dans les bras l'une de l'autre au pied des marches.

— Appelez la clinique du Dr Bogarde, ordonna Gray en portant Monica vers la Corvette garée devant la maison. Dites-leur que nous arrivons !

— Je vais mettre du sang dans ta voiture, protesta faiblement Monica.

— Je t'ai dit de te taire ! Si tu n'as rien d'intelligent à dire, ça vaut mieux que de sortir des âneries.

Il aurait peut-être dû se montrer plus doux — après tout, sa sœur venait d'essayer de se suicider — mais c'était plus fort que lui. Il ne comprenait pas que Monica ait commis un acte aussi stupide et bouillait de rage en songeant qu'il ne pouvait décidément compter sur personne. Durant ces dernières heures, sa vie était devenue un véritable chaos. Il en avait assez !

Il déposa sa sœur sur le siège du passager avant de se glisser derrière le volant. Il démarra en trombe dans une gerbe de graviers. Monica gisait affalée contre la portière, les yeux clos. Il lui jeta un coup d'œil inquiet. Elle était d'une pâleur mortelle, et un halo bleuâtre cernait ses lèvres. Les entailles qu'elle s'était faites étaient profondes. Le sang commençait à transpercer les serviettes, paraissant encore plus rouge sur le blanc du tissu.

Il parcourut les vingt-cinq kilomètres qui les séparaient de la clinique en moins de dix minutes. Le parking était plein mais il s'arrêta devant l'entrée à l'arrière du bâtiment à deux étages en appuyant sur le klaxon. Se précipitant hors de la voiture, il prit Monica dans ses bras. Elle se laissa porter sans réagir, la tête ballottant contre son épaule. Gray sentit des larmes lui brûler les paupières.

La porte de la clinique s'ouvrit et le Dr Bogarde vint à leur rencontre suivi de deux infirmières.

— Dans la première salle à droite ! ordonna-t-il.

Gray s'engouffra dans la pièce et déposa doucement Monica sur la table d'examen.

Sadie Lee Fanchier, la surveillante, prit immédiatement la tension de Monica tandis que le Dr Bogarde enlevait les bandages de fortune.

— Perfusion ! ordonna le Dr Bogarde. Glucose !

Kitty, la deuxième infirmière, se précipita pour exécuter ses ordres.

Le Dr Bogarde gardait les yeux fixés sur les poignets de Monica.

— Il lui faut une transfusion, dit-il. Rapidement. On va la transporter à l'hôpital de Baton Rouge. Je ne peux rien faire ici. Elle a besoin d'un spécialiste pour suturer ses veines.

Kitty suspendit le sac de glucose sur la potence métallique et piqua avec dextérité le bras de Monica.

— On n'a pas le temps de trouver une ambulance, continua le médecin, nous allons prendre ma voiture. Tu te sens en état de conduire ? ajouta-t-il en s'adressant à Gray.

— Oui, répondit celui-ci sans hésiter.

Le Dr Bogarde pansa les poignets de Monica.

— Bon, ça devrait arrêter l'hémorragie. Kitty, j'ai besoin de couvertures. Mettez-en une sur la banquette arrière de ma voiture et enroulez Monica dans l'autre. Gray, porte-la et fais attention à la perfusion ! Sadie Lee, appelez Baton Rouge et dites-leur que nous arrivons. Prévenez aussi le shérif pour qu'il nous donne une escorte.

Gray prit avec précaution sa sœur dans ses bras. Sac de glucose dans une main et trousse dans l'autre, le Dr Bogarde le suivit et ils se hâtèrent en direction de la Chrysler. Le Dr Bogarde ouvrit la portière et aida Gray à installer Monica sur la banquette. Il accrocha la perfusion au portemanteau au-dessus de la vitre et s'installa à genoux entre banquette et siège près de Monica.

— Surtout pas de secousses, dit-il à Gray tandis que celui-ci se glissait tant bien que mal à la place du conducteur.

Bogarde mesurait à peine un mètre soixante-cinq

et le siège était si près du volant que Gray dut se ratatiner pour arriver à conduire. Avec le médecin accroupi derrière lui, reculer son siège était impossible.

— Roule à vitesse régulière et mets les feux de détresse, ordonna le médecin.

Obéissant, Gray quitta la clinique beaucoup plus prudemment qu'il n'y était entré.

— Pourquoi a-t-elle fait ça ? demanda le Dr Bogarde.

Gray lui jeta un coup d'œil dans le rétroviseur. Le médecin était un petit homme sémillant aux yeux bleus, ni Créole ni Cajun malgré son patronyme. Il avait la cinquantaine et des cheveux grisonnants. Gray le connaissait depuis toujours. A part Noëlle qui préférait aller voir un praticien en vogue à La Nouvelle-Orléans, tous les autres membres de la famille avaient, à un moment ou un autre, eu recours à ses services.

Gray choisit de passer sous silence la fuite de Guy, préférant attendre que son courtier ait le temps de vendre et qu'Alex puisse régler les problèmes juridiques. Il lui faudrait bien la divulguer tôt ou tard mais, pour l'heure, mieux valait s'en tenir à une demi-vérité.

— Mes parents ont décidé de se séparer, dit-il laconiquement, et Monica a très mal pris la chose.

— Je comprends... répondit le médecin.

Gray resta silencieux, se concentrant sur la conduite. Les suspensions de la Chrysler atténuaient les cahots de la route et les pneus glissaient sans bruit sur l'asphalte. L'impression d'irréalité qui l'avait envahi un peu plus tôt resurgit. Le soleil brûlant se déversait à travers le pare-brise, les pins défilaient à toute allure. Le ciel était d'un bleu intense. On était à la fin du printemps et le paysage lui était aussi familier que son propre visage. C'était étrange : en quelques heures son univers s'était écroulé, et pourtant, autour de lui, rien n'avait changé.

A l'arrière, le Dr Bogarde vérifiait le pouls de Monica et sa tension artérielle.

— Gray, dit-il d'un ton posé, tu ferais bien d'accélérer.

5

Il était vingt-deux heures trente cette nuit-là lorsque Gray et le Dr Bogarde quittèrent l'hôpital de Baton Rouge. Après toutes les émotions que Gray avait endurées depuis le matin, il était fourbu. Monica, qui avait subi une intervention chirurgicale, dormait à présent tranquillement. A leur arrivée à l'hôpital, elle avait fait un arrêt cardiaque et avait été immédiatement transportée en réanimation. On avait dû lui faire deux transfusions, une avant de l'opérer et la deuxième pendant l'intervention. Le chirurgien avait informé Gray que son poignet droit fonctionnerait normalement mais que deux tendons du gauche avaient été endommagés et que sa main ne retrouverait probablement pas sa mobilité complète.

Gray s'en moquait. L'important, c'était qu'elle soit en vie. Elle s'était réveillée brièvement après son transfert de la salle de réanimation et avait balbutié un: «Je suis désolée» ambigu. Regrettait-elle d'avoir essayé de se suicider, ou d'avoir échoué, ou encore de lui causer autant de soucis? Difficile à dire mais il préférait penser qu'elle regrettait son geste, car l'idée qu'elle pût récidiver lui flanquait la chair de poule.

— Je vais conduire, dit le Dr Bogarde. Tu m'as l'air dans un sale état.

— Je le suis, grommela Gray. Je boirais volontiers un café.

— Pas de problème. On va s'arrêter au McDonald un peu plus loin.

Cette fois, Gray laissa le médecin conduire. S'il avait repris le volant, ils auraient probablement atterri dans le premier fossé venu.

Quinze minutes plus tard, un grand gobelet de café fumant à la main, il regardait défiler les lampadaires des rues de Baton Rouge. Il avait passé de très bonnes années ici durant ses études. A Baton Rouge, les distractions ne manquaient pas, personne ne savait mieux faire la fête qu'un Cajun et la ville en était remplie. Oui, il avait profité pleinement de la vie pendant quatre ans.

Il n'était rentré à Prescott que depuis deux mois et pourtant cela lui semblait une éternité. La journée infernale qui venait de s'écouler avait enterré à jamais le jeune homme insouciant qu'il avait été. L'homme qui venait de naître était plus grave, plus dur aussi, mais si c'était le prix à payer pour survivre, il ne regrettait rien.

Il songea à Noëlle. N'importe quelle mère se serait battue bec et ongles pour rester au chevet de sa fille. Pas elle. Il n'avait même pas réussi à la joindre au téléphone. C'était Oriane qui lui avait répondu et lui avait expliqué que Madame s'était enfermée dans sa chambre et refusait d'en sortir.

La nouvelle ne l'avait ni surpris, ni même affolé. Noëlle, elle, ne risquait pas d'attenter à ses jours. Elle était bien trop égocentrique pour se faire le moindre mal.

Malgré le café, il somnola durant le trajet de retour et ne se réveilla que lorsque le Dr Bogarde arrêta la voiture derrière la clinique. Il avait oublié de fermer la capote de la Corvette et la rosée recouvrait les sièges.

— Tu crois que tu arriveras à dormir cette nuit ?

demanda le Dr Bogarde. Je peux te donner un somnifère, si tu veux.

— Mon problème sera plutôt de rester suffisamment éveillé pour rentrer, répondit Gray avec un petit rire amer.

— Tu pourrais rester à la clinique.

— C'est gentil, mais je préfère être à la maison au cas où l'hôpital appellerait.

— Comme tu voudras, mais sois prudent.

— Promis.

Gray enjamba la portière de la Corvette et se glissa sur le siège. Il eut un frisson en sentant l'humidité transpercer la toile de son pantalon.

La nuit était douce et il laissa la capote baissée pour rouler. L'air lui fouetta le visage. Bientôt, les lumières de Prescott disparurent et la campagne l'enveloppa de son obscurité bienfaisante.

Au bout de quelques minutes, pourtant, une oasis de lumière perça les ténèbres. Dans le bar de Jimmy Jo la fête battait son plein. Le parking où s'alignaient voitures et pick-up était bondé. L'enseigne fluorescente clignotait en signe de bienvenue. Comme la Corvette passait à la hauteur du bar, un pick-up bringuebalant déboucha soudain sur la route.

Gray écrasa la pédale de frein. Le pick-up fit une embardée, faillit se renverser et se redressa. Dans la lumière de ses phares, il aperçut les faces hilares de ses occupants. Le passager, agitant une bouteille de bière dans sa direction, lui lança une bordée d'injures.

Gray serra les dents. Il n'avait pas compris ce que l'autre avait crié et peu lui importait, car il venait de reconnaître Russ et Nick Devlin qui allaient visiblement dans la même direction que lui. Ils n'étaient donc pas partis !

La colère l'envahit. Une colère froide et impitoyable qui gagnait peu à peu chaque cellule de son corps. Ses muscles se crispèrent, puis la rage balaya la fatigue. Son esprit fonctionnait parfaitement à présent, il savait ce qu'il avait à faire.

Il effectua un brusque demi-tour et reprit la direction de Prescott. Le shérif Deese n'apprécierait pas d'être réveillé en pleine nuit, mais Gray était un Bouvier, et le shérif ferait ce qu'il lui demanderait. D'ailleurs, lui non plus n'aurait probablement rien contre le fait de se débarrasser enfin des Devlin. Rien de tel pour faire chuter le taux de criminalité du comté.

Angoissée par un terrible pressentiment, Clémence avait été incapable d'avaler quoi que ce fût de toute la journée.

Après le départ de Gray, elle s'était mise à ranger et à commencer les cartons, mais Amos lui avait ordonné d'arrêter en la giflant, hurlant que Renée n'était partie que pour quelques jours et qu'elle reviendrait. Ce vieux bâtard de Bouvier ne laisserait jamais son salaud de fils les ficher dehors. Au bout d'un moment, son père avait fini par se fatiguer de lui hurler après et était parti dans son pick-up en quête d'alcool.

Sitôt Amos disparu, Jodie se précipita dans la chambre de ses parents pour fouiller la garde-robe de Renée.

Clémence la suivit et, surprise, la regarda étaler les vêtements de leur mère sur le lit.

— Qu'est-ce que tu fais ?

— Maman n'en a plus besoin, répliqua joyeusement Jodie. Guy va lui acheter tout ce qu'elle veut. Pourquoi crois-tu qu'elle n'a rien emmené sinon ? Et moi, je n'ai rien à me mettre.

Elle tenait à bout de bras une robe jaune décorée de paillettes à l'encolure.

— La semaine dernière, j'avais rendez-vous avec Lane Foster et j'ai voulu la mettre mais elle ne me l'a pas prêtée. J'ai dû porter ma vieille robe bleue. Mais cette fois, ça va changer !

— Tu ne dois pas prendre les vêtements de maman, protesta Clémence, les yeux pleins de larmes.

Jodie lui jeta un coup d'œil exaspéré.

— Et pourquoi pas ?

— Papa a dit qu'elle allait revenir.

Jodie s'étouffa presque de rire.

— Compte là-dessus et bois de l'eau fraîche ! Gray a raison, pourquoi rentrerait-elle ? Même si Guy a la trouille et qu'il retourne chez son glaçon de femme, maman aura réussi à lui soutirer assez de fric pour se tirer ailleurs.

— De toute façon, il faudra qu'on parte d'ici, répondit Clémence en essuyant ses larmes d'un revers de main. On ferait mieux de faire nos bagages tout de suite.

Jodie lui tapota l'épaule.

— Mon pauvre bébé ! Ce que tu peux être naïve. Gray était furieux, mais il ne fera rien contre nous. Ce n'est qu'une grande gueule. Je vais aller le voir et le calmer. Ça fait longtemps que j'ai envie de le connaître de plus près.

Clémence tourna les talons. Jodie n'avait pas plus de jugeote qu'une poule ! Elle ne voyait même pas qu'elle dégoûtait Gray. Ce matin pourtant, le mépris avec lequel il avait jaugé la famille avait été assez éloquent. Rien que d'y penser, le feu de la honte lui remonta aux joues. Pour Gray, elle n'était qu'une moins que rien, une Devlin. Jamais elle ne parviendrait à lui prouver qu'elle était différente des autres.

Tout en fredonnant gaiement et sans plus se soucier de Clémence, Jodie emporta une brassée de vêtements aux couleurs vives dans l'intention manifeste de les essayer. Pour éviter d'être témoin de ce sacrilège, Clémence saisit Scottie par la main et l'emmena jouer dehors.

Elle s'assit sur une souche tandis que son frère

poussait ses petites voitures dans la poussière de la cour. En temps normal, il pouvait jouer pendant des heures sans broncher mais lui aussi devait sentir que quelque chose n'allait pas. Au bout d'un moment, il revint anxieusement se blottir contre elle et s'endormit presque aussitôt. Clémence lui caressa tendrement les cheveux, terrifiée par la vilaine teinte bleutée de ses lèvres.

Les yeux dans le vague et le cœur gros, elle se mit à se balancer d'avant en arrière. Jusqu'alors elle avait toujours su de quoi serait fait le jour suivant. Les journées s'écoulaient, grises et sans surprise. A présent tout s'effondrait. Sa mère était partie. Scottie allait bientôt mourir et Renée ne serait même pas là.

« Je te déteste, maman ! songea-t-elle en serrant les poings. Toi et Guy, vous n'avez pensé qu'à vous, vous vous fichez bien de ce qui peut nous arriver. »

Il y avait bien longtemps que Clémence n'était plus une enfant. Depuis son plus jeune âge, les responsabilités pesant sur ses épaules lui avaient conféré une maturité dont elle se serait bien passée. Mais, à quatorze ans, elle était encore trop jeune pour affronter un chaos pareil, trop jeune pour partir avec Scottie et trouver du travail. Légalement, elle dépendait entièrement des caprices des adultes qui l'entouraient.

Elle aurait pu fuguer, mais comment faire avec Scottie ? Personne ne prendrait la peine de s'occuper de lui si elle partait. Elle ne pouvait pas l'abandonner.

Elle resta assise sur la souche tandis que l'après-midi s'écoulait lentement, trop déprimée pour accomplir les corvées habituelles. Plus la soirée approchait et plus sa tension montait. Elle aurait voulu hurler pour briser l'attente. Scottie, réveillé de sa sieste, jouait tout près d'elle, comme s'il avait peur de s'éloigner.

La nuit arriva et personne n'était venu. Affamé, Scottie la tira par le bras pour la faire rentrer. A contrecœur, elle le prit par la main, croisant Russ et Nick qui partaient pour leur virée nocturne. Jodie, vêtue de la robe jaune tant convoitée, s'en alla aussitôt après leur départ.

Peut-être que Jodie avait raison après tout. Si Gray avait simplement parlé sous le coup de la colère, il ne les expulserait pas. Et puis Guy allait peut-être se raviser et revenir avec Renée...

Non ! Sa mère ne reviendrait pas. Et elle partie, Guy même s'il revenait n'aurait plus aucune raison de leur laisser occuper le bungalow. Oh, il était loin d'être en bon état mais c'était un toit, un toit gratuit. Non, il n'y avait aucun espoir. Tôt ou tard, ils devraient partir.

Elle fit manger Scottie, lui donna son bain et le mit au lit. Soulagée d'être enfin seule, elle se hâta de se laver et de se coucher. Mais même son précieux livre ne parvint pas à la distraire de ses idées noires. Comme un film monté en boucle, elle se repassait sans arrêt la scène du matin avec Gray, revoyant l'expression de dégoût dans ses yeux. La gorge serrée, elle roula sur le côté et s'enfouit le visage contre l'oreiller, luttant contre les sanglots qui l'oppressaient.

Epuisée, elle s'endormit enfin. Mais son sommeil fut perturbé à plusieurs reprises. Dès qu'un membre de la famille rentrait, elle se réveillait, l'esprit en alerte. Amos revint le premier, ivre mort, bien sûr. Il était vrai qu'il avait commencé à boire de bonne heure. Et pour une fois il ne réclama pas le dîner qu'il n'aurait pas mangé de toute façon et accompagna de jurons sa lente progression vers la chambre à coucher. Quelques minutes plus tard, Clémence entendit les ronflements familiers.

Jodie revint vers onze heures, plus tôt que d'habitude et de mauvaise humeur. Sa soirée avait dû mal se passer mais Clémence se garda bien de lui poser des questions. Otant la robe jaune qu'elle roula en boule et jeta dans un coin, sa sœur s'affala sur son lit de camp, se tourna sur le côté et sombra aussitôt.

Les garçons aussi rentrèrent de bonne heure. Peu de temps plus tard, ils arrivèrent en faisant un tapage de tous les diables, réveillant Scottie comme de bien entendu. Clémence ne se leva pas et le silence retomba bientôt.

Ils étaient tous là, sauf Renée... Clémence se remit à pleurer en silence, essuyant ses larmes avec le drap jusqu'à ce que l'épuisement la terrasse enfin.

Elle venait à peine de s'endormir quand, soudain, un bruit assourdissant ébranla la maison. Terrifiée, elle s'éveilla en sursaut et se sentit brutalement tirée par une poigne vigoureuse tandis qu'une lumière crue l'aveuglait. Elle hurla, essayant de se dégager, mais les mains qui la tenaient resserrèrent leur prise et elle se sentit littéralement propulsée hors de la chambre. Tout autour d'elle, ce n'était que larmes et hurlements. Scottie criait, les garçons et Amos juraient à pleins poumons, Jodie sanglotait.

Dehors dans la cour, derrière des lumières aveuglantes disposées en arc de cercle, elle crut distinguer une foule qui s'agitait. L'homme qui la tirait par le bras ouvrit la porte d'un coup de pied et la poussa à l'extérieur d'une violente bourrade. Elle trébucha sur les marches branlantes et s'écroula le nez dans la poussière, s'écorchant sur les cailloux.

— Occupe-toi du môme ! dit une voix d'homme.

On déposa sans ménagements Scottie près d'elle. Il hurlait, ses yeux bleus ronds comme des billes étaient fous de terreur. Clémence se redressa, tira pudiquement sur sa chemise de nuit et le prit sur ses genoux pour le consoler.

Les objets volaient et s'écrasaient sur le sol tout autour d'elle. Elle aperçut Amos qui s'agrippait au chambranle tandis que deux hommes en uniforme brun le poussaient hors de la maison. Les hommes du shérif ! Pourquoi étaient-ils là ? Les garçons ou Amos avaient dû se faire surprendre en train de voler. Un des hommes donna un coup sur les doigts de son père avec sa torche. Amos poussa un beuglement et lâcha prise. Les deux hommes en profitèrent pour le jeter en bas des marches.

Une chaise vola droit sur Clémence. Elle l'esquiva et jugea plus prudent de se réfugier à l'abri du vieux camion de son père. Elle s'y dirigea à moitié courbée, tenant dans ses bras Scottie, qui la serrait à l'étouffer.

Blottie contre la roue avant du camion, elle regarda, pétrifiée, la scène de cauchemar qui se déroulait devant elle. Les casseroles, les saladiers, les vêtements, tout passait par les fenêtres. Un tiroir empli de couverts fut renversé dans la poussière avec un bruit de mitraille. La lumière des phares des voitures de police faisait étinceler comme de l'argent l'aluminium bon marché.

— Videz tout ! Je ne veux plus rien voir à l'intérieur !

Elle reconnut immédiatement la voix bien-aimée. Gray ! Que faisait-il ici ? Elle le chercha des yeux parmi les silhouettes mouvantes et l'aperçut presque aussitôt. Il se tenait près du shérif, bras croisés.

— Vous n'avez pas le droit de nous faire ça ! aboya Amos en l'attrapant par le bras.

Gray l'écarta sans effort comme un vulgaire roquet. Mais Amos revint à la charge.

— C'est pas humain de nous jeter dehors en pleine nuit ! Et mes enfants, que vont-ils devenir ? Mon pauvre petit garçon malade ? Vous n'avez pas de cœur !

— Je vous avais dit de débarrasser le plancher avant la nuit ! répliqua Gray sans sourciller. Vous feriez mieux de récupérer vos affaires vite fait, parce que dans une demi-heure je mets le feu à tout ce qui reste !

— Non ! Pas mes affaires ! cria Jodie.

Elle avait trouvé refuge entre deux voitures et se précipita comme une furie hors de sa cachette. Elle se mit à fouiller parmi les décombres, ramassant ses vêtements en les jetant sur ses épaules, écartant rageusement tout ce qui ne lui appartenait pas.

Avec l'énergie du désespoir, Clémence se leva, Scottie toujours accroché à son cou. Leurs maigres possessions étaient sans doute méprisables pour Gray mais c'était toute leur richesse. Elle posa Scottie à terre et commença à ramasser un paquet de vêtements qu'elle jeta à l'arrière du pick-up d'Amos. Vite, il fallait récupérer tout ce qu'elle pouvait !

Scottie se collait à ses jambes comme une sangsue, bien décidé à ne pas la lâcher, et ralentissait ses efforts. Elle s'approcha de son père et lui secoua le bras.

— Ne reste pas là à ne rien faire ! cria-t-elle. Aide-moi à mettre les affaires dans le camion !

Il l'écarta violemment et la fit tomber.

— Tu n'as pas à me donner d'ordres ! Espèce de pisseuse !

Elle se releva, ne sentant même pas les nouvelles écorchures qu'elle devait à son père. Les garçons, encore plus ivres qu'Amos, titubaient en invectivant les hommes du shérif qui, ayant terminé de vider la maison, se rassemblaient pour profiter du spectacle.

— Jodie, aide-moi ! supplia Clémence. Ramasse tout ce que tu peux, vite ! On triera plus tard. Prends tous les vêtements, comme ça tu seras sûre que les tiens sont avec.

Avec un tel argument, elle était certaine d'obtenir la coopération de sa sœur.

Les deux filles se mirent au travail, récupérant tout ce qui traînait par terre. Clémence allait si vite que Scottie n'arrivait plus à la suivre. Il trottinait derrière elle en sanglotant et en essayant d'attraper de ses petites mains les jambes fines de sa sœur.

Clémence agissait comme un automate, s'interdisant de penser, l'esprit engourdi. Elle se coupa la main sur un bol cassé et ne remarqua même pas la blessure. L'un des hommes du shérif vit le sang et s'approcha en lui tendant un mouchoir.

— Tiens ! dit-il d'un ton bourru.

Comme Clémence ne le prenait pas, il noua lui-même le pansement de fortune autour de sa main. Elle le remercia machinalement et se remit à la tâche.

Elle était trop innocente et surtout trop préoccupée pour se rendre compte que les phares des voitures, transperçant le mince tissu de sa chemise de nuit, laissaient paraître son corps gracile d'adolescente. Elle n'avait que quatorze ans, mais sous la lumière crue, avec ses longs cheveux qui balayaient ses épaules comme des flammes, et les ombres qui jouaient sur ses pommettes hautes et assombrissaient son regard, elle paraissait beaucoup plus âgée. Et le spectacle qu'elle offrait était si gracieux que les policiers, ignorant les autres Devlin qui vociféraient à qui mieux mieux, eurent bientôt tous les yeux braqués sur elle.

A côté d'eux, Gray regardait lui aussi. Sa colère ne s'était pas affaiblie. Pourtant, il avait failli intervenir lorsque Amos avait brutalisé sa plus jeune fille. Il y avait renoncé en la voyant se relever, apparemment indemne.

Elle se déplaçait rapidement et silencieusement, malgré son petit frère qui la poursuivait, essayant de mettre de l'ordre dans le chaos qui régnait dans la cour. Gray ne pouvait s'empêcher de la suivre des yeux, fasciné malgré lui par sa grâce et sa féminité.

Il émanait d'elle une étrange maturité, et sous les phares des voitures sa ressemblance avec sa mère était telle qu'il eut soudain l'impression de voir Renée. Renée ! La garce qui lui avait enlevé son père, et à cause de qui sa sœur avait failli mourir. Il eut l'impression qu'elle le narguait encore. Les longs cheveux auburn de Clémence tombaient sur ses épaules de nacre que barraient les bretelles de sa chemise de nuit. Elle avait l'air presque irréelle, un peu comme si le fantôme de Renée avait soudain surgi des ténèbres pour exécuter une étrange danse envoûtante.

La gorge serrée, Gray sentit le désir l'envahir et eut un frisson de dégoût en en prenant conscience.

Bon sang, il ne valait pas mieux que son père ! Il suffisait qu'on lui montre une Devlin et il devenait comme un taureau en rut.

Elle s'approchait, une pile de vêtements dans les bras. Non, c'était vers le camion qu'elle se dirigeait. Il regarda au passage ses yeux verts, félins, mystérieux et troublants. Son cœur se mit à battre plus vite. A la voir ainsi, si proche, il perdit son sang-froid et la colère l'étouffa presque. Il voulait lui faire payer le désir honteux qu'elle suscitait en lui. Il voulait lui faire mal.

— Vous n'êtes que de la racaille ! lança-t-il avec hargne lorsqu'elle fut à sa hauteur. Toi, autant que les autres !

Elle s'arrêta net, le petit dans ses jambes, mais ne le regarda pas, gardant les yeux fixés droit devant elle. La pureté de son visage augmenta encore la rage de Gray.

— Ta mère est une putain, ton père un ivrogne et tôt ou tard tu leur ressembleras. Alors fiche le camp d'ici, et ne reviens jamais !

6

Ce ne fut que douze ans plus tard que Clémence Devlin Hardy revint à Prescott.

Le trajet depuis Baton Rouge lui sembla rapide. Durant son enfance, elle s'était rarement aventurée au-delà des limites de la ville. Elle eut beau fouiller sa mémoire, le paysage n'éveilla aucun souvenir en elle.

Mais dès qu'elle dépassa le panneau annonçant l'entrée de la ville, sa gorge commença à se serrer. Les maisons se rapprochèrent, se divisant en rues et en quartiers, les forêts de pins laissèrent la place aux stations-service et aux supermarchés. Son malaise ne fit qu'augmenter lorsqu'elle atteignit le centre-ville et reconnut le palais de justice en briques rouges et son jardin qui n'avait pas changé. Les voitures étaient toujours garées autour du square, et les bancs, à l'ombre des immenses chênes où les vieux messieurs se retrouvaient durant les chaudes journées d'été, n'avaient pas bougé.

Bien sûr, tout n'était pas exactement semblable à ses souvenirs. Il y avait quelques immeubles neufs et certains autres avaient disparu ; des parterres de fleurs avaient été plantés aux quatre coins du square, sans doute grâce aux bons soins de l'association féminine locale, toujours active ; du bout de leurs corolles violettes délicates, les pensées regardaient défiler les passants. Ces changements minimes ne faisaient pourtant qu'accentuer l'impression de familiarité.

La gorge nouée, Clémence serra fort le volant pour réprimer le tremblement de ses mains. Et tout à coup une bouffée de joie inattendue l'envahit.

L'émotion était si vive qu'elle préféra s'arrêter et se gara juste devant le palais de justice. Jamais elle n'aurait cru que revoir sa vieille ville la toucherait autant. Elle qui croyait en avoir terminé pour toujours avec Prescott avait l'impression étrange de rentrer chez elle après un long voyage.

Et pourtant, Dieu sait que son retour ici n'avait rien d'un pèlerinage sentimental. Si elle était revenue, c'était uniquement afin de comprendre le passé, en détective. Il lui fallait savoir exactement ce qui s'était passé cette nuit terrible où elle et sa famille avaient été expulsées du comté. Le voile qui couvrait cette partie de son enfance devait être levé une fois pour toutes. C'était la seule façon d'oublier.

En cet instant pourtant, le sentiment bizarre d'avoir retrouvé ses racines l'emportait presque sur l'amertume. D'autant plus bizarre d'ailleurs que, lorsqu'elle vivait à Prescott, on lui avait toujours fait sentir qu'elle n'était qu'une paria. Mais au-delà de toute raison, son instinct lui disait qu'ici elle était chez elle. Tout le lui prouvait. Les parfums colorés qu'elle n'avait retrouvés nulle part ailleurs, les visions imprimées dans sa mémoire depuis l'enfance, les lieux que chaque cellule de son corps reconnaissait. Elle était née ici, avait grandi ici, et ses souvenirs avaient beau ne pas être joyeux, des liens invisibles qu'elle n'aurait jamais soupçonnés la rattachaient indissolublement à Prescott.

Et cependant, il lui avait fallu beaucoup de courage pour se décider à revenir. Les paroles de Gray Bouvier marquaient encore sa mémoire au fer rouge. Même si elle parvenait parfois à les oublier des jours durant, la douleur était toujours là, insidieuse, lancinante. *Vous n'êtes que de la racaille...!* La blessure que Gray lui avait infligée cette nuit-là ne s'était jamais refermée. Il les avait chassées, elle et sa famille, comme des chiens galeux et le plus ironique était qu'il l'avait fait pour rien. Car contrairement à ce que tout le monde avait pensé à l'époque, Renée était parfaitement innocente du crime qu'on lui reprochait. Oh, sa mère n'avait jamais été une sainte et si Guy le lui avait proposé, sans doute aurait-elle accepté de s'enfuir avec lui. Seulement voilà, il ne l'avait pas fait et Renée était totalement étrangère à la mystérieuse disparition de Guy Bouvier douze ans auparavant.

Guy était-il parti en virée avec une autre de ses nombreuses maîtresses pour reparaître quarante-huit heures plus tard, sidéré du tapage que son absence avait provoqué ? Ou bien s'était-il attardé dans une interminable partie de poker dans l'un de ces tripots qu'il fréquentait volontiers autrefois ? Elle ne l'avait jamais su et c'était pour le découvrir qu'elle était revenue. Et surtout pour lui crier en face tout le mal que sa conduite irresponsable avait infligé à sa famille.

Elle respira à fond par la vitre ouverte, inhalant la douce senteur verte de souvenirs d'enfance et, pour se calmer, s'obligea à se concentrer sur le jardin, se familiarisant de nouveau avec cet endroit qu'elle avait jadis connu comme sa poche.

Autour du square, quelques-unes des anciennes boutiques avaient été rénovées ; la quincaillerie avait une belle devanture en cèdre à présent, ainsi qu'une porte vitrée à double battant. Un McDonald avait pris la place du marchand de glaces et une nouvelle banque à l'architecture moderne avait été construite. Pas difficile de deviner à qui elle appartenait. Aux Bouvier, sans aucun doute.

Les passants la regardaient avec curiosité, comme

le font les habitants des petites villes face aux étrangers, mais personne ne la reconnaissait. Comment auraient-ils pu, d'ailleurs ? Ces douze années l'avaient radicalement changée. La petite va-nu-pieds d'antan avait cédé la place à une femme d'une élégance raffinée. Avec son tailleur beige de grand couturier, ses cheveux auburn retenus en chignon sur la nuque et les lunettes de soleil qui lui cachaient les yeux, rien en elle n'évoquait l'univers sordide de son enfance. Rien de visible du moins... Car le passé continuait de lui coller à la peau, engendrant une souffrance qui refusait de s'apaiser.

Contemplant le jardin d'un air absent, elle se laissa envahir par les souvenirs. Après cette horrible nuit, sa famille déjà peu unie avait éclaté. Ils avaient échoué à Beaumont, au Texas. Pourquoi là plutôt qu'ailleurs ? Elle ne s'en souvenait plus. En revanche, elle se rappelait parfaitement le voyage, interminable, et les pleurs de Scottie, blotti contre elle à l'arrière de la camionnette d'Amos.

A Beaumont, son père avait loué une chambre de motel dans le faubourg le plus minable de la ville, où ils s'étaient entassés tous les six.

Et puis au bout d'une semaine, Amos avait disparu un beau matin, comme Renée. A la différence près qu'il avait pris toutes ses affaires. Nick et Russ avaient résolu le problème à leur façon, en buvant le peu d'argent qui leur restait. Peu de temps plus tard, Russ s'en était allé à son tour.

Nick avait essayé de faire face comme il pouvait. Mais il n'avait que dix-huit ans et n'avait trouvé que des petits boulots. Jodie l'avait aidé en se faisant embaucher dans des fast-foods, mais les travailleurs sociaux n'avaient pas été longs à montrer leur nez. Encore mineurs, Jodie, Clémence et Scottie avaient été placés sous la tutelle de l'Etat. Nick avait protesté pour la forme, mais se débarrasser d'eux l'arrangeait. Jamais plus elle n'avait eu de ses nouvelles.

Jodie avait été placée dans une famille d'accueil, elle dans une autre mais, Dieu merci, on ne l'avait pas séparée de Scottie. Sa famille d'adoption, les Gresham, avait accepté de les prendre tous deux à la condition qu'elle s'occuperait de son petit frère. Ainsi, elle avait pu veiller sur lui jusqu'à la fin.

Les Gresham n'étaient pas riches mais généreux. Pour la première fois de sa vie, elle vivait au milieu de gens respectables et sa vie en avait été transformée. Quel bonheur de rentrer du lycée pour retrouver une maison propre et emplie de la bonne odeur du dîner sur le feu ! D'être vêtue avec des vêtements que personne n'avait portés avant elle. Quel bonheur surtout d'être enfin considérée au lycée, dans les magasins et partout où elle allait comme une adolescente comme les autres et non plus comme de la graine de délinquante !

Les Gresham s'étaient aussi montrés très bons pour Scottie. Mais son frère n'avait pas pu en profiter beaucoup. Sa santé s'était détériorée très vite après leur adoption mais, au moins, l'affection dont il avait été entouré par les Gresham durant les derniers mois de sa vie avait un peu rattrapé les années de misère qu'il avait connues. Le Noël qui avait suivi le départ de Renée, trop fatigué pour jouer, il était resté assis des heures durant à contempler d'un air extatique les guirlandes clignotantes du sapin. C'était la première fois — la dernière aussi — qu'il avait pu voir un sapin de Noël.

Il était mort en janvier pendant son sommeil. Sachant que sa fin approchait, Clémence avait passé ses nuits dans un fauteuil près de son lit à lui tenir la main. Une nuit, le silence l'avait réveillée en sursaut. Scottie ne respirait plus. Elle était restée à le veiller plusieurs heures avant de se résoudre à prévenir les Gresham.

Pour tromper son chagrin, elle s'était alors plongée dans les études. Les traumatismes qu'elle avait subis l'avaient mûrie avant l'âge et elle ne songeait pas à s'amuser comme les autres adolescentes. Avec les Gresham, elle connaissait enfin l'équilibre, la respectabilité, elle n'en désirait pas plus. Toute son énergie, elle la consacra dès lors à se bâtir un avenir. Elle réussit à sortir major de sa promotion et à obtenir une bourse pour aller à l'université de Houston.

Durant sa dernière année d'université, elle était tout de même tombée amoureuse d'un étudiant en maîtrise, Kyle Hardy. Six mois plus tard, après la remise des diplômes, ils se mariaient. Ivre de bonheur, Clémence avait l'impression de vivre un rêve. Mais le rêve s'envola vite en fumée.

Kyle avait trouvé un poste dans une entreprise pétrolière mais il supportait mal ses nouvelles responsabilités et, tous les soirs, enchaînait bringue sur bringue. Une nuit, après une soirée passée à boire plus que de raison avec des amis, il perdit le contrôle de sa voiture et s'encastra sur un rail de sécurité. L'autopsie prouva que son taux d'alcoolémie était deux fois plus élevé que le seuil autorisé.

A vingt-deux ans, Clémence se retrouva veuve. Le cauchemar de la solitude repointa le bout de son nez et elle l'exorcisa comme elle l'avait déjà fait une première fois : en se jetant à corps perdu dans le travail.

Sa licence d'administration en poche et avec le peu d'argent provenant de l'assurance-vie de Kyle, elle partit pour Dallas. Là, elle trouva un emploi dans une petite agence de voyages ; deux ans plus tard, l'agence lui appartenait. Elle en ouvrit une deuxième à Houston, puis bientôt une troisième à La Nouvelle-Orléans.

En peu de temps, Clémence ne tarda pas à gagner plus d'argent qu'elle ne pouvait en dépenser. Elle avait enfin atteint la réussite financière et s'en émerveillait chaque jour, pourtant cela ne suffisait pas. Sa vie affective lui semblait désespérément vide. Oh, elle ne parlait même pas d'amour avec un grand A.

Les deux hommes qu'elle avait aimés, Gray et Kyle, lui avaient fait trop de mal pour qu'elle ait envie d'aimer de nouveau. Quant à sa famille, elle n'en avait plus. Elle ne savait même pas ce qu'était devenue Jodie. Sa sœur n'avait pas eu la même chance qu'elle avec sa famille d'adoption, ou peut-être s'était-elle moins bien adaptée à sa nouvelle vie. Elle avait fait plusieurs foyers jusqu'à sa majorité, s'était mariée aussitôt après le lycée et était partie s'éblouir aux lumières de Houston quand Clémence habitait encore Beaumont. Depuis, Clémence n'avait plus de nouvelles. Restaient les Gresham mais même s'ils avaient toujours été gentils avec elle, ce n'était pas tout à fait la même chose.

Un jour pourtant, elle repensa à sa grand-mère maternelle. Elle ne l'avait vue en tout et pour tout qu'une seule fois dans sa vie, mais eut envie de renouer le contact. Lorsqu'elle avait été abandonnée, les services sociaux du Texas avaient bien essayé de la retrouver mais, avec le manque d'effectifs et la surcharge de travail, ils ne l'avaient pas recherchée aussi consciencieusement qu'il l'aurait fallu. En tout cas, ils avaient fait chou blanc !

Puisqu'elle avait du temps et de l'énergie à revendre, Clémence se mit au travail. Elle se souvint que sa grand-mère vivait du côté de Shreveport et, grâce au ciel, les Armstead — c'était le nom de jeune fille de sa mère — n'étaient pas légion dans la région. Elle parvint à joindre par téléphone un vague cousin du côté de son grand-père qui lui apprit que Jeannette Armstead avait déménagé à Jackson dans le Mississippi, dix ou douze ans auparavant. « Juste après le retour de sa fille aînée », ajouta le vieux monsieur.

Le retour de sa fille aînée... Sous le choc, Clémence faillit laisser échapper le combiné. Mais c'était Renée, l'aînée ! L'esprit chamboulé par mille questions contradictoires et décidée à en avoir le cœur net, elle téléphona aux renseignements, obtint le numéro de sa grand-mère. Quelques minutes plus tard, elle entendait la voix de sa mère au bout du fil. C'était aussi facile que ça...

Mais Clémence n'était pas encore au bout de ses surprises car lorsqu'elle voulut savoir pourquoi sa mère avait disparu avec Guy sans même leur dire au revoir, et surtout pourquoi elle n'était pas rentrée chez eux quand ils s'étaient séparés, Renée lâcha d'un ton ennuyé :

— Il n'y a rien à savoir ! Jodie m'a déjà raconté toutes ces bêtises. Paraît-il qu'on se serait enfuis, Guy et moi ! Je ne sais pas qui a été inventer ça mais c'est idiot ! J'en ai eu tout bonnement assez qu'Amos me prenne pour un punching-ball. J'en avais marre de vivre dans la crasse. Et à ce que je sache, Guy Bouvier n'avait pas l'intention de me tirer de là. Alors je suis venue à Shreveport retrouver maman. Ta tante Wilma habite à Jackson et nous avons décidé de la rejoindre. Je n'ai jamais revu Guy Bouvier.

Abasourdie, Clémence encaissa durement un choc après l'autre. Non seulement Renée ne s'était jamais enfuie avec Guy mais elle les avait abandonnés comme ça, pour rien. A l'époque, cela ne lui avait pas posé le moindre problème et, apparemment, cela ne lui en posait toujours pas. Pas un mot de regret ou même d'affection. Elle ne lui avait même pas demandé des nouvelles de Scottie. Et que dire de l'attitude de Jodie ? Elle avait retrouvé leur mère mais ni l'une ni l'autre n'avait cru bon de la contacter.

C'était après avoir raccroché que Clémence avait décidé de retourner à Prescott. L'attitude minable de sa mère lui avait dévoilé une partie de l'énigme. Restait l'autre moitié. Savoir ce qu'était devenu Guy Bouvier. Après tout, même s'il n'était pas parti avec Renée, c'était sa disparition qui avait tout déclenché. A cause de lui, on l'avait jetée hors de sa maison, on l'avait humiliée comme une moins que rien et tant qu'elle ne saurait pas le fin mot de l'histoire, cette humiliation continuerait à la hanter.

Et voilà comment elle se retrouvait ici, sur la place principale de Prescott.

Etouffant un soupir, Clémence s'arracha à ses pensées. Ce n'était pas en restant dans sa voiture à remuer des souvenirs qu'elle irait très loin. Trouver ce qu'avait bien pu faire Guy Bouvier cette fameuse nuit ne devrait pas se révéler très compliqué. Encore fallait-il qu'elle se secoue un peu. Pour l'instant, le plus urgent était de trouver un point de chute. Ensuite, elle aviserait.

Il devait bien y avoir un motel ici. Dans son enfance, il y en avait un — sur la route qui menait à la 1-55 si ses souvenirs étaient bons —, mais à l'époque il n'était guère florissant et peut-être avait-il fermé depuis.

Sans sortir de sa voiture, par la vitre ouverte, elle interpella une passante :

— S'il vous plaît, pourriez-vous m'indiquer un motel dans les environs ?

La femme s'arrêta et s'approcha de la voiture. Elle devait avoir la quarantaine et Clémence eut l'impression de la reconnaître sans parvenir à mettre un nom sur son visage.

— Oui, bien sûr, répondit-elle. Au coin du square, tournez à droite. C'est tout droit, à peu près à deux kilomètres.

Apparemment, c'était le motel dont Clémence se souvenait. Elle sourit.

— Merci beaucoup.

— Je vous en prie, dit la femme aimablement avant de s'éloigner.

Clémence manœuvra pour sortir du parking et s'engagea dans les artères peu encombrées de la petite ville. Prescott n'était guère plus animée que par le passé, et, deux minutes plus tard, elle arrivait devant le motel. Les propriétaires avaient dû changer. La construction était récente et beaucoup plus luxueuse. Il n'y avait toujours qu'un étage mais on avait ajouté une aile et le nouveau bâtiment était disposé en U autour d'une grande fontaine de pierres blanches et d'un parterre de fleurs.

A l'accueil, se tenait un homme d'une cinquantaine d'années; Reuben, d'après son badge. Le prénom peu usité lui était familier... Reuben Odell, bien sûr. Une de ses filles était en classe avec elle. Tout en bavardant, il prit l'empreinte de sa carte de crédit, non sans regarder avec curiosité le nom gravé sur le rectangle de plastique bleu.

— Je vais vous donner la douze, madame Hardy, dit-il en prenant la clé au tableau. C'est au fond du jardin, loin de la route; vous serez tranquille.

— Merci.

Elle sourit et ôta ses lunettes de soleil pour signer le reçu. Ensuite, elle alla garer la voiture devant le numéro douze. La chambre la surprit agréablement. Plus grande que la plupart des chambres de motel, elle était meublée d'un immense lit double, ainsi que d'une causeuse et d'une table basse. D'un côté de l'armoire il y avait une télévision, de l'autre un bureau. La penderie était spacieuse; la salle de bains comportait deux lavabos et une grande cabine de douche à la place de l'habituelle baignoire sabot. D'une manière générale, le petit motel était plutôt plus confortable que la moyenne.

Elle rangea ses affaires de toilette, suspendit son tailleur de rechange et, tout de suite après, réfléchit à un plan d'action. Tant que personne ne la reconnaîtrait, obtenir les renseignements qu'elle cherchait serait un jeu d'enfant. Les petites villes avaient en général la mémoire longue et Prescott n'avait jamais rien ignoré de sa famille régnante.

Le plus simple et le plus discret serait sans doute d'aller à la bibliothèque étudier les vieux journaux. Les Bouvier étaient toujours mentionnés dans la presse locale — au moins dans la rubrique économique — et le nom de Guy lui sauterait très vite aux yeux s'il avait repris la routine habituelle après sa fugue.

Elle jeta un coup d'œil à sa montre. Il ne lui restait guère plus d'une heure. Autant qu'elle s'en souvienne, la bibliothèque fermait à dix-huit heures en été. D'un autre côté, elle mourait de faim. Tant pis ! Son estomac attendrait. Attrapant son sac et ses clés, elle quitta sa chambre et reprit sa voiture.

Autrefois, la bibliothèque se trouvait derrière la poste, mais en arrivant Clémence constata avec surprise que le bâtiment un peu vétuste qu'elle avait connu n'existait plus. A sa place s'élevait maintenant une construction neuve arborant fièrement l'inscription « Bibliothèque municipale de Prescott » au fronton. De style colonial, le bâtiment de briques rouges à un étage était orné de quatre colonnes blanches en façade et ses immenses fenêtres s'agrémentaient de persiennes. Le parking était vaste, beaucoup trop sans doute pour le peu de lecteurs qui l'utilisaient. Pour l'heure, seules trois voitures étaient garées. Clémence porta le nombre à quatre et gravit en hâte les marches. L'affichette sur le vantail gauche de la double porte lui confirma que les horaires, eux, n'avaient pas changé : la bibliothèque fermait bien à dix-huit heures.

La bibliothécaire, petite femme boulotte à l'air avenant, n'était pas la même qu'autrefois. Clémence s'avança jusqu'au bureau et lui demanda où trouver les anciens journaux.

— Juste là, répondit la bibliothécaire en sortant de derrière la table de prêt. Nous avons tout mis sur microfiches. Vous cherchez des dates précises ? Je vais vous montrer le système de classement et comment vous servir de l'ordinateur. Ce n'est pas compliqué.

— C'est gentil, merci. J'aimerais consulter les éditions d'il y a une dizaine d'années, mais il se peut que j'aie à remonter plus loin.

— Pas de problème. Je ne vous aurais pas dit la même chose il y a deux ans, mais M. Bouvier a insisté pour que tout soit informatisé lors de notre emménagement dans le nouveau bâtiment. Il faut dire que l'ancien système était plutôt archaïque. C'est beaucoup plus simple à présent.

— M. Bouvier? demanda Clémence, essayant de garder un ton normal malgré les battements de son cœur.

Guy était donc revenu.

— Oui, Gray Bouvier. La ville appartient presque en totalité à sa famille, une bonne partie du comté en tout cas, mais il est charmant.

Elle s'interrompit un instant.

— Vous venez d'arriver dans la région?

— Je vivais ici il y a très longtemps, répondit Clémence, débitant le petit laïus préparé à l'avance. Ma famille a déménagé lorsque j'étais enfant. Je voulais vérifier les rubriques nécrologiques, je cherche des cousins de mes parents. Nous les avons perdus de vue depuis des années, mais je viens de commencer un arbre généalogique et j'aurais aimé savoir ce qu'ils étaient devenus.

Son histoire était plausible et la bibliothécaire l'admit sans problèmes.

— Alors, je vous souhaite bonne chance! fit-elle en gratifiant Clémence d'un grand sourire. J'espère que vous trouverez ce que vous cherchez. Au fait, je m'appelle Carlène DuBois, n'hésitez pas à m'appeler si vous avez besoin d'aide. Nous fermons à dix-huit heures précises, dans un peu moins d'une heure.

— Ça devrait suffire, répondit Clémence en lui rendant son sourire.

Dès que la bibliothécaire lui eut expliqué le fonctionnement de l'ordinateur et se fut éloignée, elle se mit à compulser rapidement les fichiers sur l'écran, étudiant page après page le *Prescott Weekly* en commençant par l'édition de la semaine de leur départ. Elle eut un petit pincement au cœur quand le nom des Bouvier apparut la première fois mais ce n'était qu'un entrefilet mentionnant la participation de Noëlle à un gala de charité. Il n'y avait rien d'autre sur la famille dans ce numéro-là. Elle passa au suivant, n'y trouva rien d'intéressant. Curieux, il lui semblait se souvenir que l'hebdomadaire local passait son temps à décrire par le menu les faits et gestes des Bouvier. Et puis soudain, le nom de Gray lui sauta littéralement au visage. Bien qu'elle s'y fût préparée, l'émotion qui la gagna l'empêcha tout d'abord de déchiffrer clairement le sujet de l'article. Et quand elle y arriva enfin, elle était si interloquée qu'elle dut s'y reprendre à deux fois pour être sûre de ne pas faire erreur. Mais non, c'était là, écrit noir sur blanc dans la rubrique économique.

«... Grayson Bouvier, qui a repris la direction financière des affaires familiales, a voté contre la mesure qui...»

Repris la direction... ? Elle vérifia la date du journal. Cinq août. Moins de trois semaines après le départ de Renée, Guy avait donc abandonné la gestion de sa fortune à son fils. Qu'il l'eût fait si tôt était déjà surprenant en soi mais que cette succession n'eût pas donné lieu à un bel article ronflant l'était encore plus. On aurait dit que tout s'était passé en catimini. Mais pour quelle raison? Elle éteignit l'ordinateur et se mit en quête de la bibliothécaire.

— Alors? demanda celle-ci gentiment quand Clémence l'eut rejointe devant un rayonnage. Avez-vous trouvé ce que vous cherchiez?

— Oui, merci. Mais j'ai remarqué quelque chose qui m'a étonnée. Un petit article qui mentionnait que Gray Bouvier avait repris la direction financière des affaires familiales il y a douze ans. Si je me souviens bien, il n'avait pourtant qu'une vingtaine d'années à l'époque.

— En effet, oui. Vous avez dû partir avant l'énorme scandale ou alors vous étiez trop jeune à l'époque pour prêter attention à ce genre de choses. Je suis venue habiter ici il y a à peu près onze ans et tout le monde en parlait encore.

— Quel scandale ?

— Guy Bouvier, le père de Gray, s'est enfui avec sa maîtresse. Je ne la connaissais pas, mais d'après les on-dit elle ne valait pas grand-chose ! Il a dû perdre la tête pour abandonner sa famille et sa fortune comme ça !

— Il n'est jamais revenu ?

Clémence ne put dissimuler son étonnement, mais Carlène ne sembla pas s'en formaliser.

— Non, personne ne l'a jamais revu depuis. Certains disent que, même s'il l'avait voulu, il n'aurait jamais osé reparaître devant sa femme. Evidemment, après ce qu'il lui avait fait subir, il a dû avoir trop honte. Il paraît que depuis elle n'a plus jamais quitté sa maison. Le plus surprenant, c'est qu'il n'a jamais recontacté ses enfants.

Surprenant ? songea Clémence en silence. Ahurissant, oui ! Guy adorait ses enfants plus que tout au monde.

— Je suppose que Mme Bouvier a demandé le divorce, ajouta-t-elle tout haut.

Carlène secoua la tête.

— Jamais. J'imagine qu'elle ne voulait pas lui laisser la liberté de se remarier. En tout cas, tout jeune qu'il était, M. Bouvier a pris la succession de son père et, d'après ce que j'ai compris, il s'en est sacrément bien tiré. Et même mieux que son père d'après certains.

— J'étais trop jeune à l'époque, je ne me souviens pas bien de lui, mentit Clémence. Mais il me semble que les gens l'admiraient déjà beaucoup, n'est-ce pas ?

— Eh bien, je peux vous dire que ça n'a pas changé ! Le contraire serait étonnant. Il a tout pour lui, la fortune, la jeunesse, l'intelligence et comme si ça ne suffisait pas, il est aussi beau qu'un dieu. Et sexy... Il a une façon de regarder les femmes (Carlène DuBois roula des yeux éloquents, rougit et éclata de rire). Vous vous rendez compte, même moi qui vais bientôt être grand-mère, j'ai le cœur qui bat comme une midinette quand il lui arrive de venir ici.

— Sait-il que vous avez un faible pour lui ? plaisanta Clémence pour masquer son émotion.

— Oh là là, si vous saviez, mon chou ! Toutes les femmes de Prescott sont folles de lui et il a eu je ne sais combien de maîtresses. Un vrai don juan.

— Je vois...

De plus en plus troublée, Clémence ressentit tout à coup le besoin d'être seule pour réfléchir à tout ce qu'elle venait d'apprendre. Elle jeta ostensiblement un coup d'œil à sa montre.

— C'est bientôt la fermeture et je ne veux pas vous retarder. Merci beaucoup pour votre aide, madame DuBois, et ravie de vous avoir rencontrée.

— Moi de même. Excusez-moi, je n'ai pas retenu votre nom.

Pas étonnant puisqu'elle ne s'était pas présentée.

— Hardy. Clémence Hardy.

— Clémence, répéta doucement la bibliothécaire... C'est un très joli prénom, rare aussi. On ne l'entend guère de nos jours.

— En effet, fit poliment Clémence, pressée de prendre congé. Au revoir et merci encore.

— Revenez quand vous voulez.

En repartant vers le motel, Clémence s'arrêta au McDonald. Mais les informations glanées à la bibliothèque lui avaient coupé l'appétit et, trop préoccupée par ce qu'elle venait d'apprendre, elle ne put avaler qu'une moitié de son hamburger.

Guy Bouvier avait disparu. Pourtant il ne s'était pas enfui avec Renée ; alors où était-il passé ?

De retour au motel, Clémence s'allongea sur le lit et contempla le plafond tout en réfléchissant. Guy n'aurait jamais abandonné sa famille et sa fortune sans une bonne raison. Tout le monde avait cru que la bonne raison en question s'appelait Renée, et personne n'avait été chercher plus loin, mais elle savait, elle, que ça ne pouvait être ça. Etait-il parti avec une autre femme ? Mais s'il tenait tellement à quitter la sienne, pourquoi ne pas avoir demandé le divorce ? Cela dit, il n'avait pas semblé malheureux en ménage à l'époque. Sa femme fermait les yeux et il avait toujours eu toutes les maîtresses qu'il désirait. A supposer pourtant qu'il ait eu ses raisons pour quitter Prescott, pourquoi avoir agi aussi brutalement et sans un mot d'explication ? Et surtout, pourquoi n'avoir jamais recontacté sa famille ? Evidemment, Renée avait fait de même mais Guy aimait ses enfants, lui.

A moins qu'il ne soit mort…

Il était peut-être simplement parti pour quelques jours, était subitement tombé malade, ou bien il avait eu un accident et… Non ! Si c'était le cas, on l'aurait retrouvé, identifié, sa famille aurait été prévenue… Sauf si quelqu'un avait eu intérêt à ce que l'on ne retrouvât pas le corps. Guy Bouvier avait disparu… sa mère était partie…

Mon Dieu ! Un meurtre ! Et si Renée l'avait tué ? Clémence se redressa et se passa nerveusement la main dans les cheveux. Non, sa mère était capable de beaucoup de choses mais certainement pas d'un meurtre. Et puis elle était trop vénale pour tuer l'homme qui l'entretenait.

Amos, alors ? Oui, c'était déjà plus plausible. Son père n'aurait probablement pas hésité à tuer un homme qu'il détestait s'il pensait pouvoir s'en tirer sans dommages. Mais cette nuit-là, elle s'en souvenait, Amos était rentré vers vingt et une heures, complètement ivre, en jurant comme un soudard parce que Renée n'était pas là. Russ et Nick étaient rentrés peu après lui, saouls eux aussi. Se pouvait-il que l'un de ses frères ait tué Guy ? Ou bien les deux ensemble ? Pourtant, ils avaient semblé aussi surpris qu'elle de ne pas voir Renée le lendemain. En plus, ils se moquaient comme de leur première chemise que Renée couche avec Guy. Amos aussi, d'ailleurs.

Qui alors ? Noëlle Bouvier ? Avait-elle tué son mari parce qu'elle ne supportait plus ses infidélités ? Mais d'après ce que tout le monde disait, Guy la trompait depuis le premier jour de leur mariage et elle n'avait pas semblé s'en plaindre, au contraire. Pourquoi s'en serait-elle soudain offusquée ? Et au point de le tuer ? Ça ne tenait pas debout.

Restait Gray. Depuis sa naissance, il avait été destiné à prendre la succession de son père ; s'était-il lassé d'attendre ?

En un flash, elle revit son visage tourmenté lorsqu'il était venu chez eux le matin où Guy avait disparu, sans parler de sa haine durant la nuit atroce qui avait suivi. Jamais il n'aurait agi ainsi s'il n'avait pas été persuadé que son père s'était enfui avec Renée.

Les idées de Clémence se bousculaient et elle tentait vainement d'y voir clair quand soudain des coups violents ébranlèrent la porte. Elle sursauta, surprise mais pas inquiète. Personne ne savait qu'elle était là, cela ne pouvait donc pas être un message urgent de son bureau. Sûrement quelqu'un qui se trompait de chambre. Elle se leva mais n'ouvrit pas.

— Qui est là ?

— Gray Bouvier.

Le cœur de Clémence faillit s'arrêter. En entendant l'intonation profonde et voilée de cette voix qu'elle n'avait jamais oubliée, un mélange de joie et de peur l'envahit, la faisant frissonner. Elle redevint la petite fille de quatorze ans dont les jambes tremblaient dès qu'il approchait. Presque au même moment le souvenir de ses insultes lorsqu'il l'avait chassée lui donna envie de pleurer.

Sa brusque irruption lui donnait la chair de poule.

Les coups sur la porte résonnèrent de nouveau.

— Ouvrez ! ordonna-t-il d'un ton habitué à ce qu'on lui obéisse sans discussion.

Lentement elle défit la chaîne de sécurité et ouvrit la porte. A la vue de Gray, un frémissement la parcourut tout entière. Douze ans s'étaient écoulés depuis qu'elle l'avait vu pour la dernière fois mais elle l'aurait reconnu entre mille. Il lui parut encore plus grand que dans son souvenir. Sa carrure était aussi puissante et athlétique qu'autrefois mais toute trace d'adolescence avait disparu de ses traits. Son visage était plus mince, plus dur, deux sillons creusaient ses joues de chaque côté de sa bouche et il avait des petites rides au coin des yeux. Un visage de pirate ! Ses cheveux d'un noir d'ébène étaient longs et retenus en arrière en catogan, à son oreille gauche était accroché un petit diamant. Si à vingt-deux ans il avait été impressionnant, à trente-quatre il paraissait redoutable. Le cœur de Clémence cognait si fort dans sa poitrine qu'elle fut étonnée qu'il ne l'entendît pas. Elle se détestait. Etait-elle condamnée à réagir ainsi toute sa vie en présence de Gray Bouvier ? Pourquoi ne parvenait-elle pas à dépasser ces sentiments venus de son enfance ?

Immobile sur le seuil, il la fixait d'un regard froid et implacable. Ses lèvres sensuelles esquissèrent un sourire méprisant.

— Clémence Devlin, prononça-t-il avec lenteur. Reuben avait raison, tu es le portrait craché de ta mère.

Priant pour parvenir à contenir son trouble, Clémence réussit à esquisser un sourire aussi glacé que le sien.

— Merci.

— Ce n'était pas un compliment. Je ne sais pas pourquoi tu es là et ça m'est égal. Mais ce motel m'appartient. Tu as une demi-heure pour faire tes bagages et déguerpir.

Il se tut et la fixa avec dureté.

— A moins que tu ne préfères que j'appelle le shérif une nouvelle fois ? ajouta-t-il cruellement.

Le souvenir douloureux frappa Clémence de plein fouet. L'espace d'un instant, elle fut de nouveau éblouie par les phares aveuglants, elle entendit les hurlements de Scottie, elle se revit paniquée, ramassant leurs maigres possessions avec l'énergie du désespoir... Puis elle se raidit et chassa la vision. Gray pouvait peut-être encore la forcer à quitter son territoire mais elle ne se laisserait plus si facilement affoler. Une lueur railleuse au fond des yeux, elle eut un petit haussement d'épaules amusé, se détourna, rassembla posément ses affaires de toilette et sortit son tailleur de rechange de la penderie. Elle rangea le tout dans son sac de voyage, enfila ses souliers, saisit son sac, et passa devant lui sans se départir un seul instant de son calme.

Tandis qu'elle quittait le motel en direction de Baton Rouge, elle l'aperçut dans son rétroviseur. Debout devant l'entrée, il la suivait des yeux, immobile.

Clémence Devlin ! Incapable de détacher les yeux des feux arrière de la voiture qui s'éloignait, Gray n'en revenait pas. Lorsque Reuben l'avait appelé pour lui annoncer qu'une femme, véritable sosie de Renée Devlin, venait de prendre une chambre sous le nom de Clémence D. Hardy, Gray n'avait eu aucun doute quant à son identité. Ainsi un des Devlin avait finalement eu le culot de revenir à Prescott. Que ce fût Clémence ne le surprenait qu'à moitié.

Elle avait toujours eu plus de cran que les autres. Ce qui ne voulait pas dire pour autant qu'il la laisserait rester.

Faisant volte-face, il pénétra dans la chambre restée allumée qu'elle venait d'abandonner sans le moindre éclat. Incroyable, elle n'avait pas bronché ! Il s'attendait à une querelle et était presque déçu que tout se soit passé si vite. Elle n'avait même pas exigé qu'il la rembourse. Sans ciller ni protester, elle avait rangé ses affaires, repris sa voiture et avait disparu dans la nuit.

N'était le couvre-lit froissé, il aurait pu croire qu'il avait rêvé. Pourtant son parfum s'attardait dans la pièce. Une odeur douce et épicée qui donnait vie à la chambre banale. Gray résistait rarement à un parfum de femme et celui-ci lui donnait presque des regrets.

Clémence Devlin. La simple évocation de ce nom avait ravivé en lui le souvenir de cette nuit vieille de douze ans. Il la revoyait comme si c'était hier, silencieuse et svelte, auréolée par sa chevelure de feu, son corps mince à peine caché par sa fine chemise de nuit. Elle n'était qu'une gamine à l'époque, mais la sensualité provocante héritée de sa mère attirait déjà sur elle tous les regards.

Lorsqu'elle avait ouvert la porte tout à l'heure, il en avait eu le souffle coupé. Elle ressemblait tellement à Renée qu'il aurait voulu l'étrangler. Pourtant on ne pouvait pas réellement la confondre avec sa mère. Certes, ses cheveux étaient de la même couleur auburn que ceux de Renée, ainsi que ses yeux verts aux paillettes d'or et sa peau translucide. Gray fronça les sourcils. Mais Clémence était plus grande, plus mince, moins charnelle aussi, même si durant ces douze années son corps s'était épanoui. Sa réaction au charme de la jeune femme le mettait hors de lui. Ce n'était pas ce qu'elle avait pu dire ou son élégance surprenante qui l'avait troublé, non, mais la sensualité naturelle qui émanait d'elle. Renée, tout comme sa fille aînée, dont il avait oublié le prénom, était assez vulgaire. Clémence, elle, n'avait pas une once de vulgarité mais son charme discret était tout aussi redoutable. Davantage même... En plongeant son regard dans ses yeux de chat il n'avait pu s'empêcher de l'imaginer au lit. Un instant, il avait tenu son corps nu entre ses bras, ses jambes lui avaient enserré ses hanches tandis qu'il la pénétrait avec volupté...

Il frissonna et se passa la main dans les cheveux en jurant à voix haute. Bon sang, il était aussi stupide que son père ! Il lui suffisait d'un parfum et il était prêt à tout oublier. Evidemment, il y avait de quoi et si Clémence ne s'était pas appelée Devlin, il n'aurait eu de cesse de la mettre dans son lit.

Mais voilà c'était une Devlin et tout ce qui portait ce nom engendrerait toujours chez lui la même haine. A cause de Renée, sa famille avait été détruite. Comment oublier, alors que chaque jour qui passait lui rappelait les conséquences terribles de la désertion de son père ? Sa mère s'était retirée du monde et n'était plus que l'ombre d'elle-même. Dire qu'il l'avait crue indifférente. Durant deux ans, elle avait refusé de quitter sa chambre et, maintenant encore, ne sortait de la maison que pour aller voir son médecin à La Nouvelle-Orléans.

Seul Alex Chelette parvenait parfois à lui soutirer un sourire et à redonner un peu d'éclat à ses yeux bleus. Gray s'était récemment aperçu qu'Alex était amoureux de sa mère, mais c'était un amour sans espoir. Enfermée dans sa souffrance, Noëlle ne se doutait de rien et quand bien même elle en aurait été consciente, cela n'aurait rien changé. Elle se considérait toujours comme l'épouse de Guy et le resterait jusqu'à sa mort. Pensait-elle qu'il reviendrait un jour ? Gray, lui, avait depuis longtemps accepté l'idée de ne plus jamais revoir son père.

Le surlendemain de sa fuite, il avait reçu une lettre lui donnant les pleins pouvoirs. Elle avait été postée de Baton Rouge le jour de son départ, texte laconique allant droit au but, sans un mot affectueux. Guy n'avait même pas signé « papa », mais apposé son paraphe comme au bas d'un document officiel. En parcourant les quelques lignes froides et impersonnelles, Gray avait compris que son père ne reviendrait jamais et, étouffant son chagrin, il l'avait rageusement rayé de sa vie et s'était mis au travail.

Les premiers mois avaient été les plus difficiles. Sans Alex pour le guider, il ne s'en serait jamais sorti. Il avait fallu rassurer les actionnaires et les différents conseils d'administration. Alex lui avait évité bien des écueils ; il s'était battu avec lui pour consolider leur position, l'avait aidé à soutenir Noëlle et Monica. Et pourtant, pour lui aussi, l'abandon de Guy avait été dur car il venait de perdre son meilleur ami. Guy et Alex avaient grandi ensemble, aussi proches que des frères, et Alex avait eu du mal à admettre qu'il puisse partir ainsi, sans même un adieu.

Contre toute attente, c'était Monica qui s'en était le mieux tirée. D'une certaine façon, l'épreuve l'avait rendue plus forte. Elle n'était plus aussi dépendante des autres, ne quémandait plus leur amour. Elle était aussi plus distante, comme si l'excès de chagrin avait brûlé toute sa réserve d'émotions. Elle avait présenté ses excuses à Gray pour sa tentative de suicide et lui avait promis de ne jamais recommencer. Par la suite, elle avait commencé à s'intéresser aux intérêts familiaux et était devenue pour Gray une excellente assistante.

Presque aussi recluse que Noëlle, elle ne paraissait plus vivre désormais que pour son travail et quoiqu'elle attachât beaucoup d'importance à son apparence et fût toujours élégante, elle ne sortait que rarement. Au début, Gray avait cru qu'elle avait honte de sa tentative de suicide, mais qu'une fois les cicatrices effacées, elle reverrait ses amis. Cela n'avait pas été le cas. Et même si elle ne refusait pas de voir du monde dans le cadre de son travail, elle repoussait généralement toute invitation personnelle. A chacune de ses tentatives pour la faire sortir, elle l'avait toujours froidement éconduit.

Depuis l'année précédente, pourtant, le nouveau shérif, Michael McFane, avait réussi à percer un peu de sa réserve et, progressivement, elle s'était mise à le voir assez régulièrement. Gray avait été tellement soulagé qu'il en aurait crié de joie. Peut-être Monica allait-elle enfin mener une vie normale.

Mais même si elle y parvenait et que Noëlle, elle aussi, reprît goût à la vie, jamais il n'oublierait ce que les Devlin avaient fait à sa famille. Qu'ils aillent tous en enfer et Clémence avec eux ! D'ailleurs avec un peu de chance il ne la reverrait plus.

« Merci », c'était tout ce qu'elle avait trouvé à dire. Elle l'avait regardé d'un air calme et légèrement amusé, nullement impressionnée par sa menace. Pourtant, ce n'était pas une menace en l'air. Il n'aurait pas hésité une seule seconde à la jeter hors de Prescott si elle n'était pas partie d'elle-même.

Elle avait beaucoup changé... C'était une femme à présent. Elle avait toujours été différente des autres membres de sa famille, créature énigmatique et sauvage, ce qui ne l'avait pas empêchée de devenir aussi dangereuse que sa mère. Un pauvre idiot avait d'ailleurs succombé à son charme puisqu'elle s'appelait Hardy. Pourtant elle ne portait pas d'alliance. Il avait remarqué ses mains fines et élégantes sans vraiment s'étonner de l'absence d'anneau. Renée non plus n'en avait jamais porté, sans doute pour se sentir plus libre. Bien sûr, sa fille suivait la même voie.

Elle avait l'air d'avoir réussi. Ce n'était guère surprenant, les femmes comme elle trouvaient toujours quelqu'un pour les entretenir. Son mari devait être une sacrée poire, le pauvre bougre! Combien de fois avait-elle dû le laisser à la maison tandis qu'elle courait les aventures?

Une chose l'intriguait pourtant. Pourquoi diable était-elle revenue à Prescott où elle n'avait ni amis ni parents? Elle aurait dû se douter qu'on ne l'accueillerait pas à bras ouverts. Peut-être avait-elle cru qu'on ne la reconnaîtrait pas. Mais les gens d'ici avaient la mémoire longue et sa ressemblance avec sa mère était trop évidente pour passer inaperçue. Dès qu'elle avait ôté ses lunettes de soleil, Reuben l'avait reconnue.

Et puis dans le fond, peu importaient ses raisons! Ce qui comptait, c'était qu'il ait débarrassé de nouveau Prescott des Devlin. Au moins, l'opération s'était passée plus en douceur que la première fois. Pourtant leur entrevue, si brève fût-elle, l'avait troublé. Il aurait préféré ne pas voir la femme ensorcelante qu'elle était devenue. Oui, il aurait préféré ne jamais entendre le son assuré et mélodieux de sa voix prononcer ce «Merci» si plein d'ironie.

Malgré l'émotion qui la faisait trembler, Clémence ne voulut pas s'arrêter, filant le long de la route obscure. Maintenant que Gray ne pouvait plus la voir, elle ne chercha pas à retenir les larmes de rage qui coulaient de ses yeux. C'était la dernière fois qu'elle le laisserait la chasser ainsi. Il n'était pas le plus fort! Elle avait quitté le motel parce qu'elle savait qu'il n'aurait pas hésité à mettre sa menace à exécution, mais il n'aurait pas le dernier mot.

Ce qui la mettait hors d'elle, c'était l'intensité de sa réaction lorsqu'elle l'avait vu. Après toutes ces années, après tout ce qu'il avait fait à sa famille, il continuait à l'émouvoir.

Mais le temps où elle se laissait intimider était

révolu. La petite fille vulnérable et tendre était morte par une nuit d'été douze ans auparavant. Depuis, elle avait surmonté bien des épreuves. Elle savait même se mettre en colère maintenant. Et si Gray désirait se débarrasser d'elle, il venait de commettre une grossière erreur en la menaçant. Elle était peut-être partie, mais elle reviendrait !

C'était une question d'honneur. Et puis elle avait une enquête à mener. Elle avait décidé de découvrir ce qui était arrivé à Guy. Pas question d'abandonner !

Tout en conduisant, elle commença à élaborer un plan et un sourire se dessina peu à peu sur ses lèvres.

Le temps était venu d'affronter les fantômes du passé. Les habitants de Prescott qui l'avaient toujours méprisée verraient enfin à qui ils avaient affaire... Et Gray comprendrait enfin qu'il s'était trompé sur son compte.

Elle savourait déjà sa victoire. Gray n'avait occupé que trop de place dans son esprit. Elle l'avait aimé à la folie lorsqu'elle était enfant et il s'était érigé en juge la nuit où il avait chassé sa famille de la ville. De quel droit ? Prescott était à tout le monde. Une Devlin valait bien un Bouvier.

Et à partir d'aujourd'hui, elle n'aurait de cesse de le lui prouver.

7

— Oui, c'est cela. Je veux que l'acte de propriété de la maison soit au nom de l'agence. Merci beaucoup, monsieur Boileau. Je savais que je pouvais compter sur vous...

Clémence s'interrompit pour écouter son interlocuteur et soudain, éclata de rire.

— Oh, monsieur Boileau ! Vous me faites rougir ! N'oubliez pas que je connais votre femme.

Comme elle reposait le combiné, son assistante, Margot Stanley, lui lança un regard effaré.

— Ne me dis pas que ce vieux bouc te fait la cour !

— Bien sûr que si. C'est une manie chez lui. Il adore jouer les séducteurs. C'est plutôt touchant ; d'ailleurs, il est charmant.

— Charmant, lui ! Harley Boileau est aussi charmant qu'un serpent à sonnettes ! Je me demande ce que tu fais aux hommes pour qu'ils viennent tous comme ça te manger dans le creux de la main. Quand je pense que même ce vieux grigou de Boileau a succombé à ton charme.

— Je suis gentille avec lui, c'est tout. Et puis il ne doit pas être aussi redoutable que tu le prétends sinon ses affaires ne marcheraient pas.

— Penses-tu ! C'est justement pour ça qu'elles marchent. Il a le don de découvrir des propriétés, qu'il achète trois fois rien et revend une fortune. Les gens savent qu'il se fait beaucoup d'argent sur leur dos mais ils sont bien obligés de s'adresser à lui. Dans son créneau, c'est lui le meilleur.

Clémence sourit.

— En effet, c'est un excellent homme d'affaires. Mais le fait est qu'il a toujours été très aimable avec moi.

— Dis plutôt que tous les hommes sont à tes pieds, oui ! Tiens, dis-moi combien de fois tu as été arrêtée pour excès de vitesse ?

— En tout ?

— Juste l'année passée.

— Hum... quatre fois, si je me souviens bien. Mais c'était exceptionnel, j'étais constamment sur les routes.

— Bien sûr, et combien d'amendes as-tu eues ?

— Aucune, admit Clémence, mais c'est un hasard. Je n'ai rien fait pour.

— Tu n'en as pas besoin, et c'est ce que je voulais prouver. Il suffit que tu montres ton permis au flic en lui disant : « Je suis désolée, monsieur l'agent, je sais que je roulais trop vite » pour qu'il te redonne tes papiers en te demandant gentiment de faire attention car il n'aimerait pas du tout que ton joli minois soit abîmé dans un accident.

Clémence éclata de rire. Margot avait été dans la voiture avec elle cette fois-là. Le policier texan en question était un grand gaillard de la vieille école à la moustache grise et à l'accent aussi épais que de la bouillie.

— C'est la seule fois où un policier m'a dit que j'avais « un joli minois » !

— Oui, mais c'est ce qu'ils pensent tous. Avoue ! Je suis persuadée que tu n'as jamais eu d'amendes de ta vie. Quand je pense à moi...

Le sujet était particulièrement sensible pour Margot. Durant les derniers six mois elle avait eu deux amendes pour excès de vitesse. A la troisième, c'était le retrait de permis.

— Ça je peux te dire que les flics qui m'ont arrêtée n'ont pas été aussi aimables avec moi ! poursuivit-elle avec véhémence. Ils ont fait leur boulot, un point c'est tout : « Montrez-moi vos papiers, madame. Vous rouliez à cent vingt à l'heure et la vitesse est limitée à quatre-vingt-dix. Cela vous fera 250 dollars, madame. » Avant cela, rien ! Jamais d'amende.

Clémence avait si souvent entendu l'histoire qu'elle aurait pu la dire mot pour mot à la place de son amie.

— J'ai conduit pendant vingt ans sans même un P.V. pour stationnement interdit, c'est dire ! Et crac, tout d'un coup, ça dégringole !

— N'exagère pas ! On dirait que tu en as eu tellement que tu pourrais en tapisser ton salon.

— Je n'exagère pas, ce n'est pas rien deux amendes. Une de plus, et adieu mon permis. Maintenant, je suis obligée de me traîner à quatre-vingt-dix pendant au moins deux ans. Ça fiche en l'air mon emploi du temps, je dois me lever plus tôt et tous mes trajets me prennent dix fois plus de temps, c'est une catastrophe, oui !

Clémence sourit. Elle adorait Margot et ne savait pas ce qu'elle aurait fait sans elle. Lorsqu'elle avait réussi à rassembler les fonds pour acheter sa première agence, Clémence s'était en effet aperçue qu'il y avait une grande différence entre ce qu'elle avait appris à l'université et la gestion réelle d'une entreprise. Margot, qui avait été l'assistante de J. B. Holladay, l'ancien propriétaire de Holladay Travel, avait accepté de continuer à travailler pour elle et sa précieuse expérience lui avait permis d'éviter de graves erreurs financières.

Par la suite, Margot était devenue son amie. Grande, mince, blonde, elle s'habillait avec une excentricité qui lui allait bien. A trente-six ans, divorcée, elle n'avait aucune intention de rester célibataire et répétait souvent à Clémence que les hommes avaient beau être une fameuse source d'ennuis, elle ne pouvait s'en passer. Sa franchise et sa drôlerie lui valaient des invitations à n'en plus finir. Son intense vie sociale aurait épuisé la plus endurante des débutantes et quoi qu'elle en dise, et sans avoir la beauté de Clémence, elle ne se débrouillait pas si mal que ça avec la gent masculine.

— Oh, tu peux rire ! reprit Margot. Un jour tu vas être arrêtée par une femme flic et ta chance tournera.

Par un des coq-à-l'âne dont elle avait le secret elle sauta tout à coup sur un nouveau sujet et demanda d'un air curieux :

— Au fait, qu'est-ce que c'est que cette histoire de maison dans ce trou perdu de Louisiane ?

— Prescott, précisa Clémence en souriant. C'est une petite ville au nord de Baton Rouge, presque à la frontière de l'Etat du Mississippi.

— C'est bien ce que je disais : un trou perdu !

— C'est là que je suis née.

— Tu m'en diras tant. Et tu oses l'avouer ! répliqua Margot avec l'arrogance d'une native de Dallas.

— Je retourne y habiter, répondit doucement Clémence. C'est là que je veux vivre.

Elle avait longuement réfléchi et sa décision était prise. Gray allait être surpris quand il découvrirait qu'elle avait emménagé à Prescott mais quand il s'en apercevrait, elle serait propriétaire de la maison et ce serait trop tard pour la déloger. L'idée de vivre dans la même ville que lui l'angoissait un peu mais c'était une thérapie comme une autre. Depuis son enfance il la hantait et elle n'arrivait pas à se dépêtrer à son égard de ses émotions de petite fille. D'autant que leur dernière rencontre n'avait rien fait pour arranger les choses. Mais cette fois, il allait bien falloir qu'elle l'affronte en égal, en adulte, et non plus en gamine terrorisée et qu'elle se débarrasse définitivement de ce fantôme-là en même temps que de tous les autres !

— C'est ton voyage à Baton Rouge qui a tout déclenché, n'est-ce pas ? demanda Margot.

Clémence ne parlait jamais de son passé ou de sa famille et Margot ne connaissait de son enfance que ce qu'elle avait bien voulu lui en dire, à savoir pas grand-chose à part qu'elle avait été adoptée et adorait ses parents adoptifs.

— Possible, déclara Clémence. Il faut croire qu'un jour ou l'autre nos racines finissent par nous rattraper.

Margot s'appuya contre le dossier de son fauteuil et la regarda avec inquiétude :

— Tu vas vendre l'agence ?

— Bien sûr que non ! s'exclama Clémence. Quelle drôle d'idée ! Tout sera exactement comme avant, excepté deux petits changements.

— A savoir ?

— Eh bien, premièrement j'irai vivre à Prescott dès que M. Boileau m'aura trouvé une maison. J'aurai un fax, un ordinateur, une photocopieuse, et je travaillerai chez moi ; mais nous serons toujours en contact, électroniquement parlant.

— Très bien, et l'autre ?

— Tu seras responsable de toutes les agences. Evidemment, il te faudra pas mal voyager...

Clémence eut soudain peur : si Margot refusait, son plan tombait à l'eau.

— Est-ce que ça te convient ? acheva-t-elle presque timidement.

Margot haussa les sourcils.

— Tu parles ! Tu sais bien que j'adore voyager ! Ça me permettra d'agrandir mon territoire de chasse, et Dieu sait que j'en ai besoin. J'ai pratiquement fait le tour des mâles épousables de la région. Tant pis pour eux si c'est un autre qui m'enlève ! En plus c'est un vrai plaisir d'aller à La Nouvelle-Orléans.

— Et à Houston, et à Baton Rouge ?

— Des cow-boys à Houston, des Cajuns à Baton Rouge ! J'en salive d'avance... Je n'aurai plus qu'à revenir à Dallas pour me reposer de temps en temps.

Le plan de Clémence se déroulait à merveille. Si à quatorze ans elle avait été seule et désarmée, elle avait maintenant de la ressource et un solide réseau de relations dû à ses quatre années d'expérience dans les affaires.

Avec l'aide de Harley Boileau, elle avait rapidement trouvé une maison. Pas à Prescott même, mais à quatre kilomètres de la ville, près des terres des Bouvier.

Toutes les transactions se firent cash et au nom de l'agence pour que son nom n'apparaisse nulle part ; l'électricité et le téléphone furent branchés, la maison nettoyée et le mobilier installé. Un mois après que Gray l'avait expulsée une seconde fois de la ville, elle se garait dans l'allée de sa nouvelle demeure. L'endroit était charmant, exactement comme sur les photos que Harley Boileau lui avait montrées. C'était une petite maison de cinq pièces, datant des années 50 mais récemment rénovée. Les précédents propriétaires avaient fait preuve de goût : une véranda courait le long de la façade et, à une des extrémités, on avait installé une balancelle et accroché deux ventilateurs au plafond en bois. Chaque pièce était d'ailleurs équipée d'un ventilateur.

Les deux chambres étaient de la même taille. Elle choisit celle de derrière comme chambre à coucher. L'autre serait son bureau. Il n'y avait qu'une salle de bains, mais comme elle était seule, ce n'était pas gênant. Le salon et la salle à manger étaient très agréables, mais sa pièce préférée était la cuisine. Visiblement, un des propriétaires avait adoré cuisiner. Il y avait une plaque de cuisson à six feux, un four traditionnel et un micro-ondes, tous deux encastrés. L'un des murs était agencé de placards du sol au plafond, dans lesquels on pouvait ranger des provisions pour un régiment. Une grande table rectangulaire au plateau massif comme un établi de boucher occupait le centre de la cuisine. Clémence n'était pas un grand cordon-bleu mais elle adora cette pièce aussitôt. En fait, elle adorait toute la demeure. C'était la première fois qu'elle était propriétaire d'une maison à elle et rien qu'à elle.

Le cœur léger, elle partit pour Prescott faire des courses. Elle s'arrêta d'abord au palais de justice afin de demander son changement d'immatriculation et de permis de conduire, puis se rendit au petit supermarché. Quel sentiment délicieux de pouvoir acheter sans compter dans ce magasin où le propriétaire avait eu pour habitude de la surveiller constamment ! Il s'appelait Morgan, si ses souvenirs étaient bons. Oui, Ed Morgan, et son plus jeune fils était en classe avec Jodie.

Elle choisissait des fruits lorsqu'un homme aux cheveux gris et à la blouse pleine de taches émergea de la réserve avec un cageot de bananes qu'il déposa sur une étagère presque vide. Il lui jeta un coup d'œil rapide, puis se figea, yeux écarquillés.

Bien qu'il eût beaucoup moins de cheveux qu'à l'époque et que le peu qui restait fût devenu tout gris, elle reconnut immédiatement le propriétaire du magasin.

— Bonjour, monsieur Morgan, dit-elle aimablement tout en déposant les fruits dans son caddie. Comment allez-vous ?

— Re... Renée ! bégaya-t-il.

A la manière dont il prononça le prénom de sa mère, elle sut que cet homme avait été son amant. Mon Dieu, lui aussi alors ! Son sourire se figea, sa voix se fit coupante.

— Non, pas Renée, Clémence ! Vous devriez pourtant me reconnaître. Vous m'avez suffisamment épiée quand j'étais petite.

Quel salopard ! Dire qu'il la traitait autrefois comme une voleuse quand dans le même temps il couchait avec sa mère !

Elle s'éloigna avec son chariot. Le supermarché n'était pas grand et elle entendit Morgan courir annoncer la nouvelle à sa femme. Peu de temps après, Clémence s'aperçut qu'on la suivait. Elle ne reconnut pas l'adolescent au tablier d'un blanc douteux qui rougit lorsqu'elle le regarda. Bien sûr, on avait dû lui demander de s'assurer qu'elle ne mettait rien en douce dans son sac !

La moutarde lui monta au nez mais elle se maîtrisa et s'obligea à prendre tout son temps.

Lorsque Clémence était entrée dans le magasin, Mme Morgan tenait la caisse, mais à présent son mari l'avait remplacée. Derrière la paroi vitrée du bureau, la femme suivait la scène avec attention.

— J'espère que vous avez de quoi payer en liquide, lança l'épicier d'un air mauvais. Je n'accepte pas les chèques de n'importe qui.

— Je paie toujours cash, répliqua Clémence. Je ne tiens pas à ce que n'importe qui ait mon numéro de compte !

Morgan marqua un temps d'arrêt et son visage prit une vilaine teinte rouge brique.

— Faites attention à ce que vous dites ! Je suis chez moi ici ! Je n'aime pas qu'on m'insulte. Les gens comme vous feraient mieux de se taire !

— Vraiment, dit-elle d'une voix doucereuse. Pourtant vous n'étiez pas aussi regardant avec ma mère, n'est-ce pas, monsieur Morgan ?

Il pâlit aussi brusquement qu'il avait rougi. Des gouttes de sueur se mirent à perler sur son front dégarni et il jeta un coup d'œil inquiet vers sa femme.

— Je ne vois pas de quoi vous parlez.

— Alors, surveillez vos paroles la prochaine fois !

Elle sortit son portefeuille de son sac et attendit. Il commença à taper les prix sur sa caisse enregistreuse. Clémence, qui vérifiait chaque prix, l'arrêta soudain.

— Les pommes sont à un dollar vingt-neuf la livre, monsieur Morgan, pas à un dollar soixante-neuf.

Il rougit de nouveau, furieux de s'être trompé. Elle préféra penser que c'était une erreur mais se promit de vérifier son ticket de caisse avant de quitter le magasin. Cela lui montrerait ce que ça faisait d'être soupçonné de malhonnêteté.

Lorsqu'il lui annonça le total, elle sortit six billets de vingt dollars. Elle le vit jeter un coup d'œil au portefeuille bourré. Bientôt toute la ville saurait que Clémence Devlin était revenue pleine aux as mais bien sûr il ne s'en trouverait pas un pour croire qu'elle avait honnêtement gagné son argent.

Ç'aurait été un mensonge de prétendre qu'elle se moquait de ce qu'on pensait d'elle. L'opinion des autres l'avait toujours atteinte. Elle avait beau savoir qu'elle était respectable, tant que les gens de Prescott n'en penseraient pas autant, ses blessures ne se guériraient pas.

L'adolescent qui l'avait suivie dans la boutique porta les sacs jusqu'à sa voiture. Il devait avoir seize ans ; son corps était encore enfantin mais ses mains et ses pieds étaient immenses.

— Tu es de la famille Morgan ? demanda-t-elle tandis qu'ils traversaient le parking.

Il rougit et répondit sans la regarder.

— Oui, c'est mes grands-parents.

— Comment t'appelles-tu ?

— Jason.

— Et moi, Clémence Hardy. J'habitais ici il y a longtemps et je viens juste de revenir.

Elle s'arrêta derrière la voiture et ouvrit le coffre. Elle avait acheté une luxueuse berline pratiquement neuve d'un vert sombre, préférant la fiabilité et la sécurité au tape-à-l'œil d'une voiture de sport.

— Bel engin! commenta Jason en sortant les sacs du chariot pour les mettre dans le coffre.

— Merci.

Elle lui donna un pourboire et il regarda avec étonnement le billet d'un dollar. Où les gens de Prescott n'étaient pas généreux ou bien Jason avait honte d'être rétribué pour son rôle d'espion. Vu la mine penaude de l'adolescent, Ed Morgan avait dû l'obliger à l'accompagner jusqu'à sa voiture pour en connaître la marque.

Une Cadillac blanche entra dans le parking au moment où Clémence ouvrit sa portière. La voiture freina brutalement et s'arrêta juste derrière elle. A l'intérieur, une jeune femme la regardait bouche bée. Monica Bouvier! Les deux femmes s'affrontèrent du regard et Clémence se rappela l'époque où Monica changeait de trottoir lorsqu'elle croisait un membre de la famille Devlin.

Monica était livide. Clémence hésita puis finalement entra dans sa voiture. Inutile de la provoquer gratuitement. Non qu'elle entendît s'effacer devant les Bouvier, mais l'heure de la confrontation n'était pas encore venue. La voiture de Monica l'empêchait de reculer. Qu'à cela ne tienne, l'espace devant elle était libre et elle quitta le parking tandis que Monica la fixait toujours.

Lorsqu'elle rentra chez elle, plusieurs fax l'attendaient, tous de Margot. Elle rangea d'abord les courses avant de s'installer à son bureau. Elle aimait son travail; œuvrer dans le tourisme n'était pas toujours une partie de plaisir, mais à cause de la nature même de l'entreprise les clients étaient généralement enthousiastes et agréables. Le travail de l'agence consistait à vérifier que les voyages organisés étaient correctement préparés; il fallait s'assurer que les moyens de transport ainsi que les hôtels étaient bien réservés. Cela impliquait d'aiguiller aussi les clients sur le type de voyage qui leur convenait le mieux. Mieux valait déconseiller le trek au Népal à des retraités et leur conseiller une croisière aux Antilles. Ses employés s'occupaient parfaitement de ce genre de problèmes et Clémence, elle, se réservait les questions plus épineuses et notamment la comptabilité. Elle avait décidé de continuer à assumer cette tâche. Les quatre agences lui faxeraient les informations tous les lundis matin et elle pourrait s'occuper de la paperasse et envoyer les chèques par courrier express. Cela ne devrait pas poser de problèmes, et puis l'idée de travailler chez elle l'enchantait tellement qu'elle se sentait prête à déplacer des montagnes.

Seul réel inconvénient : ses comptes bancaires, personnel et professionnel, devaient demeurer à Dallas. Par sécurité, elle ne voulait les transférer ni à Prescott ni à Baton Rouge ; les Bouvier avaient le bras trop long. Elle n'avait pas encore vérifié si la banque de Prescott lui appartenait mais peu importait, car, propriétaire ou pas, Gray avait beaucoup d'influence et les Bouvier avaient toujours fait la loi dans le comté. Oui, c'était beaucoup plus sage de garder ses comptes à Dallas.

Le gravier crissa dans l'allée et elle vit une longue Jaguar métallisée se garer devant la maison. Soupirant, elle éloigna son fauteuil du bureau et se leva. Pas besoin d'être extralucide pour deviner qui venait lui rendre visite. Et ce n'était certainement pas pour lui souhaiter la bienvenue.

Elle alla dans le salon et ouvrit la porte d'entrée.

— Bonjour, Gray. Entre, je t'en prie. Tu as abandonné les Corvette, à ce que je vois.

Puisqu'il la tutoyait, elle avait décidé de faire pareil.

Il ne s'attendait sans doute pas à ce qu'elle l'invite à entrer — depuis quand les lapins offrent-ils l'hospitalité de leur tanière au renard ? — car un éclair de surprise brilla dans ses yeux.

— Je me suis beaucoup assagi, dit-il sans la quitter du regard.

Elle retint de justesse le « vraiment ? » impertinent qu'elle avait sur le bout de la langue. Pas question de plaisanteries légères entre eux deux. D'autant qu'elle était certaine qu'il prendrait sa remarque comme une tentative de séduction. Qu'attendre d'autre d'une Devlin ?

C'était une chaude journée de printemps et Gray était vêtu d'un pantalon en lin kaki et d'une chemise blanche en coton dont le col ouvert laissait paraître le haut d'un torse bronzé. Clémence s'obligea à détourner les yeux. Gray avait apporté avec lui l'odeur fraîche du dehors mélangée à son propre parfum musqué. Bizarre, il avait toujours la même odeur attirante. Et comme de bien entendu, sa présence la troublait ! Rien n'avait changé. Les vieilles émotions étaient toujours là, à peine altérées par le temps ou la maturité. Elle dissimula sa rage à grand-peine. Comment pouvait-elle éprouver une telle attirance, un tel émoi, alors que ce type l'avait traînée dans la boue, et n'hésiterait pas un seul instant à recommencer !

Il était tout près, beaucoup trop près, juste devant la porte, ses yeux noirs fixés sur elle. Elle s'écarta. Il était vraiment immense et l'idée l'effleura soudain qu'elle devrait se hisser sur la pointe des pieds si elle voulait embrasser son cou hâlé. Ridicule ! Elle perdait la tête, ma parole ! Elle respira profondément et pria pour que ses émotions ne la trahissent pas. Il ne fallait surtout pas qu'il devine à quel point il la troublait. Ce serait lui donner une arme redoutable.

— Je suis surprise de te voir, dit-elle d'un ton léger, mais je t'en prie, assieds-toi. Je t'offre un café ou bien un thé glacé ?

— Laisse tomber les politesses, jeta-t-il d'une

voix dure en s'approchant d'elle. Qu'est-ce que tu fiches ici ?

— Mais j'habite là, répliqua-t-elle en haussant les sourcils d'un air moqueur.

Elle n'avait pas pensé que la confrontation arriverait si vite ; il était plus direct qu'elle ne l'aurait cru. Elle s'écarta de nouveau de lui, voulant à tout prix garder ses distances. Le regard de Gray s'aiguisa puis la satisfaction se peignit sur son visage. Mon Dieu, il avait compris que sa proximité la mettait mal à l'aise. Elle s'arrêta, bien décidée à lui montrer qu'il ne lui faisait pas peur, et lui fit face le menton levé. Malgré son trouble, elle se força à affronter ses yeux inquisiteurs.

— Tu vas me faire le plaisir de déguerpir d'ici, dit-il.

Amusée, elle répondit :

— Tu ne pourras pas me déloger aussi facilement. C'est ma maison et je l'ai entièrement payée cash.

Il éclata d'un rire mauvais.

— Je vois ! Tu as divorcé de M. Hardy et tu lui as pris jusqu'à son dernier dollar, c'est ça ?

Clémence se raidit.

— Il y a de ça, mais je n'ai pas divorcé.

— Comment as-tu fait alors ? Tu t'es trouvé un vieux riche qui est mort au bout d'un an ou deux, et tu as empoché l'héritage ?

Elle devint pâle comme une statue de marbre.

— Non, je me suis trouvé un jeune homme de vingt-trois ans en parfaite santé qui est mort dans un accident de voiture après notre première année de mariage.

— Désolé, dit-il d'un air bougon. Je n'aurais pas dû dire cela.

— En effet ! Mais si je me souviens bien, les Bouvier ne se préoccupent pas des sentiments des autres.

— Vous les Devlin, vous n'avez de leçons à donner à personne.

— Pourquoi pas ? riposta-t-elle d'un ton amer. Je n'ai jamais fait de mal à quiconque, que je sache. Mon seul tort a été de me trouver prise entre deux feux lorsque la bataille a commencé. Et je te rappelle qu'à l'époque j'avais à peine quatorze ans.

— Pauvre tourterelle innocente ! Tu étais jeune en effet, mais si je me souviens bien, cela ne t'a pas empêchée de parader dans ta chemise de nuit transparente devant tout le monde, cette nuit-là. Telle mère, telle fille !

Elle le regarda, blanche de rage.

— Comment oses-tu ? fit-elle, les yeux étincelants. On m'a tirée de mon lit en plein milieu de la nuit pour me jeter dehors, et c'est toi qui avais ordonné ça.

Il ouvrit la bouche, sans doute pour répliquer, mais elle l'interrompit.

— Tais-toi ! ordonna-t-elle. Tout ce que nous possédions a été jeté dans la poussière, mon petit frère s'accrochait à moi en hurlant de terreur. Qu'est-ce que j'aurais dû faire, à ton avis ? Essayer de me trouver des vêtements et aller pudiquement me changer dans les bois pour ne pas vous choquer ? Si ça vous gênait tant que ça de me regarder, il fallait tourner le dos !

Elle leva la main, prête à le gifler, mais il lui saisit le poignet et le garda serré dans sa paume calleuse et musclée. Ce fut comme si une décharge électrique la parcourait. Elle essaya de se dégager mais il resserra son étreinte.

— Je vois qu'on a le sang chaud ! commenta-t-il, amusé. Si tu crois que je vais me laisser lacérer par tes ongles, tu te trompes ! Je ne suis pas d'humeur. En d'autres circonstances, je ne dis pas...

Clémence le regarda, abasourdie par son insinuation. Elle avait deux solutions : soit s'humilier en essayant de lutter pour se dégager, soit attendre qu'il la relâche. Son instinct lui commandait de se battre. Mais elle s'obligea à garder une immobilité parfaite pour ne pas lui donner le plaisir de la dominer. De ses yeux de braise, il fixa avec insistance sa poitrine sous son chemisier de soie verte, lui donnant l'impression d'être nue. Puis, levant les yeux lentement, il croisa son regard. Retenant son souffle, Clémence ne broncha pas.

— Alors, tu n'essayes plus de me griffer ? Ta maman a dû pourtant t'apprendre que ça excitait les hommes lorsqu'on leur résistait, hein ? C'est peut-être pour cela que tu es revenue ? Pour faire comme ta mère ? Tu veux être ma maîtresse, comme elle était celle de mon père ?

La colère l'emporta. Son autre poing se crispa et vola bien malgré elle. Aussi rapide que l'éclair, Gray para le coup et lui immobilisa l'autre poignet. Il poussa un sifflement admiratif.

— Quelle furie ! Espérais-tu par hasard me casser les dents ?

— Oui ! répliqua-t-elle, oubliant ses bonnes résolutions et luttant sans succès pour dégager ses deux mains. A présent, sors de chez moi ! Tu m'entends, fiche le camp !

Il rit, se moquant d'elle, et l'attira contre lui.

— Qu'est-ce que tu vas faire ? Me jeter dehors ?

— Tu te crois très fort parce que tu es capable de me faire des bleus ? Quel courage ! persifla-t-elle.

Il baissa les yeux sur ses doigts qui encerclaient les fines articulations et desserra son étreinte. Il eut l'air étonné en voyant les marques rouge sombre et la relâcha aussitôt.

— Je ne voulais pas te faire de mal.

Elle se recula en se massant les poignets.

— Inutile de faire semblant d'être désolé. Et maintenant, va-t'en !

— Une minute, j'ai encore quelque chose à te dire.

— Alors dépêche-toi ! J'ai horreur qu'on me fasse perdre mon temps.

Avant même qu'elle ne s'en aperçoive, il fut de

nouveau près d'elle et lui prit le menton, la fixant de son regard noir.

— Tu as du cran, je le reconnais. Peut-être un peu trop pour ton bien. Ne me contrains pas à me battre avec toi, car tu risques de le regretter. La meilleure chose que tu puisses faire, c'est prendre tes affaires et t'en aller le plus vite possible. Je te rachèterai la maison au prix que tu l'as payée, comme ça tu ne perdras pas d'argent. Tu n'es pas la bienvenue ici ! Je ne veux pas que ma mère ou ma sœur souffrent en te voyant parader en ville comme si rien ne s'était jamais passé. Si tu restes, je te rendrai la vie impossible. Tu ne trouveras pas de travail et personne ne voudra te fréquenter. Tu seras complètement seule. Alors quitte cette ville de ton plein gré !

Elle se dégagea.

— Ah oui ? Et si je refuse, qu'est-ce que tu vas faire ? Incendier ma maison ? Je ne suis plus une enfant, Gray ! Cette fois, ce ne sera pas aussi facile de se débarrasser de moi. Je suis ici et j'y reste.

— On verra bien !

Ses yeux s'attardèrent de nouveau sur ses seins et il sourit soudain.

— En tout cas, tu as raison sur un point : tu n'es plus une enfant, lâcha-t-il en tournant les talons.

Poings serrés, Clémence le regarda quitter la maison. Elle bouillait d'une rage impuissante et l'angoisse lui serrait la gorge. Comment pouvait-elle éprouver une attirance pareille pour un être qui la méprisait autant ? Arriverait-elle à lui résister s'il se mettait en tête de la séduire ? Un sursaut de fierté la secoua tout entière. Elle n'était pas comme sa mère. Non, jamais elle ne serait la maîtresse d'un Bouvier !

Gray se servit un whisky et l'avala d'un trait. Puis il s'en versa un second. Il en avait bien besoin après sa rencontre avec Clémence Devlin. Clémence

Hardy, à présent. Ainsi, elle était veuve. Une ravissante et jeune veuve à la chevelure de feu si tentante qu'il avait eu envie d'y plonger les doigts pour s'y brûler. Il l'avait désarçonnée une ou deux fois mais elle paraissait diablement sûre d'elle et d'un calme étonnant. Lui, en revanche, était en train de perdre le sien. Il ferait bien de se reprendre au plus vite.

Gray reporta son attention sur sa sœur. Ils s'étaient réfugiés tous deux dans le bureau pour discuter en toute tranquillité en attendant que leur mère descende pour le dîner. Monica était pâle. Il ne l'avait vue dans un pareil état que le jour où il lui avait annoncé le départ de leur père.

— Ce ne pouvait pas être Renée, n'est-ce pas? demanda-t-elle d'une voix tremblante. Quand je l'ai vue devant chez Morgan, j'ai bien cru que... Mais c'est impossible, dis-moi que c'est impossible!

— Calme-toi, Monica. Ce n'était pas Renée. Seulement la plus jeune de ses filles. Clémence.

— Que fait-elle ici?

— Elle est revenue pour s'installer.

Les yeux sombres de Monica s'emplirent d'horreur.

— C'est impossible! Mère ne le supportera pas! Alex a réussi à la faire sortir un peu de sa coquille mais si elle apprend qu'une des Devlin est revenue, je ne sais pas ce qu'elle va devenir. Il faut que tu nous en débarrasses, Gray!

Facile à dire! Il considéra son whisky silencieusement puis le vida d'un trait. Toute la ville savait qu'il avait fait expulser les Devlin hors du comté. Il n'en était pas fier mais ne regrettait rien. L'incident était devenu une sorte de légende locale. Monica, elle, n'avait pas assisté à l'expulsion. Pour elle, c'était quelque chose d'abstrait. Pas pour lui. Cette nuit sordide était demeurée gravée en lui dans les moindres détails. Il se souvenait des hurlements du petit garçon, de la terreur de Clémence, de ces hommes au regard lubrique qui ne la quittaient pas des yeux...

Il comprit soudain que cette nuit-là avait forgé un lien indissoluble entre elle et lui; un lien qui ne se briserait jamais. Il ne l'avait pas vraiment connue autrefois et douze années s'étaient écoulées depuis, mais pourtant, en la revoyant, il avait eu par deux fois ce sentiment bizarre... comme s'ils étaient de vieilles connaissances. Non, ils ne seraient jamais étrangers l'un à l'autre; cette nuit horrible les liait à jamais.

— Ce ne sera pas si simple de se débarrasser d'elle, cette fois, reprit-il à haute voix. Elle a acheté Cleburne, et comme elle me l'a fait judicieusement remarquer, j'aurai du mal à l'expulser de sa propre maison.

— Il doit y avoir un moyen de bloquer ses prêts.

— Je n'ai pas dit qu'elle l'achetait mais qu'elle l'avait achetée. Je me suis renseigné, elle l'a payée cash.

— Comment une Devlin a-t-elle trouvé autant d'argent? s'étonna Monica, sourcils froncés.

— Sans doute l'assurance-vie. Elle est veuve. Elle s'appelle Hardy maintenant.

— Une veuve joyeuse, j'imagine! fit Monica d'un ton sarcastique.

— Je ne le crois pas.

Il se souvenait de la pâleur de Clémence lorsqu'il lui avait fait à peu près la même réflexion.

La sonnette d'entrée tinta, puis la voix d'Alex résonna dans le hall. Leur invité était arrivé. Il était temps de clore la discussion. Il tapota l'épaule de Monica tandis qu'ils se dirigeaient tous deux vers la porte.

— Je vais faire mon possible pour qu'elle s'en aille mais je ne te garantis rien. Elle ne ressemble pas beaucoup aux autres membres de sa famille, tu sais.

Monica n'eut pas l'air de le croire, mais lui savait déjà que Clémence serait une adversaire redoutable. Elle était intelligente, sûre d'elle et semblait s'être sortie de la fange dans laquelle les Devlin avaient toujours vécu. Il la respectait pour cela mais sa détermination n'en serait pas modifiée pour autant. Il fallait qu'elle parte.

Ils accueillirent Alex dans le hall et levèrent tous trois la tête en entendant des pas résonner en haut de l'escalier. Noëlle descendit élégamment les marches pour recevoir son invité. Elle lui tendit la joue et le laissa la prendre par le bras, gestes qu'elle avait rarement consentis à Guy.

La dévotion sans faille d'Alex avait fait du bien à Noëlle. Son affection déférente lui avait permis de panser ses blessures, mais Alex attendait davantage. Sa femme était morte quinze ans auparavant. A l'époque, il n'avait que quarante et un ans et aurait très bien pu se remarier. Mais même s'il en avait eu le désir, le départ de Guy ne lui en avait pas laissé le temps. Alex, en ami de la famille, avait aidé les Bouvier à surmonter la crise. Même après avoir reçu la lettre qui lui donnait les pleins pouvoirs, il avait bien fallu deux ans à Gray pour asseoir sa position ; durant toute cette période, Alex l'avait soutenu sans relâche. C'était sans doute pendant ces longs mois qu'Alex était tombé amoureux de Noëlle. Il l'avait aidée à sortir de sa dépression et était aussi devenu un père pour Monica. Pauvre Alex, amoureux fou de Noëlle qui ne s'en apercevait même pas !

Qu'il soit tombé amoureux d'elle n'était pas tellement surprenant. Sa mère était encore très belle, d'une beauté calme et classique qui ne pouvait qu'envoûter Alex le romantique. Ses cheveux noirs grisonnaient à présent, ce qui ne la rendait que plus séduisante. Pas une ride ne marquait sa peau fine et cependant le poids du passé se lisait sur son visage. Il n'y avait plus une once de jeunesse en elle, pas la moindre légèreté, et la tristesse voilait constamment ses yeux bleus.

Gray ne put s'empêcher de maudire silencieusement son père pour la peine qu'il leur avait faite à tous.

Alex aida Noëlle à s'asseoir à table et se tourna vers Gray.

— J'ai entendu une bien étrange rumeur aujourd'hui à propos d'une des Devlin...

Monica se figea et jeta un regard inquiet à Noëlle qui était soudain devenue livide. Gray lui intima le silence discrètement mais Alex continua comme si de rien n'était.

— Ed Morgan m'a appris qu'une des filles était revenue habiter à Prescott.

D'abord interloqué, Gray comprit soudain qu'Alex abordait délibérément le sujet pour obliger Noëlle à affronter la réalité. Ce n'était pas la première fois qu'il agissait ainsi, choisissant par exemple de parler de Guy alors que Noëlle se refusait à mentionner le nom de son mari. Peut-être avait-il raison, mais il était le seul à oser le faire.

Noëlle posa une main tremblante sur sa gorge.

— Comment cela, revenue ? demanda-t-elle.

— C'est la plus jeune des filles, intervint Gray. Clémence. Elle a acheté Cleburne et vient d'y emménager.

— Non ! fit sa mère en le regardant d'un air angoissé. Je ne veux pas... Je ne le supporterai pas !

— Bien sûr que si, dit Alex d'un ton débonnaire en s'asseyant. Vous ne sortez jamais et vous ne parlez à personne en ville, vous ne risquez pas de la voir. A quoi bon vous inquiéter ?

Gray se laissa aller contre le dossier de sa chaise et sourit légèrement. Monica et lui avaient tendance à traiter Noëlle avec trop de précaution. Alex, pour sa part, ne s'embarrassait pas de tant de prévenances. Sans doute avait-il raison, mieux valait parler sans détour.

Noëlle secoua faiblement la tête, les yeux toujours fixés sur Gray.

— Je ne veux pas qu'elle reste ici, dit-elle d'un ton suppliant. Les gens vont jaser... vont reparler du passé... Je ne le tolérerai pas.

— Vous n'en saurez rien, voyons, dit Alex.

Elle frissonna.

— Je n'ai pas besoin d'entendre les gens pour savoir ce qu'ils disent.

Elle n'avait pas tort. Dans une petite ville, les commérages étaient la seule occupation et rien n'était jamais oublié.

— Je t'en prie, Gray, fais-la partir !

Gray but une gorgée de vin, le visage impassible. Il commençait à en avoir assez qu'on lui demande de faire disparaître Clémence. Il n'était pas prestidigitateur, à la fin ! Et à moins de l'enlever ou de la tuer, il ne pouvait guère faire plus que lui rendre la vie impossible. Et encore, il allait falloir qu'il trouve comment. Il n'avait aucun grief valable, cette fois-ci. Impossible de l'accuser de violation de propriété privée ou de tapage nocturne et encore moins de vol.

— Ce ne sera pas si facile que ça, répondit-il.

— Mais tu as tellement d'influence... avec le shérif, la banque...

— Le shérif ne peut rien contre elle tant qu'elle n'enfreint pas la loi et elle n'a pas encore ouvert de compte en banque.

Et à son avis, il pouvait toujours attendre qu'elle ouvre un compte chez lui. Elle était bien trop maligne. En revenant à Prescott, elle savait parfaitement ce qui l'attendait, sinon elle n'aurait pas acheté Cleburne en payant cash. Elle avait fait en sorte de se prémunir contre toutes les attaques. Non, elle ne lui faciliterait pas la tâche et il ne l'en respectait que plus. Il sentit une irritation sourde le gagner.

— Il doit bien y avoir un moyen de la faire partir ! reprit Noëlle d'un air désespéré.

— A part la supprimer, je ne vois pas, dit-il en haussant les sourcils.

— Gray ! s'exclama Noëlle, choquée. Je n'ai jamais insinué une chose pareille.

— Alors, il faut se faire une raison. Je peux lui rendre la vie infernale et m'arranger pour qu'elle soit isolée, mais rien de plus. Il est hors de question de lui faire du mal. Suis-je clair ?

Il se tourna tour à tour vers sa mère et Monica au cas où l'idée les aurait effleurées. Ce n'était guère probable mais il ne voulait courir aucun risque.

Pourquoi se sentait-il soudain si protecteur envers une Devlin ? Parce qu'elle avait assez souffert, décida-t-il en se rappelant l'adolescente terrorisée expulsée en pleine nuit de chez elle par la police.

— C'est ridicule, fit Monica. Comme si nous voulions lui faire du mal !

— Je n'ai pas dit que vous lui en feriez, mais je préfère que nous soyons tous bien d'accord.

Delfina apporta le premier plat, un potage crémeux au concombre, et la discussion fut close. Jamais, au grand jamais, on ne s'autorisait chez les Bouvier à parler devant les domestiques. C'était la règle d'or de Monica et de Noëlle. Précaution qui n'empêchait pas Oriane et Delfina d'être bien sûr au courant de tout ce qui se passait dans la maison mais, d'une certaine façon, elles étaient un peu de la famille, surtout Delfina qui travaillait dans la demeure depuis la naissance de Gray. Il se souvenait d'elle et des coups de cuiller en bois qu'elle lui donnait pour l'éloigner des petits fours préparés pour les lunchs de sa mère.

Pour faire diversion, Monica entama une discussion avec Alex sur un documentaire qu'elle avait vu à la télévision. Gray jeta un coup d'œil à Noëlle et se figea en voyant les larmes couler silencieusement sur ses joues. Elle mangeait tranquillement son potage, la cuiller allant de l'assiette à ses lèvres en un rythme posé, sans cesser de pleurer.

Après dîner, Alex rejoignit Gray dans le bureau pour discuter de problèmes de travail mais la conversation ne tarda pas à prendre un tour plus personnel. Au bout d'une demi-heure, Gray lança en effet abruptement :

— Monica et moi, nous avions décidé de ne pas parler à mère de l'arrivée de Clémence.

Alex fit un sourire gêné.

— Je m'en doutais. Je sais bien que je n'ai pas à m'immiscer dans...

— Alex, je t'en prie.

— En tout cas, elle ne peut pas continuer à se voiler la face et jouer les recluses jusqu'à la fin de ses jours.

— Crois-tu ? C'est pourtant ce qu'elle a fait durant ces douze dernières années.

— Justement ! Puisqu'elle refuse de sortir, j'ai décidé d'amener le monde ici. Si elle ne peut échapper à la réalité, peut-être qu'elle se décidera enfin à l'affronter.

— Je te souhaite bonne chance.

— Tu penses vraiment obliger Clémence à s'en aller ?

— Je vais faire tout mon possible. Mais comme je l'ai dit à mère, légalement je ne peux pas grand-chose.

Alex soupira.

— Pourquoi ne pas la laisser tranquille ? Elle en a assez bavé pour qu'on lui fiche la paix à présent.

— Est-ce que tu l'as vue ?

— Non, pourquoi ?

— Elle pourrait être la sœur jumelle de Renée. Comme si ça ne suffisait pas qu'elle soit une Devlin, il faut en plus qu'elle ressemble à sa mère comme deux gouttes d'eau. Je peux t'assurer que ça va réveiller des souvenirs et pas seulement ceux de ma famille. Renée était connue comme le loup blanc, ici.

— Si j'étais toi, je lui laisserais tout de même une

chance. Après tout, elle ne ressemble peut-être pas à sa famille.

Gray hocha la tête.

— Le problème n'est pas là ! Je dois songer à mère et à Monica. Tu as vu leur réaction tout à l'heure ?

— Tu es trop protecteur vis-à-vis d'elles. Elles n'en mourront pas si Clémence Devlin habite à Prescott. Cela les dérangera peut-être un peu mais elles apprendront à vivre avec.

— Tu n'as pas vu Monica se vider de son sang, toi ! Et je te rappelle que mère a passé des mois sans consentir à sortir de sa chambre. Tu ne sais pas ce que j'ai enduré pour la convaincre de se nourrir.

— Tu es devenu dur, Gray. Tout le monde te craint mais tu ne m'as pas habitué à un comportement injuste. Réfléchis : à quoi bon la harceler ?

Gray ne jugea pas bon de lui répondre. Alex ne pouvait pas comprendre et, en ce qui le concernait, l'affaire était entendue.

Plus tard dans la nuit, alors qu'il étudiait un rapport financier sur des actions qu'il voulait acheter, il s'aperçut pourtant qu'il avait du mal à se concentrer. Ce n'était pas le whisky : il n'avait pas touché au verre qu'il s'était servi avant de se mettre au travail deux heures auparavant. Les paroles d'Alex lui trottaient dans la tête et Clémence Devlin refusait de sortir de ses pensées. Bien sûr, elle en avait déjà beaucoup bavé et si ça n'avait tenu qu'à lui, il lui aurait laissé une chance. Mais Monica ? Et sa mère ? Les larmes de Noëlle l'avaient plus touché qu'aucune des paroles qu'elle avait prononcées. Si Clémence restait à Prescott, Noëlle et Monica ne s'en remettraient pas. Et lui ?

Il regarda son verre d'un air maussade. Le whisky suffirait-il à lui faire oublier la chaleur de la main de Clémence et son parfum épicé qui lui était monté à la tête ? Il lui faudrait au moins ingurgiter la bouteille entière pour oublier son envie de lui toucher les cheveux, de goûter à ses lèvres pulpeuses. Elle avait la peau si fine et translucide que ses doigts y avaient laissé leur empreinte. Il revit les seins hauts et ronds dressés sous le chemisier…

Elle avait beau être plus réservée que Renée et s'habiller sobrement, le magnétisme était le même, plus raffiné, certes, mais tout aussi troublant. Une sensualité à fleur de peau qui attirait les hommes comme un leurre.

Il empoigna son verre si brusquement que quelques gouttes de whisky lui éclaboussèrent la main. Clémence Devlin devait quitter Prescott ! Et vite. Car au train où allaient les choses, si elle restait, c'est lui qui ne s'en remettrait pas…

8

Le lendemain, dès que Clémence approcha du supermarché, Ed Morgan sortit sur le pas de la porte.

— Désolé ! Je n'ai pas ce que vous cherchez.

Clémence le regarda sans ciller.

— Comment pouvez-vous le savoir, puisque vous ignorez ce qu'il me faut ?

— Ça n'a pas d'importance ! Allez faire vos courses ailleurs !

Ravalant sa colère, Clémence haussa les épaules. C'était un coup monté de Gray et s'énerver contre Morgan ne servirait à rien. Si elle faisait un esclandre, on risquait même de l'arrêter pour tapage sur la voie publique. Pas question de leur donner ce plaisir !

Ainsi Gray mettait sa menace à exécution. Les commerçants lui fermaient leur porte. Dix minutes plus tôt, le pompiste de la station-service lui avait annoncé qu'il n'avait plus d'essence et qu'elle devrait aller ailleurs. Pendant ce temps un automobiliste remplissait tranquillement son réservoir.

Gray la sous-estimait. S'il s'imaginait que ses petites manœuvres allaient lui faire abandonner la partie ! Elle songea un instant à porter plainte contre les commerçants pour refus de vente mais rejeta l'idée : puisqu'elle voulait rester à Prescott, ce ne serait pas bien malin de se faire détester de toute la population. C'était un duel entre elle et Gray, les autres n'étaient que des pantins.

— Eh bien, monsieur Morgan, si vous n'avez pas besoin de mon argent, tant mieux pour vous ! J'irai ailleurs, c'est tout !

— Ce sera la même chose ! jubila-t-il. C'est bête, toutes les boutiques sont en rupture de stock pour vous !

Calme en apparence, elle retourna à sa voiture. Il ne lui restait plus qu'à aller faire ses courses et acheter son essence dans la ville voisine. Ce n'était pas vraiment gênant. Enfin pour le moment, car à long terme il lui faudrait trouver une solution.

N'empêche qu'elle était folle de colère.

Elle aperçut une cabine téléphonique au coin de la rue et s'y dirigea d'un pas résolu. Un annuaire pendait à un cordon métallique. Restait à espérer que les Bouvier n'étaient pas sur la liste rouge. Elle tourna rageusement les pages... Ah ! voilà, elle avait trouvé. Elle prit une pièce de vingt-cinq cents qu'elle glissa dans la fente puis tapa le numéro.

Une voix féminine répondit au bout de la deuxième sonnerie.

— Oui, j'écoute...

— Pourrais-je parler à Gray Bouvier, s'il vous plaît, demanda Clémence d'une voix aimable.

— De la part de ?

— Madame Hardy.

— Un instant, je vous prie...

Dix secondes plus tard, il y eut un déclic et la voix grave et veloutée de Gray résonna dans l'écouteur.

— Madame Hardy, quelle surprise ! fit-il d'un ton moqueur. Serait-ce par hasard pour m'annoncer que tu t'en vas ?

Clémence serrait si fort le combiné qu'elle eut peur de le broyer.

— Non ! répliqua-t-elle sèchement. Je voulais simplement t'avertir que tes petites combines mesquines ne me gênent pas le moins du monde. S'il le faut, je me ferai expédier mes courses de Dallas, mais ne compte pas sur moi pour quitter Prescott !

Elle raccrocha brutalement sans lui laisser le temps de répondre puis repartit d'un pas décidé à sa voiture. Son coup de fil ne changeait pas grand-chose, mais au moins cela lui avait permis de se défouler un peu. Et puis il savait à présent qu'elle n'était pas dupe, et que ses tentatives d'intimidation ne marcheraient pas. Oui, finalement, cela lui avait fait du bien.

Gray eut un petit rire en reposant le téléphone. Il ne s'était pas trompé, elle avait le sang chaud ! Il aurait donné cher pour voir ses yeux verts lancer des éclairs. Plutôt que de la pousser à rejoindre une communauté plus hospitalière, il n'avait sans doute fait que renforcer sa détermination à rester à Prescott. Soudain il se souvint d'un détail. N'avait-elle pas parlé de Dallas ? Ce ne serait pas une mauvaise idée de faire quelques petites recherches par là-bas.

La colère était un poison. Elle ne se laisserait pas démoraliser par la stupidité des habitants de Prescott ou par les persécutions de Gray Bouvier ! Même si cela prenait vingt ans, elle se réhabiliterait. Evidemment, cela irait sans doute plus vite si Gray acceptait de croire que Guy n'était pas parti avec Renée. Si lui changeait d'attitude à son égard, les habitants de Prescott en feraient sans doute autant. Mais comment faire ?

Elle ne voyait qu'une solution : convaincre Renée de s'expliquer avec Gray... Il serait bien obligé d'admettre la vérité. Oui, ce n'était pas une mauvaise idée.

Ragaillardie, elle alla faire ses courses à la ville voisine et en profita pour prendre de l'essence.

Si Gray comptait l'affamer, c'était raté ! conclut-elle, satisfaite, en déchargeant les sacs de la voiture.

Lorsqu'elle eut rangé les provisions, elle téléphona à sa grand-mère. Comme la fois précédente, ce fut Renée qui décrocha.

— Maman ? C'est Clémence.

— Clémence ! Bonjour, ma chérie, dit-elle de sa voix chaude et paresseuse. Je ne m'attendais pas à ce que tu rappelles si vite. Comment ça va ?

— Pas mal. J'ai déménagé à Prescott.

Il y eut un silence.

— Drôle d'idée ! Après la manière dont ils vous ont traités !

— Justement, répondit simplement Clémence, sachant bien que Renée ne comprendrait pas. C'est d'ailleurs un peu pour ça que je t'appelle. Tu sais, tout le monde ici pense encore que tu t'es enfuie avec Guy Bouvier...

— Je t'ai déjà dit que ce n'était pas vrai ! Si ces abrutis veulent le croire, c'est leur problème, pas le mien.

— En l'occurrence, c'est aussi le mien. Si j'arrivais à convaincre Gray Bouvier de t'appeler, accepterais-tu de le lui dire ?

Renée rit d'un air gêné.

— Pour quoi faire ? Il ne me croira jamais. Et puis je préfère ne pas lui parler.

— Je t'en prie, maman. Si tu lui expliques réellement ce qui s'est passé...

— Je t'ai dit non, un point c'est tout ! Tu perds ton temps. Je me fiche complètement de ce que pensent ces crétins, tu m'entends !

Elle raccrocha violemment et Clémence écarta le combiné de son oreille en faisant la grimace. Songeuse, elle observa un moment le téléphone puis raccrocha à son tour. Ça n'aurait pas été bien difficile pourtant... Mais si sa mère refusait de parler à Gray, elle aurait du mal à la faire changer d'avis. Renée était têtue comme une mule. A présent, le seul moyen qui lui restait de prouver à Gray qu'il se trompait était de retrouver Guy et de le faire parler. A la condition qu'il soit encore en vie.

Mais comment savoir s'il était vivant ou mort? Douze ans, c'était long. Il lui faudrait effectuer un travail de fourmi, se débrouiller pour avoir accès à des documents officiels... Cela lui prendrait un temps fou, d'autant qu'elle n'était pas une professionnelle de l'investigation. Mais oui! C'était ça la solution. Elle allait engager un détective privé... Après tout, c'était leur métier de retrouver les gens qui disparaissaient. Elle déchanta soudain. Les détectives privés ne vivaient pas de l'air du temps! En recruter un allait lui coûter cher et la plupart de ses économies avaient déjà été englouties dans l'achat de la maison...

Tant pis, elle se débrouillerait, l'enjeu était trop important. Ce n'était pas le moment de se montrer pingre. Mais où trouver la perle rare? Prescott ne devait pas avoir ce genre d'article en rayon. Baton Rouge, alors? Non, les Bouvier y avaient beaucoup trop d'influence. La Nouvelle-Orléans était plus indiquée. Peut-être surestimait-elle un peu le pouvoir de Gray mais un excès de prudence ne nuisait jamais. Lorsqu'on était capable d'empêcher une femme de faire ses courses, on était capable de tout! En tout cas, il fallait avouer qu'il ne ménageait pas sa peine. Gray n'était certes pas un adversaire de tout repos!

Le mieux était de demander au détective de chercher des bordereaux de cartes de crédit ou des relevés de banque. Si Guy était vivant, il y aurait forcément des traces. Il n'était guère probable qu'il ait tout abandonné pour faire la plonge dans un café. Il faudrait vérifier aussi s'il avait rempli des déclarations d'impôts. N'importe quel privé devait être capable d'effectuer ce genre de recherches dans un délai assez bref, une semaine au plus. Cela ne devrait pas coûter trop cher.

Mais si Guy avait utilisé une carte de crédit, Gray l'aurait remarqué dans les relevés de compte... Avait-il su pendant toutes ces années où se trouvait son père sans en parler à personne ? Mais pourquoi aurait-il fait une chose pareille ? Non, il ne devait pas savoir où se cachait Guy. Il l'aurait contacté sinon et aurait appris du même coup qu'il n'était jamais parti avec Renée. Or, si Gray s'acharnait contre elle, c'était parce qu'il était persuadé que Renée était celle par qui le scandale était arrivé.

Ou la mort...

Clémence eut un frisson.

Pas de conclusion hâtive ! Il fallait laisser le détective faire son travail. S'il ne trouvait rien, elle enquêterait ensuite elle-même à Prescott, interrogerait discrètement les gens. Quelqu'un savait forcément quelque chose. Guy n'avait pas pu se volatiliser. Le tout était de reconstituer le puzzle. Pourquoi ne pas commencer maintenant ?

Elle prit une feuille de papier vierge, réfléchit un instant et inscrivit à contrecœur le prénom de sa mère. Renée et Guy avaient disparu le même jour. C'était peut-être une coïncidence. Ou peut-être pas... Peut-être étaient-ils réellement partis tous les deux cette nuit-là... un accident avait pu se produire... quelque chose de si grave que Renée feignait de n'en rien savoir. Ce qui voudrait dire qu'elle n'était pas aussi innocente que ça. Pourtant Renée n'était pas quelqu'un de violent, à moins qu'elle n'ait eu à se défendre... Oui, que cela lui plaise ou non, elle n'avait pas le droit d'écarter sa mère de la liste des suspects.

Gray ensuite. Tout en elle se révoltait à l'idée qu'il ait pu assassiner son propre père mais ses sentiments personnels n'avaient pas à entrer en ligne de compte. C'était une possibilité et elle se devait de l'envisager.

Et que ferait-elle si elle découvrait que Gray avait effectivement tué ou fait tuer son père ? Sa gorge se serra. Il lui faudrait le livrer à la justice et ce qui lui arriverait ensuite, elle préférait ne pas y penser. Quoi qu'il lui eût fait subir dans le passé, quoi qu'il lui fît subir à présent, elle était trop lucide pour s'abuser : Grayson Bouvier posséderait toujours une partie de son cœur. Et peut-être même son cœur tout entier...

Dieu merci, Gray et Renée n'étaient pas les seuls suspects ! Il y avait aussi Amos, Noëlle, Monica... et tous les hommes avec lesquels Renée avait couché. Qui sait, Guy avait pu être assassiné par un rival au cours d'une scène de jalousie qui avait mal tourné ? Pour les amants de Renée, il ne fallait pas oublier Ed Morgan ! Elle l'ajouta avec plaisir à sa liste. Puis elle se creusa la tête, essayant de se souvenir d'autres noms, mais douze ans, c'était loin ; les hommes qui avaient côtoyé sa mère avaient été insignifiants pour la plupart. Et si nombreux... Il lui faudrait réfléchir encore.

Autre piste potentielle : celle des maîtresses de Guy. L'enquête serait délicate, mais elle interrogerait les habitants de Prescott un par un s'il le fallait pour retrouver le nom de toutes les femmes que Guy avait séduites ! Et pas seulement les femmes faciles ! Il ne fallait pas négliger non plus ces dames de la bonne société et leurs époux qui avaient pu vouloir se venger. Bon sang, toute la Louisiane allait y passer ! jugea-t-elle en remettant le capuchon de son stylo. Pas la peine de faire une liste, autant prendre l'annuaire !

— Vous n'avez pas l'air d'un détective !

De fait, Francis P. Pleasant ressemblait davantage à un vieil homme d'affaires prospère. Il n'y avait pas de cendrier débordant de mégots dans son bureau, lequel était propre et bien rangé. L'homme lui-même était aussi impeccable, vêtu d'un costume gris clair de bonne coupe et rasé de près. Il avait des yeux sombres et un peu tristes mais son regard s'éclaira lorsqu'il lui sourit.

— A quoi vous attendiez-vous ? A tomber sur Humphrey Bogart, cigarette au coin des lèvres et verre de whisky à la main ?

— Plus ou moins, répondit Clémence en lui rendant son sourire. Ou alors je vous imaginais portant une chemise hawaïenne. A la Magnum !

Il éclata de rire.

— Ma femme n'aurait pas aimé ! C'est elle qui m'a toujours choisi mes vêtements...

Il s'interrompit et ses yeux se portèrent sur une photo posée sur le coin du bureau.

Clémence suivit son regard. Elle ne voyait le cadre que de côté mais assez pour apercevoir une femme souriante d'une cinquantaine d'années.

— Elle a l'air charmante, en tout cas, fit-elle aimablement.

Le détective esquissa un sourire triste.

— Oui, elle l'était. Elle est morte il y a quelques mois.

— Oh ! Je suis navrée.

— Elle a été emportée brutalement, expliqua-t-il d'une voix tendue. J'ai le cœur fragile et nous avions toujours cru que c'était moi qui partirais le premier. Nous nous y étions préparés et nous avions économisé le plus possible en vue de ma maladie. Et voilà, c'est elle qui est partie. Au début, on a cru à un simple refroidissement et, quarante-huit heures plus tard, elle mourait d'une pneumonie virale.

Ses yeux s'embuèrent et, spontanément, Clémence se pencha pour poser sa main sur la sienne. Il lui serra les doigts et se reprit soudain, l'air confus.

— Je suis désolé, déclara-t-il en se tamponnant les

yeux avec un mouchoir. Je ne sais pas ce qui m'a pris. Vous êtes une cliente et me voilà en train de pleurer comme une madeleine.

— Je sais ce que c'est, j'ai aussi perdu des gens que j'aimais, répondit-elle en pensant à Scottie et à Kyle. Ça fait du bien d'en parler parfois.

— C'est vrai, mais ce n'est pas une raison. Ma seule excuse c'est que vous êtes trop gentille, ma chère.

Il poussa un soupir.

— Bon, dites-moi plutôt ce qui vous amène.

— Il y a douze ans, un homme a disparu et j'aimerais savoir s'il est encore vivant.

Il prit un stylo et écrivit quelques mots sur un bloc-notes.

— Votre père ? Votre fiancé, peut-être ?

— Non. L'amant de ma mère.

Pleasant releva les yeux mais n'eut pas l'air autrement étonné. Sans doute avait-il l'habitude dans son travail d'entendre des requêtes encore plus étranges. Elle se dit qu'il aurait plus de chances de découvrir des indices s'il connaissait toute l'histoire et elle lui narra en détail le récit des événements.

— Pour être franche, conclut-elle, je pense qu'il est mort. J'ai peut-être trop d'imagination, mais je suis persuadée qu'il a été assassiné.

Le détective reposa son stylo et la dévisagea attentivement.

— Vous rendez-vous compte, madame Hardy, qu'après tout ce que vous m'avez raconté, le principal suspect est a priori votre mère ?

— Oui, pourtant je ne pense pas qu'elle l'ait tué.

Elle eut un petit sourire amer.

— Ma mère n'aurait jamais tué la poule aux œufs d'or.

— Mais vous pensez qu'elle sait ce qui s'est passé ?

Clémence hocha la tête.

— Je lui ai demandé de me le raconter, mais elle n'a rien voulu dire.

— Je présume qu'il n'y a aucun indice que nous pourrions transmettre au shérif?

— Rien. Je ne veux pas que vous recherchiez l'assassin, monsieur Pleasant, je veux juste savoir si Guy Bouvier est vivant ou pas. Il est possible, même si cela paraît inconcevable, qu'il soit simplement parti.

— En effet, mais j'en doute. Remarquez, j'ai déjà vu des choses plus étranges. S'il y a des traces, je les trouverai. S'il s'était enfui pour échapper à la justice, il aurait vraisemblablement changé de nom, mais ce n'est pas le cas, et s'il a gardé la même identité, ce ne devrait pas être trop compliqué de découvrir où il se cache.

— Parfait.

Prenant une carte de visite dans son sac à main, elle la lui tendit.

— Voilà mes coordonnées, appelez-moi dès que vous aurez du nouveau.

Elle quitta le bureau, contente de son choix. Francis Pleasant lui avait été chaudement recommandé mais leur entrevue lui avait confirmé que c'était un homme honnête et compétent. Elle avait confiance en lui. Si Guy était vivant, il le retrouverait.

Elle jeta un coup d'œil rapide à sa montre. Elle était partie de Prescott tôt le matin et avait conduit jusqu'à La Nouvelle-Orléans pour se rendre à son rendez-vous avec le détective. Leur entretien avait duré moins longtemps que prévu. Cela lui laissait un peu de temps pour flâner avant de rejoindre Margot. Son assistante était en ville et elles devaient déjeuner ensemble à la Cour des Deux Sœurs. Elle décida de laisser la voiture dans un parking. Ce serait plus agréable de marcher jusqu'au restaurant et un peu de lèche-vitrines lui ferait le plus grand bien.

La chaleur étouffante des rues étroites du quartier

français l'obligea à changer de trottoir pour se mettre à l'ombre. Elle était souvent venue à La Nouvelle-Orléans pour son travail, mais n'avait jamais vraiment pris le temps de visiter la vieille ville. Des voitures à cheval encombraient les rues. Depuis leur siège, les cochers faisaient aussi office de guide et indiquaient aux touristes les curiosités. Les badauds se pressaient sur les trottoirs. Dans la soirée, les bars et les boîtes seraient pleins à craquer mais, pour le moment, tout le monde imitait Clémence, et les boutiques de mode, les antiquaires et les échoppes de souvenirs étaient bondés.

Elle s'arrêta dans un magasin de lingerie fine et s'acheta une chemise de nuit en soie couleur pêche qui n'aurait pas déparé une vedette hollywoodienne des années 50. Après n'avoir porté que des loques pendant quatorze ans, elle adorait s'acheter des toilettes neuves. Non qu'elle dévalisât systématiquement les magasins, mais de temps à autre elle aimait s'offrir un vêtement de prix : des sous-vêtements en dentelle, une robe griffée ou bien encore une coûteuse paire d'escarpins. Une revanche comme une autre sur son passé.

Lorsqu'elle arriva au restaurant, Margot l'attendait déjà à l'intérieur. Dès qu'elle la vit, la jeune femme blonde se leva d'un bond et serra Clémence dans ses bras comme si elles ne s'étaient pas vues depuis une éternité. Il n'y avait pourtant qu'une semaine qu'elle avait quitté Dallas !

— Tu ne peux pas savoir comme ça me fait plaisir de te voir ! Avoue que La Nouvelle-Orléans, c'est quand même autre chose que ton trou ! Ah, j'adore cette ville ! Pour mon premier voyage d'affaires, je suis gâtée ! Ça ne t'ennuie pas si nous déjeunons dans le patio plutôt qu'à l'intérieur ? Je sais bien qu'il fait chaud, mais on a si rarement l'occasion de déjeuner dehors, il faut en profiter quand on est à La Nouvelle-Orléans !

Clémence sourit sous l'avalanche verbale. Margot avait l'air en pleine forme et ses nouvelles responsabilités ne semblaient pas lui peser.

— La voix de la sagesse ! J'ai vingt-six ans et je n'ai jamais déjeuné dans un patio, il serait temps que je commence !

— Et moi, j'en ai dix de plus et je t'assure que ça ne m'est pas arrivé souvent. Viens, on va se régaler !

Elles s'installèrent donc à une table du patio. Les parasols et le feuillage des arbres les protégeaient agréablement du soleil. Margot regarda d'un air gourmand le sac de Clémence.

— Je vois que tu as fait des achats. Montre-moi ça !

— C'est une chemise de nuit. Je n'ose pas la sortir ici.

— Hum hum, elle est un peu olé olé, c'est ça ?

— Disons qu'elle n'est pas en flanelle...

Elles rirent en chœur. Un serveur s'approcha pour leur servir de l'eau glacée. Le bruit des glaçons rappela soudain à Clémence combien elle était assoiffée. Tout en se désaltérant, elle observait nonchalamment les convives autour d'elle quand, tout à coup, ses yeux rencontrèrent ceux de Gray Bouvier.

Il était assis à deux tables de là en compagnie d'un homme dont Clémence ne voyait que le dos. Elle parvint à dissimuler sa surprise mais, comme de bien entendu, son cœur, le traître, bondit dans sa poitrine. Un éclat malicieux dans le regard, Gray leva son verre de vin en son honneur. Elle lui rendit son toast silencieux avec un haussement de sourcils moqueur.

— Tu as vu quelqu'un que tu connais ? demanda Margot en se retournant.

Gray la gratifia d'un sourire que Margot lui rendit avant de se retourner vers Clémence, l'air tout chose.

— Joli spécimen ! commenta-t-elle après s'être raclé la gorge.

De toute évidence, Gray lui avait tapé dans l'œil et Clémence comprenait pourquoi. Il portait un complet italien en lin et sa chemise bleu pâle flattait son teint mat. Ses cheveux noirs retenus comme d'habitude en catogan et le petit diamant brillant à son oreille gauche lui conféraient un air d'aventurier qui s'accordait parfaitement avec l'atmosphère de La Nouvelle-Orléans. Mais même à l'autre bout des Etats-Unis, ses épaules puissantes et larges d'ancien joueur de football et la grâce féline de ses gestes n'en auraient pas moins attiré tous les regards féminins. Il n'était pas beau au sens classique du terme : de ses ancêtres français, il avait hérité un nez légèrement trop grand et une mâchoire un peu trop carrée. Non, il était beaucoup mieux que beau : follement séduisant, envoûtant même avec ses grands yeux noirs et ses lèvres sensuelles.

— Qui est-ce ? souffla Margot. Tu le connais, j'imagine, encore qu'il ne soit pas interdit de flirter avec un inconnu...

— Je ne flirte pas ! répliqua Clémence en fronçant les sourcils.

— Mon chou, tu ne vas pas m'apprendre la musique et le toast que tu lui as porté ne pouvait signifier qu'une chose : « Approche donc, petit gars, si tu es un homme ! » En tout cas, je suis persuadée que c'est ce que lui a compris aussi et je te parie ma chemise qu'il n'est pas du genre à laisser passer l'invitation.

— Mais c'est lui qui a commencé ! protesta Clémence, je n'ai fait que répondre. Je ne l'ai absolument pas provoqué.

— Si tu voyais ta tête... commenta Margot avec un sourire, en jetant un coup d'œil derrière elle pour voir Gray.

Clémence eut un geste exaspéré.

— Tu es ridicule.

— Tiens, regarde si je n'ai pas raison... assura Margot d'un air satisfait.

Clémence sursauta en voyant Gray s'approcher.

— Mesdames...

Il lui prit la main et s'inclina en un geste d'une élégance un peu désuète. Leurs yeux se croisèrent. Ses iris noirs brûlaient d'un feu diabolique tandis qu'il lui baisait la main. Ses lèvres étaient chaudes, douces, trop douces. Le cœur de Clémence fit une embardée. Elle essaya de retirer sa main mais il resserra son étreinte et posa de nouveau les lèvres contre sa peau. Enfin il la relâcha et se tourna vers Margot pour la saluer à son tour. Bien qu'il se fût contenté de lui serrer la main, elle le fixa d'un air ébloui comme s'il venait de lui apporter une parure en diamants. Affolée, Clémence se demanda si son propre visage trahissait le même émoi et elle s'empressa de détourner les yeux. Ses joues la brûlaient. Elle était certaine que son trouble n'avait pas échappé à Gray.

— Je me présente, Gray Bouvier, dit-il à Margot. Clémence et moi sommes de vieilles connaissances.

Au moins il avait eu la décence de ne pas prononcer le mot « amis », songea-t-elle en écoutant Margot se présenter à son tour. Son estomac fit une pirouette en l'entendant soudain inviter Gray à s'asseoir et elle lui donna un coup de pied sous la table, mais trop tard.

— Merci, répondit Gray.

Il sourit d'une manière si charmante à l'adresse de Margot que celle-ci ne s'aperçut même pas de l'avertissement de Clémence.

— Je suis en déjeuner d'affaires, reprit-il, je dois retourner à ma table. Je voulais simplement saluer Clémence. Cela fait longtemps que vous vous connaissez ?

— Quatre ans, répondit aussitôt Margot fièrement. Je suis sa directrice de département.

Clémence lui donna un nouveau coup de pied. Cette fois, Margot la regarda avec surprise.

— Vraiment ? fit Gray avec intérêt. Dans quelle branche travaillez-vous ?

Comprenant enfin, Margot lança un coup d'œil interrogateur à Clémence.

— Rien qui puisse t'intéresser, répondit Clémence en lui adressant un sourire glacé signifiant que la discussion était close.

— Mais voyons, tout ce qui te concerne m'intéresse, tu le sais bien...

Oubliant sans doute son rendez-vous d'affaires, il s'assit soudain à leur table comme si de rien n'était. Clémence se raidit. Il était si près d'elle à présent qu'elle voyait ses pupilles briller et leur éclat dangereux ne lui disait rien de bon.

— D'ailleurs, ajouta-t-il, sur le même ton doucereux, si j'avais su que tu venais à La Nouvelle-Orléans, nous aurions fait le trajet ensemble.

S'il croyait lui faire perdre son aplomb devant Margot, il se trompait. Et s'il pensait que son charme allait transformer son cerveau en guimauve, il se trompait aussi ! Elle aurait donné cher pour lui jeter à la face sa réussite professionnelle, histoire de lui montrer à qui il avait affaire. Mais pas question de lui fournir la moindre information. Son ascension sociale ne ferait d'ailleurs pour l'instant aucune différence ni pour lui ni pour les habitants de Prescott. Tant qu'elle n'aurait pas fait éclater la vérité, rien ne changerait l'attitude de Gray à son égard. Redressant le menton, elle le défia du regard.

— Plutôt venir à pied que de me trouver dans la même voiture que toi !

Margot émit une exclamation choquée, mais Clémence l'ignora et garda les yeux fixés sur ceux de Gray, bien décidée à ne pas céder un pouce de terrain. Il sourit à la façon d'un mauvais garçon se réjouissant à l'avance d'une bagarre.

— Dommage, on aurait eu beaucoup de choses à

se dire tous les deux et on aurait pu partager... les dépenses.

— Désolée d'apprendre que tu as des problèmes d'argent, dit-elle avec ironie. Tu devrais demander à tes associés de partager les frais d'hôtel.

— L'hôtel n'est pas un problème, répondit-il en souriant, il m'appartient.

Zut ! Il faudrait en trouver le nom et faire en sorte de ne plus envoyer aucun groupe de touristes dans son établissement.

— Nous pourrions dîner ensemble ce soir, reprit-il. Nous en profiterions pour discuter.

— Je ne vois pas de quoi. Merci pour l'invitation, mais c'est non.

— Tu as tort, insista-t-il avec une douceur menaçante.

— J'en doute.

— Tu ne sais même pas de quoi je veux te parler.

— Ça ne m'intéresse pas. Retourne donc à ta table et laisse-moi tranquille.

— J'y pensais, fit-il en se levant et en lui caressant la joue de l'index. Mais quant à te laisser tranquille, ça jamais !

Il salua Margot et s'éloigna.

Margot hochait la tête, bouche bée.

— Eh bien ! Je n'ai pas compté les coups, mais tu n'y es pas allée de main-morte ! Qu'est-ce qu'il t'a fait pour que tu sois aussi agressive ?

Clémence but son verre d'eau à petites gorgées, essayant de se calmer. Elle le posa enfin.

— C'est une longue et vieille histoire.

— Oh oh... raconte !

— Une querelle de famille. En réalité, il essaie de me chasser de Prescott. S'il est au courant de l'existence des agences de voyages, j'ai peur qu'il n'essaie de nous causer des ennuis. Et qu'il n'y arrive... Non seulement il est très riche, mais en plus il a des relations et les moyens de soudoyer qui il veut. S'il le décide, il peut ruiner la réputation de nos agences en un clin d'œil.

— C'est du sérieux, alors ! Mais qu'est-ce qui a fait naître cette guerre ?

— C'est un peu compliqué, fit Clémence en jouant avec sa fourchette. En deux mots, ma mère était la maîtresse de son père et sa famille déteste de près ou de loin tout ce qui s'appelle Devlin.

Cela suffirait bien comme explication. L'histoire était trop sordide, même pour les oreilles compatissantes de Margot.

— Comment s'appelle ta ville, déjà ? Prescott ? Ce n'est pas si loin de Dallas et de son univers impitoyable...

Comme attiré par leur éclat de rire, le serveur s'approcha pour prendre leur commande. Elles choisirent toutes deux le buffet de salades et allèrent se servir à l'intérieur. En traversant le patio, Clémence sentit le regard de Gray lui brûler la nuque. Si seulement Margot n'avait pas choisi de s'installer dans le patio ! C'était ce qui s'appelle jouer de malchance. Pourquoi fallait-il qu'il déjeune à La Nouvelle-Orléans le même jour qu'elle, et dans le même restaurant encore ! D'accord, la Cour des Deux Sœurs était un lieu à la mode, mais la ville n'en manquait pas.

Gray et son compagnon se levèrent de table peu de temps après que les deux jeunes femmes eurent regagné le patio. En passant, Gray s'arrêta près de Clémence.

— J'ai à te parler, dit-il, rejoins-moi à ma suite à dix-huit heures au Beauville Courtyard.

Oh non, le Beauville... cela ne pouvait pas plus mal tomber ! Il allait falloir trouver un autre hôtel à conseiller à ses clients. C'était pourtant un endroit plein de charme, dans lequel ses agences réservaient régulièrement des chambres. Elle cacha sa consternation et lui répondit d'une voix glacée :

— Désolée, je n'irai pas.

— A tes risques et périls, lança-t-il avant de s'éloigner.

— Je rêve ou il te menace ! s'exclama Margot. Pour qui se prend-il ? Il est vraiment sérieux ?

— Je crois, oui, répondit Clémence en attaquant sa salade de pâtes au basilic. Mum... goûte, c'est délicieux.

— Comment peux-tu manger tranquillement alors que ce mafioso vient de te menacer ?

Margot plongea d'un geste rageur la fourchette dans sa salade et la porta à sa bouche.

— Tu as raison, c'est délicieux. Après tout, ce serait trop bête de lui laisser gâcher notre déjeuner.

Clémence sourit.

— D'autant que je suis habituée à ses menaces.

— Et il les met à exécution ?

— Toujours. S'il a une qualité, c'est bien sa franchise.

Margot reposa brutalement sa fourchette.

— Que vas-tu faire alors ?

— Rien.

— Mais tu vas au moins te tenir sur tes gardes ?

— Ça ne me changera pas. Je ne relâche jamais ma vigilance en ce qui le concerne.

Le cœur de Clémence se serra. Elle se força à avaler quelques bouchées pour dissimuler son chagrin. Ah, si seulement leurs rapports étaient différents ! Elle aurait tellement aimé que Gray use de sa force et de son énergie pour la protéger plutôt que pour essayer de la détruire. Monica et Noëlle se rendaient-elles compte de la chance qu'elles avaient de l'avoir à leurs côtés, prêt à tout pour les défendre ? Et dire qu'il avait suffi qu'elle le revoie pour retomber amoureuse de lui, son pire ennemi.

Mieux valait changer de sujet. Abandonnant toute conversation personnelle, Clémence fit avec Margot le point sur la nouvelle répartition des tâches et elles passèrent ensemble en revue les problèmes à résoudre. Heureusement, il y en avait peu. Margot était une bonne professionnelle et s'entendait parfaitement avec les employés des différentes agences. Bref, tout se passait bien. Elles décidèrent pourtant qu'il serait plus raisonnable que Clémence s'occupe des agences de Baton Rouge et de La Nouvelle-Orléans, puisqu'elle en était plus proche que Margot. Ce serait ridicule de dépenser une fortune en déplacements. Bien qu'elle adorât La Nouvelle-Orléans, ce fut Margot elle-même qui en fit la suggestion.

Après le déjeuner, elles se séparèrent sur le trottoir devant le restaurant. La chaleur moite rendait l'atmosphère oppressante. L'odeur du fleuve était forte et des nuages noirs obscurcissaient l'horizon. Bientôt l'orage éclaterait, transformant les rues en un bain de vapeur. Clémence accéléra le pas, voulant quitter la ville avant la pluie.

Elle longeait une boutique désaffectée quand, soudain, une main d'homme lui saisit brutalement le bras, l'attirant de force dans l'ombre du porche. Mon Dieu ! On voulait la dévaliser ! Son sang ne fit qu'un tour et elle projeta son coude dans le ventre de son adversaire qui poussa un grognement de surprise. Elle profita de ce qu'il reprenait son souffle pour faire volte-face, le poing levé. Son assaillant lui parut immense. Pour la neutraliser, il la serra à l'étouffer contre lui et le cri de Clémence mourut contre un luxueux costume italien de lin.

— Une vraie tigresse, dit Gray, d'une voix amusée. Si tu es comme ça au lit, ça promet !

Elle fut à la fois choquée et soulagée que ce fût lui, mais sa colère ne diminua pas pour autant et elle le repoussa aussitôt.

— Ça te prend souvent de jouer les malfrats ? J'ai cru qu'on m'agressait !

— Et au lieu de donner ton sac, tu résistes ! Et si j'avais vraiment été un voyou ? Si j'avais eu un couteau ou un revolver ? Tu aurais pu te faire blesser !

— Je n'ai pas l'habitude de me laisser attaquer sans me défendre. Et c'est aussi valable pour toi!

— Je vois... dit-il en éclatant de rire.

Il repoussa du doigt une mèche qui tombait sur le visage de Clémence.

— Ne me touche pas! Pourquoi m'as-tu attrapée comme ça?

— Je te suis depuis que tu es sortie du restaurant et j'ai pensé que l'endroit conviendrait bien à notre petite discussion. Nous pouvons aller à mon hôtel ou au tien si tu ne veux pas parler ici.

— Je n'irai nulle part avec toi!

— Très bien! Restons ici.

Le porche sombre était si étroit qu'ils se touchaient presque. Gray se raidit pour endiguer le désir qui montait en lui. L'odeur de Clémence le grisait. Lorsqu'il l'avait attirée contre lui pour l'empêcher de crier, il avait senti ses seins fermes s'écraser contre son torse. Il mourait d'envie de les voir, de les caresser, de les toucher, de les goûter. Elle le troublait tellement... Mais il n'était pas là pour la séduire, il devait lui parler.

— Je te rachète ta maison le double de ce que tu l'as payée, dit-il brusquement.

— Un homme d'affaires, comme toi, faire une proposition aussi déraisonnable? Deviendrais-tu philanthrope?

— J'en ai les moyens.

— J'en suis ravie pour toi, fit-elle en souriant. Mais au risque de te décevoir, ton argent ne m'intéresse pas. J'en ai déjà plus qu'il ne m'en faut, merci.

Le sourire satisfait qu'elle affichait ne le fâcha pas, bien au contraire. Ainsi elle était riche, et plus qu'il ne l'avait cru. Du reste, si elle avait une directrice de département, cela prouvait qu'elle avait plusieurs entreprises, des employés. Malgré lui, une bouffée d'admiration l'envahit. Il savait combien elle avait été pauvre. La plupart des gens avaient toujours la possibilité de se faire aider par leur famille ou leurs amis mais pas Clémence. Sa réussite, elle ne la devait qu'à elle seule. Bon sang, si elle avait été à sa place, tout l'Etat lui appartiendrait ! Ce ne serait pas facile de se débarrasser d'une femme de cette trempe.

Gray n'avait jamais été attiré par les femmes qui avaient besoin d'être protégées ; de ce point de vue-là, sa mère et sa sœur lui suffisaient déjà amplement. Clémence, elle, n'avait rien d'une faible.

Pourtant, elle n'avait rien abdiqué de sa féminité. Ses lèvres étaient roses et veloutées comme des pétales et sa peau si blanche que le moindre baiser y laisserait son empreinte. Il brûlait d'y laisser sa marque, de butiner sa chair lentement jusqu'à ce qu'elle le supplie de la prendre. Le parfum délicieux de sa peau l'enivrait. Il la désirait tant qu'il ne parvenait plus à penser clairement.

Il se pencha pour l'enlacer, sachant qu'il s'engageait sur une pente dangereuse. Il ne devait pas suivre l'exemple de son père. Il ne voulait pas faire souffrir Noëlle et Monica, ne voulait pas ranimer le vieux scandale. Il avait mille et une bonnes raisons de ne pas la prendre dans ses bras mais il les écarta toutes. Ses mains se refermèrent sur sa taille ; à la sentir aussi douce et chaude, il en eut presque le vertige. Il vit ses pupilles claires se dilater jusqu'à ce qu'il ne reste plus qu'un mince cercle vert doré. Elle posa les mains sur son torse mais ne le repoussa pas tandis qu'il l'attirait peu à peu, son corps mince tout contre lui. Ses lèvres s'écartèrent quand il l'embrassa, exhalant un soupir étonné. Il la souleva sur la pointe des pieds, lui fit ployer la nuque et tenta d'apaiser sa soif.

Qu'elle était douce ! Son cœur battait comme un fou. Sans lâcher ses lèvres, il la serra plus fort, la plaquant contre lui. Il la sentit frissonner, elle se cambra et ses hanches commencèrent à onduler. La tenant serrée contre lui, il l'appuya à la porte condamnée. Il entendait comme dans un rêve les voix des passants juste à côté, sur le trottoir, et le tonnerre qui grondait mais ne s'en soucia pas. Elle était comme du vif-argent sous ses caresses. Elle ne se contentait pas de subir son baiser mais le lui rendait passionnément. Ses lèvres vibraient, s'accrochaient, caressaient. Il voulait plus, il la voulait tout entière.

La pluie résonna soudain sur l'asphalte. L'orage éclatait. Un coup de tonnerre retentit, il releva la tête et jeta un coup d'œil autour de lui, irrité par le bruit qui dérangeait leur étreinte.

Etait-ce le tonnerre ou le fait qu'il ait cessé de l'embrasser ? Clémence sortit elle aussi de l'envoûtement. Elle se raidit et le repoussa. Ses yeux verts brillèrent d'une lueur assassine et il s'écarta avant qu'elle ne se mette à hurler.

Elle en profita aussitôt pour lui échapper. Elle courut dans la rue et se tourna juste le temps de lancer d'une voix blanche :

— Ne recommence jamais !

Puis elle partit très vite, tête baissée contre la pluie battante qui balayait la rue étroite comme un rideau de plastique gris. Il voulut la rattraper pour la mettre à l'abri, mais changea d'avis. A quoi bon ? Elle se débattrait comme une tigresse. Il l'observa jusqu'à ce qu'elle disparaisse au coin d'une rue.

Elle le fuyait... Pour l'instant.

9

Trempée des pieds à la tête, Clémence tremblait comme une feuille lorsqu'elle rejoignit sa voiture et dut s'y reprendre plusieurs fois avant de parvenir à insérer la clé dans la portière. Enfin elle réussit et s'effondra sur le siège en se traitant de tous les noms.

C'était de la folie d'avoir cédé à son désir. Gray savait ce qu'elle ressentait à présent. Comment pourrait-elle simuler l'indifférence désormais ? La honte la torturait. Quelle idiote ! Sans compter que Gray n'en resterait certainement pas là. Maintenant qu'elle lui avait montré sa faiblesse, il n'aurait de cesse de la mettre dans son lit pour lui prouver qu'elle ne valait pas mieux que sa mère. Un sentiment d'horreur l'envahit. Il ne voyait en elle que le double de Renée : une femme incapable de résister aux avances du premier venu. Comme il aurait ri si elle lui avait dit qu'elle l'aimait ! Et comme il la mépriserait si elle cédait !

Pourtant, durant quelques instants, elle avait été au paradis. Il l'avait enlacée, son corps musclé pressé contre le sien, elle avait caressé sa chevelure épaisse et soyeuse...

Un gémissement s'échappa de ses lèvres. Elle sentait au creux de son ventre une douleur lancinante que lui seul pourrait apaiser.

Avant d'épouser Kyle, elle était vierge ; il avait été le premier homme à qui elle se soit donnée. Et le seul.

Par peur de ressembler à sa mère, elle avait toujours été chaste. Pourtant, elle adorait faire l'amour. Lorsque le chagrin de la mort de Kyle s'était atténué, ses sens s'étaient réveillés, mais faute de vouloir s'impliquer dans une relation amoureuse, elle les avait étouffés. Cela faisait quatre ans qu'on ne l'avait pas enlacée, embrassée, et Gray venait d'entrouvrir une porte qu'elle aurait bien du mal à refermer.

Il y avait en lui une énergie brute et virile qui avait mis le feu à sa sensualité. Lorsqu'il l'avait embrassée, elle avait tout oublié, ne pensant qu'au plaisir fou d'être dans ses bras. Elle soupira, désespérée. L'aurait-elle arrêté s'il s'était montré plus pressant ou bien l'aurait-elle laissé la prendre dans la rue comme la dernière des putains, oubliant toute pudeur, toute décence, toute dignité ? Le feu de la honte lui monta aux joues en songeant qu'elle aurait pu se faire arrêter pour outrage à la pudeur. C'était pour sa bêtise crasse qu'on aurait dû l'emprisonner, oui !

Jamais cela ne se serait produit avec un autre. Il n'y avait qu'avec Gray qu'elle pouvait se comporter de cette façon.

Effondrée, elle resta sans bouger, regardant la pluie tomber en rafales au-delà des piliers en béton du parking. La vérité lui apparaissait maintenant avec une clarté effrayante ; elle l'avait simplement enfouie au plus profond d'elle-même. Elle avait aimé Kyle, aimé faire l'amour avec lui, mais même dans leurs moments d'intimité, une partie d'elle seulement était présente, l'autre appartenait à jamais à Gray.

Elle avait toujours pensé qu'un jour elle se remarierait, maintenant elle savait que c'était impossible. Gray était le seul homme qu'elle aimerait jamais. Elle l'aimait de toute son âme, de tout son corps, et pourtant, jamais elle ne se donnerait à lui car il la détruirait.

Lorsque la pluie eut cessé, Gray retourna à son hôtel et monta dans sa suite téléphoner à Dallas.

— Truman ? J'aimerais que tu me rendes un service. Tu as un annuaire sous la main ? Regarde si tu y trouves une Clémence Hardy.

Il croisa les jambes sur la table basse et attendit. Au bout d'un moment l'accent texan de son ami et associé retentit dans le combiné :

— J'ai deux Clémence Hardy et à peu près une dizaine de C. Hardy.

— Pas de C. D. Hardy, par hasard ?

— Euh... non. Il y a un C. C., un C. G., mais pas de C. D.

— Professions ?

— Attends un peu... Prof, retraitée...

Truman énuméra la liste des professions en face des numéros de téléphone. Aucune ne correspondait aux maigres indices en la possession de Gray. Peut-être que finalement la piste de Dallas ne conduirait à rien.

— Bon... regarde à Margot Stanley. MARGOT.

Truman grommela.

— Tu es certain que ce n'est pas MARGAUX ? C'est à la mode maintenant.

— Regarde les deux !

Il y eut un bruit de pages feuilletées tandis que Truman sifflotait.

— C'est dingue le nombre de Stanley qu'il y a ! déclara-t-il au bout d'un moment.

— Il y a des Margot ?

— Ah, en voilà une.

— Où travaille-t-elle ?

— Holladay Travel.

— Cherche l'agence dans les pages jaunes pour voir s'il y a le nom du propriétaire.

Truman sifflota de nouveau.

— Bien vu ! s'exclama-t-il. Propriétaire : C. D. Hardy.

— Merci, mon vieux, dit Gray, amusé que cela eût été aussi facile.

— A ton service.

Gray raccrocha et réfléchit à ce qu'il venait de découvrir. Clémence était propriétaire d'une agence de voyages. Tant mieux pour elle. Il se leva soudain pour aller chercher l'annuaire de La Nouvelle-Orléans posé sur le bureau et feuilleta les pages jaunes. Il y trouva un petit encart discret : « Holladay Travel — Ne pensez qu'à vos vacances, nous nous chargeons du reste. »

Ainsi elle avait deux agences, si ce n'était plus. Voilà pourquoi elle avait pu payer sa maison cash. Il sourit en se rappelant son air satisfait lorsqu'elle avait refusé sa proposition de rachat. Mais pourquoi faire tant de mystère autour de sa réussite ? Pourquoi ne l'annonçait-elle pas à tout Prescott, pour leur prouver que, Devlin ou pas, elle s'en était sortie ?

La réponse surgit, évidente : parce qu'elle avait peur qu'il ne mette en péril ses affaires. Non seulement il était influent en Louisiane et dans les Etats voisins, mais en plus il possédait un des hôtels les plus cotés de La Nouvelle-Orléans. Cela lui serait très facile de lui mettre des bâtons dans les roues, et bien sûr elle était persuadée qu'il n'hésiterait pas une seconde. Il fallait qu'elle ait vraiment une bien piètre opinion de lui, songea-t-il avec une grimace.

Mais comment lui en vouloir ? Vu le passé qui les liait, le contraire aurait été étonnant.

Et son attitude de tout à l'heure ne l'avait certainement pas fait changer d'avis. Il s'était conduit comme un vulgaire voyou.

Sauf que… elle n'avait pas protesté. Il sentit le désir monter en lui en se rappelant la façon dont elle avait vibré et frissonné dans ses bras. Sa réaction passionnée l'avait tellement troublé qu'il n'avait pensé qu'à se perdre en elle. Et si le tonnerre ne l'avait pas distrait, Dieu sait ce qui serait arrivé! Jamais il n'avait ressenti un tel désir. D'un baiser Clémence l'avait ensorcelé.

Mais quel baiser! Doux et épicé, aussi brûlant qu'un fer rouge. Il sentait encore sa langue qui s'enroulait à la sienne... Elle s'était abandonnée avec une sensualité qu'il n'avait jusqu'alors jamais rencontrée. Et pourtant, Dieu sait qu'il avait connu des femmes!

Il serra les poings pour oublier la sensation de son corps chaud pressé contre le sien. Il n'avait pas pour habitude de frustrer ses envies, mais la barrière entre Clémence et lui était infranchissable. Quoique...

Il se mit à arpenter la pièce, cherchant le moyen de faire tomber les obstacles. L'affaire était entendue, il fallait qu'elle quitte Prescott. Sinon, sa mère et Monica en feraient une maladie. Mais après tout elle n'avait pas besoin de partir au bout du monde ; si elle déménageait à Baton Rouge, ou dans une des petites villes autour de Prescott, ce serait parfait. Ainsi ils pourraient se voir souvent sans que leur liaison parvienne aux oreilles de Noëlle ou de Monica. Sans doute Clémence regimberait-elle pour commencer mais, après leur baiser, il savait qu'elle le désirait autant qu'il la désirait et il finirait bien par lui faire entendre raison. A moins qu'elle se montre plus entêtée que lui...

Non. Aucune femme ne lui avait jamais résisté : elle quitterait Prescott et serait à lui.

L'air conditionné ronronnait doucement dans le salon.

— Vous aviez raison, dit Francis Pleasant en buvant son thé glacé à petites gorgées, Guy Bouvier est mort, et ce depuis douze ans.

Avec son complet en crêpe de coton bleu pâle, sa

chemise blanche immaculée et sa cravate impeccable, le détective avait un petit air coquet qui cadrait mal avec sa profession. Et pourtant, son enquête avait été rondement menée.

Clémence en avait été même surprise : elle ne s'attendait pas à avoir de ses nouvelles aussi tôt. Cela ne faisait que deux jours qu'elle l'avait engagé et il était assis devant elle, son bloc-notes sur les genoux.

— Pas une trace de Guy Bouvier depuis la nuit où il a disparu, continua-t-il. Pas de bordereaux de cartes de crédit, pas de retraits bancaires et ni la Sécurité sociale ni les impôts n'ont entendu parler de lui. M. Bouvier n'était pas un criminel, il n'avait aucune raison de changer de nom ou de disparaître complètement. J'en déduis donc qu'il est mort.

Clémence prit une profonde inspiration.

— Je m'en doutais... Je voulais simplement en être certaine avant de commencer à questionner les habitants de Prescott.

— Vous réalisez que, s'il a été assassiné, vos questions pourraient déplaire à quelqu'un ?

Pleasant but une gorgée de thé avant de reprendre.

— Vous risquez de vous mettre dans une situation très dangereuse, ma chère. Peut-être vaut-il mieux ne pas remuer le passé.

— J'y ai songé, admit-elle, mais comme tout le monde pense que ma mère et Guy se sont enfuis ensemble, ma curiosité ne surprendra personne. Ils trouveront que je ne manque pas de culot, c'est tout !

Le détective eut un petit rire.

— Tout dépend de ce que vous leur direz, je suppose. Si vous laissez entendre que Guy Bouvier a été assassiné, ça risque de faire sensation.

Il s'interrompit et secoua la tête.

— Ecoutez donc le conseil d'un vieux détective : oubliez tout cela. S'il y a eu meurtre, c'était il y a douze ans. Avec le temps, les indices disparaissent.

Comment savoir où chercher? Vous risquez de ne rien trouver et de vous mettre en danger.

— Mais il faut pourtant que je sache ce qui s'est passé! Et puis on ne peut pas laisser un assassin impuni.

— Ah, la justice! C'est une merveilleuse chose que la justice, encore faut-il en avoir les moyens... Pesez bien le pour et le contre avant de prendre votre décision. Il est probable que Guy Bouvier ait été assassiné. Il est aussi fort probable que votre mère soit impliquée, au moins parce qu'elle sait ce qui s'est passé. Pourrez-vous le supporter?

Clémence poussa un soupir.

— Je l'ignore. Je sais seulement que tant que l'on croira que Guy est parti avec ma mère, les Bouvier s'acharneront sur moi et je ne pourrai jamais vivre en paix à Prescott.

— Croyez-vous que vous le pourrez s'il s'avère qu'elle l'a tué et qu'on le découvre grâce à vous?

Clémence se mordit les lèvres et fit rouler son verre entre ses mains.

— C'est un risque que je dois courir, dit-elle à voix basse, presque inaudible. Je sais que si elle est coupable, je serai forcée de quitter Prescott. Mais la vérité, même si elle est difficile à supporter, ne sera pas pire que ce que je vis actuellement. D'ailleurs, si ça se trouve, je ne découvrirai rien du tout mais je suis décidée à essayer.

Pleasant soupira.

— J'en étais sûr. Dans ce cas, mieux vaut peut-être que ce soit moi qui aille interroger les gens en ville. Sans doute seront-ils plus bavards avec un inconnu.

Il n'avait pas tort. Les habitants de Prescott risquaient d'être comme des carpes avec elle: ils auraient trop peur de s'attirer la vindicte de Gray. Cela dit, il y avait un petit problème...

— Je n'ai pas les moyens financiers de poursuivre

l'enquête, monsieur Pleasant, répondit-elle franchement. Ces derniers temps j'ai eu de gros frais et...

— Ne vous en faites pas, c'est juste pour satisfaire ma curiosité. J'ai toujours adoré résoudre les énigmes.

Clémence ouvrit de grands yeux.

— Ce n'est pas une raison pour ne pas demander d'honoraires !

— Je n'ai pas besoin d'argent, et puis j'aimerais vraiment savoir ce qui est arrivé à Guy Bouvier. A mon âge, je préfère m'occuper d'affaires qui m'intéressent. Et puis, à quoi me servirait d'être riche maintenant que...

Il s'interrompit et, baissant les yeux, s'absorba dans la contemplation de ses notes mais Clémence vit bien qu'il s'efforçait de refouler ses larmes. Il était clair qu'il pensait à sa femme. Par pudeur, elle fit comme si elle ne s'était aperçue de rien et lui demanda s'il souhaitait un autre verre de thé glacé.

— Non merci, c'était parfait.

Il se leva.

— Je vous préviendrai si je découvre quoi que ce soit d'intéressant. Y a-t-il un motel en ville ?

Elle lui indiqua le chemin tandis qu'elle le raccompagnait sur le porche.

— Venez dîner avec moi ce soir, proposa-t-elle soudain.

Elle ne supportait pas de le savoir seul, obligé d'avaler un sandwich sur le pouce.

Il rougit jusqu'à la racine de ses cheveux clairsemés.

— Avec plaisir.

— Six heures, alors ? Ça ne vous ennuie pas de dîner tôt ?

— Non, au contraire. Alors à ce soir, madame Hardy.

Souriant, il regagna sa voiture d'un pas vif. Clémence le regarda s'éloigner puis retourna dans son bureau. Elle était ravie de l'avoir invité. C'était un vieil homme charmant, sympathique. Et ponctuel !

Il arriva à six heures pile. Clémence avait préparé un dîner léger : côtes de porc grillées, riz au safran, haricots verts frais et un sorbet en dessert. Le regard mobile du détective étudiait les moindres détails : les serviettes blanches repassées, le frais bouquet de fleurs d'églantier, la cuisine faite maison... Tout cela devait lui manquer depuis la mort de son épouse. Le repas se déroula agréablement : Francis Pleasant était un homme de la vieille école, très bien élevé, et Clémence appréciait ses manières courtoises et sa conversation reposante.

Il était presque huit heures et ils venaient de terminer leur sorbet au citron lorsqu'on frappa violemment à la porte. Clémence se raidit. Les coups caractéristiques ne laissaient aucun doute sur l'identité du visiteur.

— Un problème ? demanda M. Pleasant, en remarquant son brusque changement d'expression.

— Je pense que vous allez faire la connaissance de Gray Bouvier.

Elle repoussa sa chaise et se leva pour aller ouvrir. Comme de bien entendu, son cœur battait à tout rompre. Elle aurait aimé pouvoir lui ordonner de cesser cette sarabande ridicule. Mais à peine eut-elle ouvert la porte et vu la haute silhouette aux larges épaules qui se découpait à contre-jour que son cœur accéléra encore son tempo...

— J'espère que je ne te dérange pas, dit Gray.

A son ton dur, elle comprit qu'il s'en moquait éperdument.

Il portait une chemise blanche, un jean noir, des boots à talons plats et avait plus que jamais l'air d'un pirate. Ses dents blanches bien alignées brillaient du même éclat inquiétant que le diamant à son oreille.

— Je ne t'aurais pas ouvert sinon, répliqua-t-elle sèchement.

Elle s'écarta pour le laisser entrer. S'il fut surpris de découvrir qu'elle avait un invité, il n'en montra rien et adressa un sourire poli à Francis Pleasant qui s'était levé avec courtoisie pour le saluer.

— Nous venons de terminer de dîner, expliqua Clémence. Monsieur Pleasant, Gray Bouvier, un voisin. Gray, monsieur Pleasant, de La Nouvelle-Orléans.

La petite main dodue de M. Pleasant fut happée par la poigne ferme de Gray.

— Ami ou associé ? demanda-t-il comme si l'information lui était due.

Francis Pleasant cligna des paupières et, tout en retirant sa main, parut réfléchir.

— Disons, les deux. Et vous-même : ami et voisin ?

— Certainement pas ami ! jeta Clémence.

Gray lui lança un coup d'œil mauvais.

— En effet, pas vraiment, reconnut-il à son tour.

— Je vois, fit M. Pleasant. Clémence, ma chère, je vais vous laisser. Mon vieux corps a besoin de repos. Je suis comme les enfants, je dois me coucher de bonne heure, à présent. Merci pour cet excellent dîner.

Il lui prit la main, fit un baisemain formel puis déposa un rapide baiser sur sa joue. Clémence lui rendit son baiser.

— Merci à vous d'avoir accepté mon invitation. Cela m'a fait très plaisir.

— Je vous appelle, promit-il en sortant.

Comme le matin, Clémence attendit sur le porche qu'il monte en voiture et, tandis qu'il reculait dans l'allée, elle lui fit signe de la main.

Puis, à contrecœur, elle referma la porte et se retourna pour affronter Gray. Il s'était approché silencieusement et se tenait juste derrière elle, les yeux assombris par la colère.

— Qui est-ce ? grommela-t-il. Ton vieux protecteur ? Tu joins l'utile à l'agréable ou bien c'est juste utilitaire ?

— Ça ne te regarde pas !

A quoi bon le détromper ? Il était si persuadé qu'elle couchait avec le pauvre M. Pleasant.

— Oh que si ça me regarde ! Ou bien as-tu oublié ce qui s'est passé entre nous il y a deux jours ?

Clémence rougit à l'évocation de leur baiser passionné.

— Mettons que je préfère l'oublier.

— Vraiment ! s'exclama-t-il en l'agrippant aux épaules. Alors je vais te rafraîchir la mémoire...

Elle essaya en vain de le repousser. Mais dès que ses lèvres touchèrent les siennes, un torrent de lave explosa dans ses veines et, incapable de résister, elle se pressa contre lui pour mieux accueillir la caresse brûlante de sa langue. Les riches effluves de son parfum l'enveloppaient, la pénétraient. Elle sentait la force de son désir pressé contre son ventre et, malgré elle, ses hanches se mirent à onduler, avides de caresses.

Il redressa la tête et s'écarta légèrement. Sa respiration était rapide, ses yeux brillants de désir, ses lèvres humides de leur baiser passionné. Il lui caressa la joue d'un geste doux.

— Ça ne sert à rien de nier...

— Je ne vois pas ce que tu veux dire !

Elle proféra le mensonge sans sourciller. Elle avait fait l'erreur de lui laisser voir sa vulnérabilité et maintenant il essayait d'en profiter. Sans doute était-il venu ce soir, pensant qu'elle lui faciliterait la tâche et qu'après lui avoir fait l'amour, elle accepterait de quitter Prescott. Jamais ! Elle se dégagea, de peur qu'il ne la coince contre la porte. S'il recommençait à l'embrasser, elle était fichue !

— Tu mens, répliqua-t-il en se rapprochant. Mais bon sang, reste tranquille ! Je ne vais pas te manger ou te sauter dessus, enfin pas tout de suite.

— Jamais ! siffla-t-elle en se dégageant une nouvelle fois. Jamais, tu m'entends !

— Arrête ! Et écoute-moi !

Il la saisit soudain et, l'obligeant à se retourner, il la plaqua le dos contre lui, immobilisant ses poignets d'une main, l'autre bras lui enlaçant la poitrine. Clémence se sentit défaillir, taraudée par la tentation de se laisser aller contre le corps musclé de Gray, de laisser reposer sa nuque sur son torse, de respirer le parfum musqué de sa peau.

— Tu vois, murmura-t-il d'une voix cajoleuse en la sentant frissonner entre ses bras. Tu as envie de moi ! Tout comme j'ai envie de toi. Je ne comprends pas ce qui nous arrive mais nier ne sert à rien. Je te veux, Clémence, et je te jure que je ferai tout ce qu'il faut pour te convaincre d'être à moi.

— Non ! fit-elle, paupières closes.

— Non quoi ? demanda-t-il en caressant de sa joue le dessus de sa tête. Tu n'as pas envie de moi ou tu ne veux pas que je te convainque ?

Elle ouvrit les yeux et fixa le mur devant elle, s'efforçant de ne pas sentir la chaleur de son souffle.

— Me convaincre de quoi ? De ma ressemblance avec ma traînée de mère ou mon ivrogne de père ?

Gray se figea et poussa un soupir.

— Cette nuit sera toujours entre nous, n'est-ce pas ? Ecoute, je sais que tu es propriétaire de Holladay Travel. Tu as travaillé dur pour obtenir tout ce que tu as. Je sais que tu n'es pas comme ta famille.

Mon Dieu ! Il connaissait le nom de ses agences. Elle se força à refouler la panique qui la gagnait.

— Bien sûr, ironisa Clémence, tu as même une si haute opinion de moi que tu viens juste de m'accuser de me vendre à un homme qui a le double de mon âge juste parce que je l'ai invité à dîner.

Elle voulut se libérer mais il resserra son étreinte. Ses bras l'encerclaient comme un étau, l'empêchant presque de respirer.

— Arrête de gigoter. Tu vas finir par te faire mal.

— Alors lâche-moi !

Elle lui donna un coup de talon sur le tibia mais ne réussit qu'à lui soutirer un grognement. Puis elle se contorsionna pour se retourner afin de le frapper avec plus de force.

— Mais quelle tigresse ! Tiens-toi tranquille, à la fin ! J'étais jaloux si tu veux savoir !

Abasourdie, elle s'immobilisa. Un étrange sentiment de joie l'emplit, qu'elle s'efforça de tempérer de prudence. Jaloux, lui ! Mais alors, cela prouvait qu'il l'aimait... Non ! Il ne fallait pas tomber dans son piège. Elle l'avait déjà vu à l'œuvre et connaissait ses tactiques de séduction. Elle se souvenait de la manière dont il avait amadoué Lindsey Partain. Oh, elle ne doutait pas un instant qu'il voulait coucher avec elle, mais une fois qu'il serait arrivé à ses fins, il la chasserait de Prescott.

— Et tu t'imagines que je vais te croire ? Tu es vraiment prêt à tout pour me forcer à vider les lieux, pas vrai ? Si tu crois que je n'ai pas compris pourquoi tu me faisais du charme !

Il pencha la tête pour lui mordiller l'oreille. Son souffle chaud lui caressait la joue.

— Tu n'aurais pas besoin d'aller très loin, murmura-t-il. Ce n'est même pas la peine de vendre ta maison. Je t'en achèterai une autre, une plus grande si tu veux...

Une bouffée de colère monta en elle et elle se dégagea brutalement pour lui faire face.

— Assez ! Tu ne peux pas t'empêcher de penser que je suis à vendre, n'est-ce pas ? Tu as simplement mis la barre plus haut. Je ne veux pas de ta maison ! Alors fiche le camp de la mienne. Va-t'en !

Il ne bougea pas d'un millimètre.

— Je ne pensais pas à t'acheter, j'essayais de trouver une solution.

— Je les connais tes solutions ! Je les ai même déjà expérimentées ! Une fois suffit !

Gray resta silencieux un instant.

— Ça n'arrivera plus jamais, je te le promets, dit-il gentiment.

— Non, en effet! répliqua-t-elle en redressant le menton. Parce que je ne te laisserai pas faire.

— Tu n'aurais pas le choix si je le voulais, dit-il, retrouvant soudain sa dureté. Souviens-toi, ma chérie, je peux être très méchant...

— Moi aussi, figure-toi!

Il la toisa. L'éclat dur de son regard s'anima d'une lueur amusée.

— Je n'en doute pas. Et j'ai bien envie de te provoquer pour voir. Mais nous ne sommes pas en guerre, toi et moi. Si tu acceptais de quitter Prescott, tout serait tellement plus simple. Nous pourrions nous voir...

— Non. Je te l'ai dit et je te le répète: je ne partirai pas. Alors va-t'en, soupira-t-elle, soudain à bout de forces. Je ne veux pas faire de mal à ta famille. Je ne suis pas revenue pour cela. Je veux simplement vivre ici, chez moi, et s'il faut que je me batte contre toi pour rester, je me battrai.

— C'est ton dernier mot alors? Je ne ferai pas marche arrière, Clémence. Tu n'es toujours pas la bienvenue à Prescott. Mais si tu changes d'avis, appelle-moi.

— Aucun risque!

— Tu ne sais pas ce qui peut se passer et tu peux toujours changer d'avis. Nous pourrions...

— Nous voir en cachette une ou deux fois par semaine parce que tu ne veux pas que ta famille soit au courant? coupa-t-elle, avec un rire sans joie. Très peu pour moi, merci!

Il lui caressa doucement la joue, et cette fois elle ne recula pas.

— Il ne s'agit pas seulement de coucher ensemble, et tu le sais bien.

Mon Dieu, comme elle aurait aimé le croire! Elle

baissa la tête et refoula les larmes qui lui brûlaient les yeux.

— Va-t'en, s'il te plaît.

— Je m'en vais, mais pense à ce que j'ai dit.

Il ouvrit la porte et se retourna vers elle.

— Tu sais, à propos de ton entreprise...

Clémence se redressa aussitôt, le regard étincelant.

— Ne t'avise pas de faire quoi que ce soit...

— Ne t'énerve pas. Je voulais simplement que tu saches que je suis fier de toi. Je suis heureux que tu en sois arrivée là. Et j'ai dit au directeur de mon hôtel de donner la priorité à ton agence de voyages.

Fier ? Clémence, immobile, le regarda s'éloigner. Les larmes qu'elle avait jusqu'alors réussi à contenir coulaient sans retenue sur ses joues. Pouvait-elle lui faire confiance ? Non, c'était encore une manœuvre pour l'amadouer. Oh, pourquoi n'arrivait-elle pas à se blinder une bonne fois contre ses tentatives de séduction ? Pourquoi ne pouvait-elle cesser de croire à un miracle ? Pourquoi était-elle aussi stupide ? Et à quoi cela rimait-il de se transformer en fontaine pour un homme qui s'en moquait bien ?

Mais elle continua à sangloter. Il avait dit qu'il était fier d'elle.

10

Enfermée dans la salle de bains, Monica prenait son temps. Elle avait besoin d'être seule. Son ardeur, sa frénésie même lorsqu'elle faisait l'amour avec Michael l'affolait toujours a posteriori ; lui, au contraire, avait l'air heureux et détendu après. Le lit craqua. Michael avait dû se tourner pour éteindre sa cigarette. Il fumait peu et essayait d'arrêter mais ne parvenait pas à résister après l'amour. Aujourd'hui, sa main avait légèrement tremblé lorsqu'il avait allumé sa cigarette, signe qu'il était ému.

Monica n'avait pu s'empêcher d'en être heureuse mais elle avait préféré ne pas le montrer. Elle se sentait déjà suffisamment honteuse de ne pouvoir cacher son émoi lorsqu'il était en elle.

Avec Alex, c'était différent. Elle ne perdait jamais le contrôle d'elle-même ; et il ne s'en plaignait pas. Pas étonnant puisqu'il s'imaginait que c'était avec Noëlle qu'il faisait l'amour !

Elle n'aimait pas coucher avec lui et pourtant elle ne s'était jamais dérobée. Tout comme la première fois. Cela s'était passé un soir, il y a sept ans.

Gray était à La Nouvelle-Orléans pour son travail. Sa mère était descendue dîner mais, malgré toutes les attentions d'Alex, elle avait très vite regagné sa chambre. Il s'était alors tourné vers elle et l'avait regardée d'un air triste, si triste qu'impulsivement elle avait voulu le réconforter et lui avait posé la main sur le bras.

Il faisait froid cette nuit-là et un feu brûlait dans la cheminée du salon. Ils s'en étaient approchés tous deux. Elle aurait voulu effacer le chagrin qui noyait son regard. Ils s'étaient assis côte à côte sur le divan et avaient discuté de choses et d'autres tandis qu'il dégustait un cognac. Tout était calme, le salon baignait dans la pénombre, les bûches crépitaient dans la cheminée. Sous la lumière des flammes, elle devait ressembler à sa mère. Ses cheveux noirs étaient remontés en un chignon flou et sa tenue était simple et classique comme Noëlle les aimait. Le cognac, la solitude, l'obscurité, la ressemblance avec Noëlle, la tristesse d'Alex avaient entraîné un baiser, puis deux, puis d'autres. Il avait gémi en caressant ses cheveux. Le cœur de Monica s'était mis à battre vite, à la fois de peur et de tristesse. Puis il avait caressé ses seins au travers de ses vêtements, timidement, presque avec adoration; ensuite il avait soulevé sa jupe, juste ce qu'il fallait, comme pour ne pas embarrasser sa pudeur. Il s'était couché sur elle et elle avait senti une douleur aiguë lui transpercer le ventre tandis qu'Alex murmurait à son oreille le prénom de sa mère.

Il ne s'était même pas aperçu qu'elle était vierge. Pour lui, elle était Noëlle.

Durant ces sept dernières années, l'épisode s'était souvent répété. A chaque fois, Alex avait l'air honteux, désolé et à chaque fois elle le laissait faire. Jamais il ne la sollicitait lorsque Gray était là, seulement lorsqu'il s'absentait.

La dernière fois remontait à deux jours, lors du voyage de Gray à La Nouvelle-Orléans. Alex lui avait demandé de passer à son bureau comme d'habitude, et l'avait prise sur le divan. Ça ne durait jamais bien longtemps. Il ne la déshabillait pas et, en sept ans, elle ne l'avait jamais vu nu. Il avait toujours l'air de s'excuser et se hâtait d'en finir. Monica se lavait puis rentrait chez elle. Elle ne savait pas réellement ce qui la poussait à se prêter à ce simulacre d'amour un peu sordide. Une certaine pitié pour Alex, peut-être. Ou alors le désir profondément enfoui de vouloir retrouver son père à travers celui qui avait été son meilleur ami. Elle préférait ne plus se poser la question. C'était trop déprimant.

Avec Michael, c'était différent. Michael était né à Prescott et elle l'avait toujours connu. Il avait cinq ans de plus que Gray et travaillait déjà avec le shérif lorsqu'elle avait fini ses études. Il avait épousé une de ses camarades de lycée et avait eu deux garçons. Un couple idéal, apparemment, mais sa femme l'avait quitté du jour au lendemain pour partir à Bogalusa où elle s'était remariée deux ans plus tard. Ses fils, âgés de seize et dix-sept ans, s'entendaient bien avec leur père. D'ailleurs, Michael s'entendait bien avec tout le monde, songea-t-elle en souriant. C'était pour cela qu'il avait été nommé shérif lorsque Deese avait pris sa retraite trois ans plus tôt. C'était un homme décontracté, plus à l'aise en jean qu'en costume ; grand, mince, il avait des cheveux blond clair, des yeux bleus pétillants et des taches de rousseur sur le nez.

Un an auparavant, alors qu'elle était en ville, elle avait eu envie d'un hamburger et était entrée au Grill du palais de justice. Assise seule à une table, elle avait vu entrer Michael qui, après avoir pris son plateau, s'était arrêté près d'elle et lui avait demandé s'il pouvait lui tenir compagnie. Etonnée, elle avait accepté.

Au début, elle avait été un peu sèche mais Michael n'avait pas tardé à la dérider. Très vite, ils avaient ri et discuté comme les meilleurs amis du monde. Il l'avait invitée à dîner pour le soir même. Michael McFane n'était pas membre du Rotary de Prescott et sa mère n'aurait pas du tout aimé la savoir en sa compagnie. Malgré tout Monica avait accepté. A sa grande surprise, il avait lui-même préparé à dîner et fait griller des steaks sur le barbecue de son jardin. Il habitait dans la ferme où il avait grandi et les plus proches voisins se trouvaient à près de deux kilomètres. Monica avait aimé le calme apaisant de sa maison.

Après qu'ils eurent dîné et dansé au son de tubes country à la radio, il l'avait embrassée, et ses baisers doux et rassurants lui avaient plu. Pour la première fois de sa vie, elle avait éprouvé du désir. Le cœur battant, elle l'avait laissé défaire sa robe et dégrafer son soutien-gorge. Jamais un homme n'avait vu ses seins nus. Soudain il s'était penché pour les embrasser. La caresse l'avait rendue folle et très vite ils avaient glissé à terre. Nus tous les deux, enlacés sur l'herbe, ils avaient fait l'amour avec une intensité, une impudeur qui l'effrayait encore.

Une jeune femme bien élevée n'aurait jamais agi ainsi, alors pourquoi y prenait-elle tant de plaisir? Sa mère aurait été horrifiée, dégoûtée, d'apprendre que sa fille passait des heures au lit avec un Michael McFane — un shérif, quelle vulgarité!

Depuis son plus jeune âge, Monica était sans cesse tiraillée entre ses propres aspirations et son éducation très stricte de jeune fille comme il faut. Gray n'avait pas enduré cela, lui. Un peu comme si, depuis qu'il était né, Noëlle l'avait considéré comme une cause perdue. Puisque c'était un garçon, il ne pouvait montrer que de vils instincts. En femme du monde, elle avait ignoré les frasques sexuelles de son mari et de son fils, de telles choses n'étant pas dignes d'intérêt; en revanche elle attendait de sa fille une réserve parfaite. Seulement voilà, malgré toute sa bonne volonté, Monica avait échoué. Durant les vingt-cinq premières années de sa vie, elle y était presque parvenue et, même après le départ de son père, s'était obstinée, voulant adoucir le chagrin de sa mère.

Mais elle n'avait pas la pruderie et la froideur de Noëlle, pas plus que sa perfection. Elle avait besoin d'amour, elle.

— Monica chérie? appela Michael d'une voix paresseuse. Tu t'es endormie dans la salle de bains?

— Non, je me rafraîchis, répondit-elle en ouvrant un robinet pour justifier son mensonge.

Elle contempla son reflet dans le miroir et passa rêveusement la main dans ses cheveux noirs. Pas mal pour trente-deux ans. Son visage était fin comme celui de sa mère, mais ses yeux étaient noirs comme ceux des Bouvier. Elle avait un joli corps mince et ses seins étaient parfaits.

Michael était toujours allongé nu sur le lit lorsqu'elle sortit de la salle de bains. Il tendit la main en souriant tendrement.

— Viens! fit-il.

Elle ne résista pas et retourna au lit, se blottir dans la chaleur de ses bras. Il soupira de contentement en la serrant contre lui.

— Tu sais, je crois qu'on devrait se marier, dit-il.

La stupeur la laissa coite l'espace d'un instant. Jamais elle n'avait envisagé qu'il puisse vouloir l'épouser. Le mariage était pour les autres, pas pour elle. Elle leva les yeux vers lui, plaisantant pour cacher son émotion.

— Se marier? répéta-t-elle. Michael et Monica McFane... Ça fait beaucoup de « M » à nous deux.

— Et ce n'est pas fini, dit-il en caressant du pouce son mamelon qui se dressa. Si on a un enfant, on l'appellera Martin pour continuer la série.

Mon Dieu, des enfants!

— Je sais bien, continua-t-il, que je n'ai pas grand-chose à t'offrir. La maison est minuscule mais je ferai toutes les transformations que tu veux. Tu n'as qu'à me dire ce que tu désires.

Habiter ici? Monica se sentit prise de vertige. Durant trente-deux ans, elle avait vécu dans la demeure familiale et le moindre changement l'angoissait. Même changer de voiture, c'était dire ! Gray, excédé de la voir rouler dans la voiture qu'elle avait depuis ses dix-neuf ans, avait finalement réussi à lui en faire acheter une neuve, comme il avait réussi aussi, cinq ans auparavant, à faire retapisser sa chambre. Elle n'aimait plus le vieux papier qu'elle avait toujours connu mais supportait encore moins l'idée d'en changer. Quel soulagement lorsqu'il avait pris les choses en main ! Il avait profité de ce qu'elle travaillait en ville pour faire venir un décorateur et lorsqu'elle était rentrée, le papier était presque entièrement enlevé et la moquette aussi. Elle en avait pleuré pendant trois jours, tant l'idée d'effacer les traces du passé lui était pénible. Pourtant quand les travaux furent terminés et ses larmes séchées, elle avait adoré sa nouvelle chambre.

— Chérie, tu ne dis rien ? fit Michael d'une voix hésitante. Je suis désolé, j'espérais que...

Elle posa les doigts sur les lèvres de Michael.

— Tais-toi !

Sa gorge se serra. Il devait penser qu'elle se trouvait trop bien pour lui ! C'était elle qui ne le méritait pas ! L'idée d'avoir continué à coucher avec Alex alors qu'elle s'était fait aimer d'un homme droit comme Michael l'emplit soudain de culpabilité. Cette liaison absurde devait cesser une bonne fois.

Mais comment annoncer à Noëlle qu'elle voulait se marier ? Sa mère prendrait très mal la nouvelle. Elle imaginait déjà sa réaction. Sa fille immaculée subir les assauts répugnants d'un homme ! Et que cet homme soit Michael McFane n'arrangerait rien. Les McFane avaient toujours été des fermiers et le métier de shérif de Michael ne le ferait pas non plus grimper dans l'estime de sa mère. Sans doute crierait-elle à la mésalliance. Eh bien, qu'elle crie !

— Je t'aime, dit Monica sans pouvoir retenir les

sanglots qui l'étouffaient. Je... je n'aurais jamais cru que tu voudrais te marier avec moi.

— Idiote, murmura-t-il en essuyant ses larmes. Ça m'a pris un an pour avoir le courage de te le demander.

Elle eut un petit sourire triste.

— J'espère que ça ne me prendra pas un an pour avoir le courage d'accepter.

— Ça te fait si peur?

— Tous les changements m'angoissent.

— Ne t'inquiète pas, dit tendrement Michael. Je vais commencer les travaux dans la maison. Je devrais avoir fini dans... six mois. Comme ça tu auras tout le temps de t'habituer, ça te va?

— Oui.

Oui à tout ce qu'il voulait! Son cœur se gonfla de bonheur. Comme elle l'aimait! Elle y arriverait. Elle réussirait à vaincre la désapprobation de sa mère et dirait à Alex qu'elle ne voulait plus le voir. Cela lui ferait de la peine mais il comprendrait.

Oui, tout allait bien se passer. Une vie heureuse se profilait et il ne tenait qu'à elle de saisir cette chance de bonheur... Soudain un visage aux cheveux auburn flotta devant ses yeux et le moyen de fléchir sa mère lui apparut du même coup. Tant que cette fille, vivant sosie de Renée, resterait à Prescott, Noëlle serait bien trop perturbée pour voir d'un bon œil son mariage avec Michael. Il fallait la faire partir. Et puisque Gray n'avait pas réellement l'air de s'en préoccuper, c'était à elle de prendre les choses en main. Si Michael l'aidait dans cette entreprise, Noëlle lui en serait peut-être aussi reconnaissante.

Monica se redressa.

— Michael, il y a un obstacle...

— Lequel?

— Ma mère.

Il soupira.

— Tu crois qu'elle ne voudra pas de moi pour gendre ?

— Elle ne supportera pas que je me marie avec qui que ce soit, point.

— Mais pourquoi ?

Monica se mordilla la lèvre, mal à l'aise à l'idée d'exposer les phobies de sa mère.

— Parce que cela veut dire que nous couchons ensemble.

— Ça me paraît évident que l'on va... Oh, je vois...

Il s'interrompit, gêné. Les vieux commérages avaient dû lui revenir en mémoire.

— Elle est très prude. Et maintenant que Clémence Devlin est revenue à Prescott, ça n'arrange rien. Bien sûr, si elle partait, maman serait dans de meilleures dispositions. Mais je ne sais pas comment faire, Gray prétend qu'il n'y peut pas grand-chose et qu'il en a déjà assez fait.

Le visage de Michael s'assombrit.

— J'imagine ce qu'il ressent. Je n'aimerais pas devoir expulser cette fille de Prescott.

— Mais c'est une Devlin ! s'écria Monica, surprise qu'il n'ait pas réagi comme elle l'espérait. Je ne peux pas la voir sans avoir la nausée ! C'est le portrait craché de Renée. Mère était bouleversée quand elle a su qu'elle était revenue. Et moi aussi.

— Ce n'est pas sa faute, répondit Michael calmement. Elle ne nous a jamais créé d'ennuis et aucune loi ne lui interdit de vivre où elle le désire.

— Mais toi, tu pourrais faire quelque chose ! Tu as les moyens de la chasser d'ici.

Michael fronça les sourcils.

— J'étais là quand on a expulsé les Devlin, dit-il sombrement, et j'avoue que je n'étais pas mécontent que Prescott se débarrasse de cette racaille, mais pour Clémence et le petit garçon... c'était moche. Je n'oublierai jamais l'air désespéré de cette fille cette nuit-là et je suis certain que Gray ne l'a pas oublié non plus. Ça doit être pour cette raison qu'il ne veut pas l'obliger à partir une seconde fois. Jamais je ne voudrais avoir à refaire une chose pareille.

Monica ravala son dépit.

— Ce n'est pas grave. Je me débrouillerai pour convaincre mère quand même.

Oui, mais comment? Jamais elle n'avait pu lui tenir tête. Elle était beaucoup trop sensible à ses réflexions blessantes. En face de Noëlle, elle se sentait comme une petite fille éternellement coupable. Elle aurait tellement voulu que sa mère soit fière d'elle, mais rien à faire.

Il n'y avait vraiment qu'une solution: se débarrasser de Clémence Devlin... Tant pis si Michael refusait de l'aider, elle se débrouillerait seule et une fois cette fille partie, sa mère en serait tellement soulagée qu'elle ne penserait peut-être pas à s'opposer à son mariage.

11

La mine soucieuse, Clémence raccrocha le téléphone. Voilà six fois qu'elle appelait Francis Pleasant et ça ne répondait toujours pas. Au motel, on lui avait répondu qu'il était parti en laissant les clés sur la porte et qu'il avait payé la chambre à l'avance. Rien d'anormal à tout cela, elle-même avait souvent agi ainsi lors de ses déplacements.

Ce qui n'était pas normal en revanche, c'était qu'il ne l'ait pas contactée alors qu'il avait promis de le faire. Francis Pleasant n'était pas homme à oublier ses promesses. Quelque chose avait dû lui arriver. Une crise cardiaque ? Et s'il était mort ? Sa gorge se serra.

Outre le souci qu'elle se faisait pour le vieux monsieur, comment allait-elle se débrouiller sans lui pour l'enquête ? Elle ne savait même pas s'il avait découvert des indices en interrogeant les habitants de Prescott. S'il ne donnait pas de ses nouvelles, il lui faudrait poursuivre les recherches seule... Mais par où commencer ? Qui questionner ? Personne n'accepterait de lui parler. Les seuls qui ne lui tourneraient pas le dos seraient des gens récemment installés à Prescott, et ils ne seraient pas au courant d'événements vieux de douze ans. A moins que... Oui, il y avait peut-être quelqu'un qu'elle pouvait aller voir. Même si ce n'était pas de gaieté de cœur, il parlerait.

Elle se donna un rapide coup de brosse et remonta

la masse de ses cheveux en chignon, laissant quelques mèches lui encadrer le visage.

Quelques minutes plus tard, elle se garait sur le parking du supermarché. Elle entra dans le magasin sous l'œil ébahi de Mme Morgan, qui se tenait à la caisse. Sans attendre sa réaction, elle fonça vers le rayon des produits laitiers, loin des oreilles curieuses. Morgan ne fut pas long à arriver, son gros visage écarlate d'indignation.

— Combien de fois faudra-t-il vous le dire ? grogna-t-il en se postant face à elle. Je ne veux pas vous voir ici. Sortez de mon magasin !

Clémence ne bougea pas et sourit calmement.

— Je ne suis pas venue faire des achats, monsieur Morgan, juste vous poser quelques questions.

— Si vous ne partez pas immédiatement, j'appelle le shérif !

Le sourire de Clémence s'effaça et elle serra les dents pour s'exhorter au calme.

— Répondez à mes questions et je partirai. Sinon votre femme sera très intéressée par ce que j'ai à lui dire...

Elle aussi avait les moyens de lui faire peur.

Il pâlit et jeta un regard inquiet vers la caisse.

— Je ne vois pas de quoi vous voulez parler.

— Vraiment ?... fit-elle d'un ton sarcastique. Mais ne craignez rien, ce que j'ai à vous demander ne concerne pas ma mère mais Guy Bouvier.

Il la regarda, surpris.

— Guy ?

— Je veux savoir avec qui il sortait cet été-là. Je sais que ma mère n'était pas la seule de ses maîtresses.

— Et après ? C'est tout de même avec elle qu'il est parti ! cracha-t-il.

Clémence jeta ostensiblement un coup d'œil à sa montre.

— Si j'étais vous je me dépêcherais, votre femme ne va pas tarder à venir voir ce qui se passe.

Morgan déglutit avec peine.

— Euh... je crois qu'il y avait Andréa Wallice, la secrétaire d'Alex Chelette, son meilleur ami. Je ne sais pas si c'est vrai parce qu'elle n'a pas eu l'air si triste que ça qu'il soit parti. Il y avait une serveuse chez Jimmy Jo, je ne me rappelle pas son nom. Elle est partie depuis longtemps. Ah oui, on disait aussi qu'il couchait avec Yolanda Foster. Mais Guy couchait avec tout le monde !

Yolanda Foster ? La femme de l'ancien maire. Leur fils, Lane, était l'un des garçons qui traînaient avec Jodie et prétendait ensuite ne pas la connaître en la rencontrant dans la rue.

— Il y avait des maris jaloux ?

L'épicier haussa les épaules et répondit sans quitter des yeux la caisse.

— Peut-être bien que le maire était au courant, mais comme Guy était un généreux donateur de son parti, il n'a pas dû protester. Yolanda lui rendait service, après tout !

Il gloussa et Clémence réprima un frisson de dégoût.

— Merci pour l'information, dit-elle sèchement.

Elle tourna les talons.

— Vous ne reviendrez plus ?

Il la suppliait presque... Elle s'arrêta et le toisa un instant d'un air pensif.

— Je verrai... Appelez-moi si vous vous souvenez d'autre chose.

Et elle s'éloigna rapidement sans même un regard pour Mme Morgan.

Elle avait deux pistes, plus la serveuse inconnue. C'était un début. Ce qui avait surtout retenu son attention, c'était la mention du meilleur ami de Guy, Alex Chelette. Si quelqu'un pouvait lui donner des informations, c'était bien lui.

Le nom ne lui était pas inconnu. Les Chelette étaient une des plus vieilles familles du comté, pas aussi argentées que les Bouvier, mais du gratin tout de même. Restait à savoir si Alex Chelette était encore à Prescott. Probablement : dans ce genre de milieu, on restait au même endroit durant des générations.

Elle se dirigea rapidement vers la cabine téléphonique à l'autre bout du parking et chercha le numéro des Chelette dans l'annuaire. Il y avait deux adresses dont celle de Chelette et Anderson, avocats.

Autant prendre rendez-vous tout de suite. Elle mit une pièce de vingt-cinq cents dans la fente et composa le numéro du cabinet. Une voix charmante répondit à la seconde sonnerie.

— Bonjour, Clémence Hardy à l'appareil. Je souhaiterais voir M. Chelette ; aujourd'hui de préférence. C'est possible ?

Il y eut un court silence. La secrétaire avait dû reconnaître son nom.

— Il plaide toute la matinée, mais il pourra vous recevoir cet après-midi à treize heures trente, si cela vous convient.

— Parfait. Merci beaucoup.

La voix était-elle celle d'Andréa Wallice ou l'avocat avait-il une nouvelle secrétaire ? se demanda Clémence en raccrochant.

Elle avait presque trois heures devant elle. Pourquoi ne pas aller manger un petit quelque chose ? Son estomac criait famine. Le toast qu'elle avait pris avec son café à six heures ce matin était bien loin. Elle n'avait guère envie de rentrer chez elle mais, d'un autre côté, elle n'était pas certaine qu'on accepterait de la servir dans les restaurants. Bah ! Le meilleur moyen était de tenter sa chance.

Elle prit sa voiture et s'arrêta devant un petit café qui donnait sur le parc. Elle n'y était jamais allée dans sa jeunesse. Du reste, elle n'avait jamais mis les pieds dans un restaurant avant de vivre avec sa famille adoptive. En pensant aux Gresham, elle sourit et se promit de les appeler le soir même. Depuis qu'elle les avait quittés, elle avait toujours gardé contact avec eux et leur téléphonait régulièrement au moins une fois par mois.

Elle s'assit à une table au fond de la salle fraîche et obscure. Une jeune femme ronde au visage charmant et à l'allure énergique lui apporta aussitôt un menu.

— Que désirez-vous boire en attendant ?

— Un thé sucré, s'il vous plaît.

Pas besoin de préciser « glacé » ; en Louisiane on ne servait jamais de thé chaud à moins de le demander.

La serveuse fila chercher sa consommation, et Clémence étudia le menu. Elle venait juste de choisir la salade de poulet lorsque quelqu'un s'arrêta près d'elle.

— Vous ne seriez pas Clémence Devlin, par hasard ?

Clémence se raidit, s'attendant à ce qu'on lui ordonne de déguerpir.

— Si, pourquoi ?

La jeune femme avait un air familier, des yeux marron, des cheveux bruns et un visage carré constellé de taches de rousseur. Elle était petite, pas plus d'un mètre soixante, et affichait un sourire aimable.

— J'en étais sûre. Ça fait un sacré bout de temps mais je n'avais pas oublié la couleur extraordinaire de tes cheveux.

Son sourire s'agrandit.

— Tu ne te souviens pas de moi ? Halley Bruce, enfin Johnson maintenant. On était dans la même classe.

— Oh, oui, bien sûr !

Halley n'avait pas été son amie, d'ailleurs elle n'avait pas d'amies à cette époque, mais au moins elle ne l'avait jamais méprisée comme les autres et avait toujours été polie avec elle.

— Assieds-toi, je t'en prie.

— Juste une minute, je n'ai pas beaucoup de temps, répondit Halley en s'installant en face d'elle.

La serveuse apporta le thé et repartit chercher la salade au poulet. Lorsqu'elles furent de nouveau seules, Halley eut une moue désabusée.

— Le café appartient aux parents de mon mari mais c'est moi qui m'en occupe. J'attends une livraison d'un instant à l'autre et je suis obligée de tout vérifier. Mais ça me fait plaisir de bavarder avec toi.

Manifestement, elle le pensait et Clémence en eut chaud au cœur. C'était un peu comme si elle retrouvait une camarade d'enfance, et Dieu sait que l'espèce était rare! Même après son installation chez les Gresham, sa timidité l'avait empêchée de se faire des amies. Ce n'était qu'à l'université qu'elle avait commencé à sortir un peu de sa coquille. La vie en résidence universitaire avait été une révélation; sa réserve avait vite laissé place à la joie de se lier enfin à d'autres filles de son âge. Avec ses amies, elles passaient des nuits entières à discuter en riant des mystères du sexe opposé. Enfin, Clémence écoutait plutôt qu'elle ne participait, étonnée de la naïveté de ses camarades. Même si la plupart d'entre elles avaient déjà fait l'amour alors qu'elle était toujours vierge, elle se sentait beaucoup plus mûre et ne partageait pas leur vision romantique de la gent masculine.

Rien n'avait remplacé la complicité de cette époque, et dans le regard ouvert et bienveillant de Halley elle retrouvait un peu de la spontanéité de ses amies.

— Qu'as-tu fait après ton départ de Prescott? demanda Halley, glissant avec délicatesse sur les circonstances de ce départ.

— Je suis allée au Texas, à Beaumont d'abord, ensuite à l'université de Houston, puis à Dallas.

Halley soupira.

— Moi, je n'ai pas bougé d'ici, et je crois que je n'en partirai jamais. Je voulais voyager mais je me suis mariée avec Joël et on a eu des enfants, deux. Un garçon et une fille. Et toi, tu es mariée ?

Clémence sentit la vague de tristesse habituelle l'envahir, comme à chaque fois qu'elle pensait à Kyle.

— Je l'ai été... Je me suis mariée tout de suite après mes études, mais mon mari est mort dans un accident de voiture l'année de notre mariage et je n'ai pas d'enfants.

— Oh, je suis désolée ! dit Halley d'un ton sincère. Ça a dû être épouvantable. J'imagine dans quel état je serais si je perdais Joël. Parfois il me rend folle, mais je l'aime, et il est toujours là quand j'ai besoin de lui.

Elle resta silencieuse un moment puis un sourire plein de curiosité réapparut sur son visage.

— Mais pourquoi avoir choisi de revenir à Prescott ? Ce n'est pas une ville très folichonne et sans vouloir me mêler de ce qui ne me regarde pas, après ce qui s'est passé, j'aurais cru que c'était bien le dernier endroit où tu puisses souhaiter habiter.

Clémence lui jeta un regard perçant, mais ne vit aucune méchanceté dans son expression, juste de l'étonnement. Elle décida de se montrer franche.

— Je me sens chez moi, ici, mais je t'avoue que ce n'est pas simple tous les jours. Je ne sais pas si tu es au courant, mais Gray Bouvier sera furieux s'il apprend que tu m'as acceptée dans ton restaurant. Il a demandé à tous les commerçants de me fermer leur porte.

— Oui, j'en ai entendu parler. Mais j'ai pour habitude de choisir moi-même qui je sers ou non.

— Je ne veux pas t'attirer d'ennuis.

— Ne crains rien. Gray n'a pas mauvais fond... Remarque, je comprends que tu puisses en douter. Je n'aimerais pas l'avoir pour ennemi, mais je sais qu'il ne m'en voudra pas de t'avoir servie.

— Pourtant tout le monde en ville prend ses ordres au sérieux.

— Il a beaucoup d'influence.
— Pas sur toi ?
— Je n'ai pas dit ça, mais toi et moi, on se connaît depuis l'école primaire. Je n'aurais probablement pas accepté de servir Jodie ou tes frères, mais toi, tu es la bienvenue.
— Merci, n'hésite pas à me dire si cela te crée des problèmes.
— Je ne me fais pas de souci, fit Halley en souriant tandis que la serveuse déposait la salade devant Clémence. Gray sera correct avec moi. S'il avait vraiment voulu que les commerçants respectent à la lettre ses consignes, il s'y serait pris autrement. Avec lui, on sait toujours à quoi s'en tenir. Il dit ce qu'il pense et fait ce qu'il dit.

D'après le nom sur la plaque posée sur le bureau, la secrétaire d'Alex Chelette était toujours Andréa Wallice. Elle avait la cinquantaine, des cheveux gris coupés court et un visage rond griffé de rides. Même en l'imaginant douze ans plus jeune, Clémence trouva qu'elle ne ressemblait guère au genre de femmes que Guy courtisait autrefois.
— Vous ressemblez terriblement à votre mère, fit remarquer Andréa en la dévisageant avec curiosité. Il y a bien quelques différences mais vous pourriez être sa jumelle.
— Vous la connaissiez ?
— Seulement de vue, répondit la secrétaire en lui indiquant le divan. Asseyez-vous, Alex ne va pas tarder.
Effectivement, à peine Clémence fut-elle assise qu'un homme mince et distingué entra dans le bureau. En voyant Clémence, son visage trahit un étonnement sans bornes puis il se reprit et esquissa un sourire.
— Clémence, je présume. Vous êtes le portrait craché de votre mère !

— C'est exactement ce que je lui ai dit, lança Andréa en se tournant vers lui.

A la manière dont elle le couvait des yeux, Clémence décida qu'elle n'avait pas pu avoir d'aventure avec Guy. De toute évidence, cette femme était amoureuse de son patron et ce, depuis des lustres. Lui n'avait pas l'air de s'en douter.

— Entrez, dit-il, invitant Clémence à le précéder dans son bureau avant de refermer la porte derrière lui. Excusez notre réaction, mais la ressemblance avec votre mère est frappante, bien qu'en fait les différences soient évidentes.

— Oh, j'ai l'habitude, répondit-elle en souriant, tout le monde réagit ainsi la première fois.

Alex Chelette avait du charme, nota Clémence. C'était le genre d'hommes qui se bonifiaient en vieillissant. Mince, les tempes grisonnantes, des pattes-d'oie au coin des yeux, il était certainement plus séduisant maintenant qu'à vingt ans.

— Asseyez-vous, je vous en prie, dit-il en prenant place derrière son bureau. Que puis-je pour vous ?

Elle s'installa sur l'un des deux fauteuils de cuir noir en face de lui.

— Eh bien, je dois avouer que ce n'est pas à l'avocat mais à l'homme que je viens parler et j'espère que vous ne m'en voudrez pas d'empiéter ainsi sur votre temps de travail.

— Mais non, tout le plaisir est pour moi. Dites-moi ce qui vous arrive. Est-ce Gray qui vous cause des ennuis ? J'ai essayé de le convaincre de vous laisser tranquille, mais il est très protecteur envers sa mère et sa sœur, et votre présence les a tellement chamboulées...

— Oui, je le sais, répondit-elle sèchement. Mais ce n'est pas pour cela que je suis ici.

— Ah ?

— Je voulais vous poser quelques questions à propos de Guy Bouvier. Vous étiez son meilleur ami, n'est-ce pas ?

Alex Chelette pinça les lèvres.

— Je le croyais. Nous avons grandi ensemble... Puis il est parti et je n'ai plus jamais eu de ses nouvelles. Pourquoi vous intéressez-vous à lui ?

Clémence hésita. Devait-elle l'informer que Guy n'était pas parti avec Renée ? Non, aussi amical qu'il paraisse, elle ne devait pas oublier qu'il était très proche des Bouvier et que tout ce qu'elle lui dirait serait répété à Gray.

— J'aimerais comprendre qui il était. Après tout, ajouta-t-elle en choisissant soigneusement ses mots, son départ a détruit ma famille tout autant que la sienne. Je sais que ma mère n'était pas sa seule maîtresse et je ne comprends pas pourquoi il a tout abandonné, famille et fortune, pour partir comme ça du jour au lendemain...

— Je crains de ne pouvoir vous répondre, répliqua l'avocat d'un ton sec. J'imagine qu'il avait ses raisons. Pour rester poli, disons que votre mère était une femme fascinante, tout au moins pour les hommes, et que Guy était extrêmement sensible à ses charmes.

— Mais elle était sa maîtresse depuis longtemps, pourquoi ce départ soudain ?

Alex haussa les épaules.

— Je l'ignore.

— Il aurait pu demander le divorce.

— Encore une fois, je n'ai pas la réponse. Peut-être à cause de sa religion ? Guy n'allait pas régulièrement à la messe mais il était très croyant, beaucoup plus qu'on ne le pensait. Peut-être a-t-il supposé que ce serait plus facile pour Noëlle s'il ne divorçait pas et donnait les pleins pouvoirs à Gray avant de s'en aller tout simplement. Vraiment, je n'en sais rien.

— Il a donné les pleins pouvoirs à Gray ! répéta-t-elle, étonnée. Que voulez-vous dire ?

— Ne m'en veuillez pas, mais le secret professionnel m'interdit de divulguer certains détails.

— Bien sûr, excusez-moi. Vous souvenez-vous par hasard d'autres personnes que Guy aurait vues cet été-là ?

— Pourquoi ? demanda-t-il, surpris.

— Comme je vous l'ai dit, je suis curieuse quant à sa personnalité. A cause de lui, je n'ai jamais revu ma mère. Comment était-il ? Etait-ce un homme de parole ou juste un coureur ?

Il la regarda un moment silencieux et elle remarqua la tristesse voiler ses yeux. Son regard se fit lointain.

— Guy était le meilleur homme du monde. Je l'aimais comme un frère. Il était toujours en train de plaisanter, très moqueur, mais jamais il ne m'a fait défaut lorsque j'avais besoin de lui. Son mariage avec Noëlle n'a pas été une réussite, mais il adorait ses enfants. En résumé c'était sans doute un mari horrible et sûrement un père merveilleux. Un ami merveilleux aussi...

Il s'interrompit un instant et contempla ses mains.

— Cela fait douze ans maintenant qu'il est parti et il me manque toujours autant.

— Il ne vous a jamais téléphoné, à vous ou bien à sa famille ?

— Pas que je sache.

— Voyait-il d'autres femmes en plus de ma mère et de Yolanda Foster ?

Une fois de plus, Alex Chelette eut l'air surpris. Il haussa les sourcils et répliqua d'un ton cassant :

— Je ne vois pas l'intérêt de remuer tout ça. Le passé est le passé et il vaut mieux le laisser dormir en paix...

— A condition qu'il n'empoisonne pas le présent ! Comprenez-moi bien, monsieur Chelette, c'est à cause du passé que les gens de Prescott m'en veulent toujours et que je dois subir leur hostilité.

Alex avait dû remarquer l'émotion qui brisait sa voix car son visage s'adoucit. Il se leva soudain pour venir s'asseoir près d'elle et prit sa main dans les siennes.

— Je sais, dit-il gentiment, mais quand ils vous connaîtront mieux, ils changeront d'opinion. Gray aussi. Je vous l'ai déjà dit, il réagit violemment parce qu'il veut protéger sa famille, mais ce n'est pas quelqu'un d'injuste.

— Sans doute est-ce pour cela qu'aucun commerçant n'accepte de me vendre quoi que ce soit !

— Evidemment, admit-il avec un petit sourire. Gray n'a pas été très correct de ce point de vue-là. Je vous promets de faire mon possible pour le faire changer d'avis.

— Merci.

Elle n'avait pas obtenu beaucoup de renseignements et comprit qu'elle n'en obtiendrait pas davantage en insistant. L'avocat ne lui dévoilerait rien sur Guy qui ne soit de notoriété publique. Enfin, elle n'avait pas totalement perdu son temps : elle savait à présent qu'Andréa Wallice pouvait être rayée de la liste.

Etouffant sa déception, elle prit congé et, de retour chez elle, essaya de mettre un peu d'ordre dans les informations qu'elle avait collectées au cours de la journée. Si Guy avait été assassiné, Yolanda Foster ou Lowell, son mari, rejoignaient la cohorte des suspects. Les rencontrer était dans ses cordes mais les faire parler ? Soudain le visage triste de Francis Pleasant lui revint en mémoire et une brusque bouffée d'angoisse l'étreignit. Où était-il passé ? Lui était-il réellement arrivé quelque chose ?

Alex et Gray venaient de finir d'examiner des documents de travail dans le bureau de Gray. Ils se servaient un cognac quand Alex lâcha soudain tout à trac :

— J'ai vu Clémence aujourd'hui. A première vue, la ressemblance avec sa mère est incroyable mais Clémence est beaucoup plus séduisante.

— Oui, je l'ai remarqué aussi. Où l'as-tu rencontrée ?

Il avala une gorgée de cognac et savoura la morsure du liquide ambré sur sa langue.

— A mon bureau. Elle est venue m'interroger sur Guy.

Gray faillit s'étrangler. Il reposa brutalement son verre et quelques gouttes se répandirent sur le bois verni.

— Quoi !

Bon sang ! Il avait beau être amoureux d'elle, là, elle allait trop loin.

— Elle voulait le connaître mieux, savoir s'il avait essayé de reprendre contact, qui il fréquentait cet été-là, poursuivit Alex comme si de rien n'était.

Gray se leva d'un bond.

— Eh bien, je te jure que je m'en vais de ce pas lui faire passer l'envie de fourrer son nez dans ce qui ne la regarde pas !

Alex l'arrêta en lui posant la main sur le bras.

— Gray ! Ça la regarde et que cela te plaise ou non, il est normal qu'elle soit curieuse. Après tout, elle aussi a perdu sa mère cette nuit-là.

Gray se figea puis se rassit. Alex avait raison. Ça lui coûtait de l'accepter mais il n'était pas le seul à avoir souffert de la fuite de son père et de Renée. Et encore, à l'époque, lui était déjà adulte. Clémence, elle, n'avait que quatorze ans. Il ignorait ce qu'avait été sa vie ensuite mais il était prêt à parier que ce n'avait pas dû être une partie de plaisir. Comment aurait-il pu en être autrement avec Amos Devlin et les deux voyous qu'elle avait pour frères, sans parler de sa sœur ? Avant le départ de Renée, son existence n'avait pas dû être rose pour autant, mais au moins sa mère était là.

— Laisse-la tranquille, Gray, plaida Alex. Elle mérite mieux que l'accueil que certains lui ont fait ici et c'est en partie de ta faute.

— Je ne peux pas, grommela-t-il.

Il se leva brusquement et se planta devant la fenêtre où se reflétait sa silhouette. Il but une nouvelle gorgée pour se donner le courage d'avouer la vérité.

— Il faut qu'elle parte, reprit-il, avant que je commette quelque chose d'irréparable qui blesserait Monica et maman à tout jamais.

— Que veux-tu dire ?

— Que si elle reste, l'histoire risque bien de se répéter. Bon sang, Alex, cette fille m'a complètement ensorcelé. Je perds la tête dès que je la vois. Si elle reste ici, je ne réponds pas de moi.

— Mon Dieu, tu ne peux pas faire ça à ta mère, murmura Alex. Noëlle mourrait d'humiliation si à ton tour tu...

— Tu crois que je ne le sais pas ? C'est pour cela qu'il faut qu'elle s'en aille. Je la désire trop. Et le pire, c'est que c'est réciproque. Jamais je n'ai éprouvé une attirance pareille. Te rends-tu compte que j'en suis même arrivé à être jaloux d'un vieux bonhomme qui dînait avec elle quand je suis passé chez elle un soir. Je l'ai accusée de coucher avec lui...

Il sourit doucement en regardant son verre.

— Le pauvre vieux avait l'air aussi séduisant qu'un cure-dent et on l'aurait cru tout droit sorti d'une comédie des années cinquante ! Et moi j'étais jaloux comme un fou !

— Qui était-ce ? demanda Alex d'un ton curieux. Je le connais ?

— Je crois qu'il venait de La Nouvelle-Orléans. Un dénommé Pleasant si je me souviens bien. Un associé ou quelque chose comme ça, j'étais tellement furieux que je n'ai pas fait attention.

— Un associé ? répéta Alex.

— Oui, sans doute. Clémence possède des agences de voyages dont une à La Nouvelle-Orléans.

— Vraiment !

— Oh, elle s'est bien débrouillée ! Elle a commencé par en ouvrir une à Dallas et je ne sais pas combien elle en possède maintenant, mais je me renseigne. J'espère en savoir plus bientôt.

— Tu vas les prendre dans ton collimateur si elle ne s'en va pas ?

— Non. Je ne suis pas un salaud, et puis si je le faisais, je pourrais lui dire adieu définitivement !

— Tu es réellement amoureux d'elle ?

— Oui, dit Gray avant de vider d'un trait le reste de son cognac.

— Alors, il faut qu'elle parte. Ce serait atroce pour Noëlle.

— Je suis plus inquiet pour Monica que pour mère.

— Monica est plus forte que tu ne le penses, mais Noëlle… elle n'a toujours pas surmonté le chagrin que lui a infligé Guy, alors si elle apprend que tu as une aventure avec Clémence Devlin, elle est capable de vouloir mettre fin à ses jours.

Gray garda ses commentaires pour lui, étonné pourtant qu'Alex connaisse aussi peu Noëlle. Sa mère était bien trop égocentrique pour vouloir se suicider. L'amour aveuglait le pauvre Alex ! Bizarre pour un avocat d'être aussi peu perspicace ! En tout cas, à voir l'expression crispée de son visage, il était clair qu'il se faisait du souci.

— Tu comprends maintenant pourquoi je ne peux pas autoriser Clémence à rester ? questionna-t-il simplement.

— Tu as raison, murmura Alex à mi-voix, les yeux rivés sur son cognac. Il faut qu'elle parte. Et le plus vite sera le mieux.

12

Bercée par le bourdonnement du fax, Clémence tressaillit soudain en entendant frapper à la porte. Elle n'avait pas entendu de voiture. Elle se pencha pour regarder par la fenêtre et, à défaut de voir son visiteur, reconnut la Jaguar garée derrière sa voiture. Avec un soupir, elle sortit du bureau, chope de café à la main. Que voulait-il de si bon matin? Il était à peine huit heures trente... un peu tôt pour affronter Gray Bouvier.

A peine eut-elle ouvert la porte qu'elle devina qu'il était terriblement en colère.

La dernière fois qu'elle l'avait vu dans un tel état, c'était douze ans auparavant lorsqu'il était venu leur annoncer le départ de Renée. Un frisson glacé la parcourut. Sans même attendre qu'elle l'invite, il entra et elle sursauta quand la porte grillagée claqua derrière lui.

— J'aimerais que tu m'expliques à quoi tu joues! jeta-t-il.

Il fit un pas vers elle, menaçant. Clémence recula. La chope de café trembla dans sa main. Les yeux rivés aux siens, comme hypnotisée, elle reculait au fur et à mesure qu'il avançait. Acculée au mur, elle dut s'arrêter et chercha à s'esquiver mais il plaqua les mains de chaque côté de ses épaules.

Elle était prisonnière.

Les deux premiers boutons de la chemise blanche de Gray étaient ouverts, laissant apparaître la peau mate ombrée d'une toison brune.

Son large torse était comme un mur devant elle et son chaud parfum musqué la troublait. Serrant la chope de café comme un bouclier, elle parvint à demander d'une voix presque ferme :

— Je ne comprends pas un mot de ce que tu racontes.

Il se pencha plus près, si près qu'elle sentit son haleine lui caresser la joue.

— Alex m'a dit que tu étais venue le voir pour l'interroger... ce ne serait pas trop grave si tu ne t'étais adressée qu'à lui, mais devine qui j'ai rencontré ce matin ? Ed Morgan...

Sous le ton froid bouillait la colère.

— Que cherches-tu exactement ? continua-t-il. A réveiller les commérages et à blesser de nouveau ma famille ? Si tu recommences, je te ferai expulser du comté ! Tu m'as compris ? Je ne veux plus que tes lèvres prononcent le nom de mon père !

Clémence redressa le menton, puis sans le quitter des yeux et en détachant bien chaque syllabe, elle dit :

— Guy Bouvier. Alors, qu'est-ce que tu attends pour appeler le shérif ?

La lueur glacée de ses iris s'enflamma. Sans doute n'était-il pas prudent de le provoquer, mais il était un peu tard pour le regretter car il lui enserra brusquement les bras et se mit à la secouer comme un prunier. La chope lui échappa. Elle voulut la retenir mais le liquide brûlant déborda, transperça sa jupe, inondant ses cuisses, et elle hurla de douleur sans plus se préoccuper de la tasse qui heurta bruyamment le carrelage. Surpris, Gray la lâcha. Aussitôt, elle écarta fébrilement de sa peau le tissu détrempé. Avant qu'elle ait pu prévoir son geste, Gray l'attira à lui et, dégrafant la jupe qui tomba à ses pieds, il la souleva brutalement de terre. La pièce se mit à tourner et elle s'accrocha à ses épaules.

— Qu'est-ce que tu fais ? cria-t-elle, affolée.

Elle était trop choquée pour résister, affreusement gênée — et troublée — d'être à moitié dévêtue dans ses bras. Il se précipita dans la cuisine. Du pied, il tira une chaise sur laquelle il l'installa avec une douceur imprévue. Ensuite, il saisit le rouleau de sopalin, en arracha plusieurs feuilles qu'il mouilla et les appliqua sur la cuisse douloureuse de Clémence. Elle sursauta au contact de l'eau froide qui dégoulinait le long de sa jambe.

— Je suis désolé, marmonna-t-il, j'aurais dû faire attention. Je n'avais pas vu que tu tenais une tasse.

Il se détourna pour ouvrir le réfrigérateur.

— Est-ce que tu as du thé ?

Sans même lui laisser le temps de répondre, il prit la cruche de thé glacé que l'on trouvait dans tous les réfrigérateurs du Sud. Ensuite il ouvrit les placards et en sortit un torchon qu'il trempa dans le thé et essora avec soin. Médusée, Clémence le regarda ôter la compresse de papier et la jeter dans l'évier pour la remplacer par le torchon. Si le sopalin avait été froid, le tissu mouillé, lui, était glacial. Elle en eut le souffle coupé et essaya d'écarter la jambe.

— Ça fait mal ? demanda-t-il, inquiet, en s'agenouillant pour ajuster la compresse sur sa cuisse.

— Non, c'est froid et je suis trempée !

Sa réponse parut le rassurer. Leurs visages étaient à la même hauteur ; saisissant le dossier de la chaise de sa main gauche, il demanda avec un petit sourire :

— Je me suis peut-être affolé un peu vite.

— Je crois, oui.

— J'ai eu peur, ta cuisse est toute rouge.

— La brûlure n'est pas grave. Ça pique un peu, c'est tout. Je ne pense pas que ça fasse de cloques. Cela dit, même si j'apprécie beaucoup ta sollicitude, ça ne justifiait peut-être pas de me déshabiller.

Il regarda ses cuisses nues, puis lentement posa la main sur celle qui n'était pas blessée et caressa la peau douce et ferme.

— Je ne le regrette pas, murmura-t-il, mais j'aurais aimé que cela arrive en d'autres circonstances.

Clémence avala sa salive. La chaleur de la main de Gray provoquait sur sa cuisse une brûlure bien plus dangereuse que celle du café. Le désir montait en elle. Elle réprima un frisson et sentit ses mamelons se durcir. Il fallait qu'elle se reprenne ! S'il s'apercevait de son trouble, elle était perdue. Mais elle voulait le toucher, sentir son corps puissant pressé contre elle...

Gray se rapprocha imperceptiblement. Le parfum doux et épicé de Clémence l'enivrait. Il résista pour ne pas lui arracher le peu de vêtements qui lui restait et plonger le visage entre ses cuisses nues. Que feraitelle s'il ne se maîtrisait pas ? Serait-elle effrayée, le repousserait-elle ? Ou bien ouvrirait-elle ses jambes pour l'accueillir ?

Il accentua la caresse de sa main et sa paume glissa imperceptiblement vers le haut, remontant le long de ses jambes serrées.

Il vit les pupilles de Clémence se dilater ; ses lèvres s'entrouvrir.

Dieu qu'il la désirait ! Sa main continuait sa lente progression vers le triangle de coton blanc entre les cuisses tendres. Bientôt il glisserait le pouce sous l'élastique et trouverait le sillon secret, l'obligeant à s'ouvrir pour lui.

Si elle ne protestait pas, elle serait à lui, tout à lui.

Soudain elle sursauta et lui prit la main pour l'écarter.

— Non ! souffla-t-elle.

La frustration fut si forte qu'il faillit hurler. Il dut lutter contre le désir qui le poussait à passer outre. Sa main tremblait sous celle de Clémence, n'aspirant qu'à revenir se poser entre ses cuisses.

— Non, répéta-t-elle, ayant dû sentir sa résistance.

Il tourna lentement la paume contre sa paume et leurs doigts s'enlacèrent.

— Serre-moi fort, s'il te plaît, dit-il.

Elle obéit. Les doigts de Gray la serraient et la relâchaient convulsivement. Ils se regardèrent durant un moment qui sembla une éternité. Soudain elle le sentit se détendre et il lui relâcha la main.

Elle s'éclaircit la gorge mais fut incapable de prononcer un mot.

Il se redressa, ajusta son pantalon et attrapa un torchon sur le séchoir qu'il posa sur ses jambes nues.

— C'est plus prudent, marmonna-t-il.

Au bout d'un moment, il demanda gentiment :

— Tu es certaine que tu n'as pas mal ?

— Oui, murmura-t-elle.

Elle craignait en parlant trop fort de ranimer leur désir et de basculer dans le précipice qu'elle avait évité de justesse.

— Ce n'est qu'une légère brûlure, je ne sentirai plus rien demain.

La douleur avait disparu, anesthésiée par le thé glacé.

— Tant mieux.

Il leva la main comme s'il s'apprêtait à lui caresser les cheveux mais suspendit son geste, laissant retomber son bras le long de son corps.

— Et si tu m'expliquais maintenant pourquoi tu poses toutes ces questions sur mon père, demanda-t-il calmement.

Elle le regarda, silencieuse. Elle aurait aimé pouvoir lui dire la vérité, qu'elle était persuadée que son père était mort. Elle ne put s'y résoudre. Même si elle voulait penser de toutes ses forces qu'il n'avait rien à voir avec cette mort, elle n'en était pas certaine...

Elle s'en tint à la version qu'elle avait donnée à Alex Chelette.

— Il fait partie de mon passé aussi. C'est à cause de lui que j'ai perdu ma mère. J'ai besoin de comprendre, de savoir pourquoi...

— Bonne chance, grommela Gray. Je croyais que je le connaissais par cœur et je n'ai toujours pas compris pourquoi il est parti.

Il marqua un temps d'arrêt.

— Mais si tu as d'autres questions à poser à son sujet, adresse-toi à moi ! Parce que je ne plaisantais pas tout à l'heure. Je ne veux pas te faire de mal, Clémence, mais je ferai tout mon possible pour protéger ma famille. Tu comprends ?

Puisqu'il le proposait... non, le moment était mal choisi pour l'interroger. Mieux valait écourter l'entretien. Dieu sait ce qui pourrait se passer s'il restait plus longtemps. Elle ne répondit pas, le regardant à peine.

— Je t'en prie, insista-t-il gravement. Ne me rends pas les choses plus difficiles qu'elles ne le sont déjà. Promets-moi de te tenir tranquille.

— Comme une bonne petite fille...

— Non, comme une femme intelligente.

Il esquissa de nouveau un geste vers elle et s'arrêta.

— Il est temps que je parte, dit-il à contrecœur.

— Très bien.

Il ne bougea pas.

— Je n'en ai pas envie.

— Va-t'en quand même.

Il éclata de rire.

— Tu es une femme redoutable, Clémence Devlin.

— Hardy.

— Avec tes cheveux roux et tes yeux de sorcière, tu seras toujours une Devlin pour moi.

Il se baissa, posa un baiser tendre sur ses lèvres puis tourna les talons. Lorsque la porte se referma derrière lui, Clémence s'adossa avec soulagement au dossier de sa chaise.

C'était comme un cyclone qui venait de dévaster son cœur. Son pouls battait fort et elle se sentait épuisée. Les minutes qu'elle venait de vivre étaient les plus érotiques qu'elle eût jamais connues. Et il n'avait fait que lui caresser la cuisse. Que serait-elle devenue s'il lui avait fait l'amour ? L'intensité de son désir l'effrayait. Un simple regard, une légère caresse, l'effluve de son parfum et elle perdait toute maîtrise !

« Tu seras toujours une Devlin pour moi », avait-il dit. Pas vraiment un compliment ! Pouvait-il lui dire plus clairement qu'il ne pourrait jamais oublier ses origines, sa lourde hérédité... Quoi qu'elle fasse, il ne changerait jamais d'opinion à son égard.

— Et moi, je t'aimerai toujours, Grayson Bouvier, murmura-t-elle.

Bon sang, une simple caresse et il avait perdu la tête ! Gray sourit d'un air désabusé. Il n'osait penser à ce qu'il aurait ressenti s'il lui avait fait l'amour. Son cœur n'aurait pas résisté !

Il en tremblait encore ! D'ailleurs dès qu'il passait plus d'une minute en compagnie de Clémence, il perdait tout contrôle. Cela aurait été plus facile si elle avait été indifférente. Mais elle avait beau prétendre le contraire, il n'était pas dupe. Il savait reconnaître les symptômes : la lueur chaude qui rehaussait l'éclat de ses yeux verts, sa respiration qui s'accélérait, et ses lèvres, gonflées comme des fruits mûrs. Il se souvint aussi de la légère rougeur qui avait enflammé ses joues après le rapide baiser qu'il lui avait donné.

Il la désirait. Il fallait qu'elle s'en aille. Il la désirait... La folie le guettait s'il ne trouvait pas de solution. Elle n'avait rien promis lorsqu'il lui avait demandé de cesser de poser des questions. Elle n'avait pas protesté, mais il savait que son silence dissimulait un entêtement aussi profond que le Grand Canyon. C'était sans aucun doute cette ténacité qui lui avait valu sa réussite professionnelle.

Ce ne serait pas facile de la convaincre de partir. Et Gray savait pertinemment qu'il ne parviendrait pas à contenir son désir bien longtemps. L'avenir s'annonçait sacrément orageux !

Monica ouvrit la porte du bureau d'Alex et se força à sourire à Andréa.

— Alex est là ? demanda-t-elle d'une voix qu'elle espérait naturelle. Je passais en ville et je me suis rappelé que je voulais lui demander quelque chose.

— Vous avez de la chance, répondit Andréa avec un grand sourire. Il vient de rentrer il y a cinq minutes. Il se lave les mains. Asseyez-vous dans son bureau, il ne va pas tarder.

« Se laver les mains » était bien sûr une façon polie de dire qu'il était aux toilettes. C'était toujours ce que sa mère disait, si toutefois elle se risquait à évoquer une chose aussi triviale. En trente-deux ans, Monica ne se souvenait pas que sa mère ait jamais reconnu la véritable fonction des toilettes ou d'une salle de bains. Les nécessités corporelles devaient être dissimulées ou encore mieux ignorées. Monica avait beau se forcer, elle n'arrivait pas à concevoir que sa mère ait jamais pu faire l'amour, pourtant son frère et elle en étaient les preuves vivantes. Quant à avoir affaire à un gynécologue ou à mettre au monde ses enfants, cela paraissait encore plus inconcevable !

Monica préféra éviter le divan de cuir noir et resta debout près de la fenêtre qui donnait sur le jardin du palais de justice. Les fragiles pousses de printemps commençaient déjà à laisser la place à l'exubérante verdure du début de l'été. Le temps s'écoulait inexorablement, cycle après cycle. Les plantes se moquaient bien de l'arrogance des humains qui croyaient que sans eux la terre ne tournerait pas.

Alex entra dans le bureau et sourit en la voyant.

— Que me vaut le plaisir de ta visite ?

Il avait dîné avec eux la veille et ne devait pas s'attendre à la voir si tôt.

La gorge sèche, elle fixa le visage mince et séduisant. Cela faisait une semaine qu'elle rassemblait son courage pour lui parler. Elle avait réussi la première étape : venir à son bureau, mais à présent les mots lui manquaient.

Il fronça les sourcils.

— Que se passe-t-il, Monica ? demanda-t-il gentiment en fermant la porte.

Il s'approcha d'elle et lui prit la main. Elle soupira. Parfois elle pensait qu'elle était folle, que la relation qu'elle avait avec Alex n'existait que dans son imagination. Lorsqu'ils se voyaient, comme aujourd'hui, il n'y avait rien dans ses yeux gris ou dans sa façon de se conduire avec elle qui puisse laisser deviner le secret qu'ils partageaient. Alex était alors le vieil ami qu'elle avait toujours connu et sur qui l'on pouvait compter.

Non, il ne lui en voudrait pas. Et il ne cesserait pas de venir chez eux. L'amour qu'il avait pour sa famille ne reposait pas sur leurs étreintes furtives. Elle n'était que l'exutoire de ses désirs réprimés envers sa mère. Il comprendrait.

Pourtant elle avait beau se le répéter, elle était terrifiée. Son père l'avait déjà abandonnée, l'amour qu'elle avait pour lui n'avait pas été assez fort pour l'empêcher de partir avec Renée Devlin. Elle ne voulait pas perdre Alex.

Mais n'était-ce pas Michael qu'elle allait perdre si elle ne se décidait pas à parler maintenant ? Et sans Michael, elle ne pourrait plus vivre...

— Monica ?

Maintenant ou jamais ! Elle ferma les yeux et se lança.

— Je vais me marier avec Michael McFane.

Il resta silencieux. Elle n'osait pas ouvrir les yeux. Les secondes s'écoulaient et Alex ne disait toujours rien. Finalement n'y tenant plus, elle se risqua à affronter son regard.

Il souriait et la regardait affectueusement d'un air légèrement irrité.

— Félicitations... Que croyais-tu que j'allais dire ?

— Je... je ne sais pas.

— Je suis content pour toi. Je me demandais quand, Gray ou toi, vous vous décideriez. Il était temps ! Michael est un type bien.

Elle se mordilla les lèvres.

— Maman ne va pas être de ton avis.

Il resta silencieux un instant.

— Probablement pas, en effet, mais que cela ne t'arrête pas, Monica. Tu as le droit d'être heureuse.

— J'ai si peur de la contrarier.

— Ne t'inquiète pas ! Epouse Michael et sois heureuse. Crois-moi, ton mariage ne la bouleversera pas autant que lorsqu'elle apprendra que Clémence Devlin...

Il s'interrompit.

— Eh bien ? questionna Monica avec inquiétude.

— Gray ne t'a rien dit ?

— Dit quoi ?

Alex soupira.

— Elle interroge les gens sur ton père. Si on ne l'arrête pas, le scandale va refaire surface et l'amour-propre de Noëlle va en souffrir beaucoup plus que de ton mariage, crois-moi !

Monica accusa le choc.

— Mais... pourquoi ?

— Elle prétend qu'elle veut savoir comment il était, connaître sa personnalité, ce genre de choses.

Elle est venue me voir hier, parce qu'elle avait appris que j'étais le meilleur ami de Guy. Si ce n'était que moi encore qu'elle avait interrogé, mais Gray a appris ce matin qu'elle avait aussi questionné Ed Morgan.

— Elle a demandé à Ed Morgan de lui parler de papa ! Mon Dieu, mais il va le clamer dans tout Prescott !

— Gray s'en est occupé, ne t'inquiète pas, dit-il en lui tapotant la main. Tu connais ton frère, il lui a fait suffisamment peur pour que l'autre jure de se taire.

Elle n'eut aucun mal à imaginer Morgan tremblant des pieds à la tête devant Gray, et esquissa un sourire. Mais bien vite l'image de Clémence Devlin ralluma sa colère.

— Je comprends sa curiosité, continua Alex, mais comme je l'ai dit à Gray, ce serait très grave si Noëlle l'apprenait.

— Eh bien, moi je ne comprends pas ! fit-elle en ôtant sa main de celle d'Alex.

Dieu qu'elle haïssait cette fille !

— Est-ce que tu sais, reprit-elle, ce que Gray a l'intention de faire ?

— Non... Je sais bien que tu n'es pas d'accord avec moi, mais lorsqu'elle est revenue, j'étais d'avis qu'on lui fiche la paix. Elle n'est pour rien dans ce qui s'est passé et elle a le droit d'habiter où elle veut. Je pensais que c'était quelque chose que Noëlle pourrait accepter, mais maintenant c'est différent. Elle remue délibérément le couteau dans la plaie.

— Il faut que Gray s'en occupe.

— Ça m'étonnerait qu'il accepte.

— Bien sûr que si !

— Eh bien disons que... étant donné ses sentiments envers elle, je pense qu'il ne sera pas très efficace. Car j'ai une mauvaise nouvelle, Monica ! Ton frère est amoureux de Clémence Devlin.

Monica devint livide. Gray amoureux de cette

femme…! Non, c'était impossible! Le cauchemar n'allait pas recommencer.

Il fallait qu'elle sorte. Elle étouffait! Elle ne supportait pas le regard de compassion d'Alex et quitta précipitamment le bureau.

Mon Dieu, sa mère allait en mourir si Gray avait une relation avec la fille de Renée Devlin! Elle imaginait déjà les ragots. Jamais Noëlle ne s'en relèverait! Dire qu'elle avait eu peur de la contrarier si elle se mariait avec Michael McFane! Ce n'était rien en comparaison du cataclysme que déclencherait Gray s'il s'affichait avec cette fille. Elle devait trouver un moyen de l'en empêcher. N'importe quel moyen.

13

Le bureau de Francis Pleasant était situé au dernier étage d'un petit immeuble. Clémence grimpa les marches, espérant contre toute attente le trouver là. Peut-être son téléphone était-il en dérangement ? Non, depuis le temps il s'en serait aperçu et se serait inquiété de ne recevoir aucun appel. Et s'il enquêtait sur une autre affaire et l'avait oubliée ? Peu probable, Francis Pleasant était un homme beaucoup trop rigoureux et consciencieux.

La porte du bureau était la première sur la gauche. La partie supérieure était vitrée, mais un store baissé l'empêcha de voir à l'intérieur. Elle frappa sans vraiment s'attendre à une réponse puis essaya d'ouvrir. Fermée à clé. Elle frappa une seconde fois et colla l'oreille contre la porte. Tout était silencieux.

Sous la vitre, il y avait une fente réservée au courrier. Elle souleva le petit volet métallique qui la fermait et s'accroupit pour regarder. Malgré son champ de vision limité, elle vit une masse d'enveloppes éparpillées sur le sol. Le courrier s'était accumulé depuis plusieurs jours.

Il n'était donc pas revenu à son bureau.

De plus en plus inquiète, Clémence décida de frapper à la porte voisine. Un cabinet d'avocats, d'après la plaque vissée sur le mur. Elle entendit le cliquetis d'une machine à écrire, des bruits de voix et entra.

Le cabinet ne payait pas de mine. La salle d'attente étroite était envahie par des armoires de rangement métalliques. A côté d'un gigantesque ficus, une frêle dame aux cheveux blancs tapait à la machine. Par la porte ouverte qui lui faisait face, Clémence aperçut une pièce de taille similaire couverte d'étagères qui croulaient sous les livres. Un homme corpulent derrière un bureau qui n'était plus de première jeunesse discutait avec un client assis dans un des deux fauteuils en similicuir.

La secrétaire releva les yeux de son clavier avec un sourire interrogateur mais ne se leva pas pour fermer la porte de communication. La discrétion n'était apparemment pas de mise ici.

— Bonjour, dit Clémence, je cherche M. Pleasant, vous savez, le détective dans le bureau à côté. Cela fait plusieurs jours que j'essaie de le joindre sans succès. Est-ce que par hasard vous sauriez où je peux le trouver ?

— Eh bien, je crois qu'il est parti il y a une semaine environ dans une petite ville près du Mississippi. Attendez... où était-ce déjà ? Ah oui, Perkins ou Presking, je ne me souviens pas bien. Il doit toujours être là-bas.

— Non, il en est parti le lendemain de son arrivée. Je sais qu'il a des problèmes cardiaques et j'ai peur qu'il n'ait eu un malaise.

— Oh, mon Dieu, c'est vrai ! J'avais oublié. Je suis au courant, bien sûr. Sa femme était une amie, nous déjeunions toujours ensemble, la pauvre ! Elle m'en avait parlé. C'était grave selon elle. Dire que je ne me suis même pas inquiétée de ne plus le voir !

Elle prit son répertoire téléphonique et l'ouvrit à la lettre P.

— Je vais appeler chez lui. Il n'est pas dans l'annuaire, il ne veut pas que ses clients l'embêtent à la maison.

Clémence était au courant. Elle avait déjà téléphoné aux renseignements. N'ayant pu obtenir son numéro, elle s'était décidée à faire la route jusqu'à La Nouvelle-Orléans pour essayer d'en savoir plus long.

Au bout d'une minute, la secrétaire raccrocha.

— Ça ne répond pas. Mon Dieu, je suis vraiment inquiète, à présent ! Ça ne ressemble pas à Francis de disparaître ainsi.

— On devrait appeler les hôpitaux. Puis-je me servir de votre téléphone ?

— Bien sûr. Nous avons deux lignes, mais si on m'appelle, il vous faudra raccrocher pour que je puisse prendre la communication.

Bénie soit cette bonne vieille hospitalité du Sud ! Clémence prit l'annuaire de la ville et chercha la liste des hôpitaux. Il y en avait beaucoup plus qu'elle ne l'aurait imaginé. Commençant par le haut, elle se mit au travail.

Trente minutes et trois interruptions plus tard, elle raccrochait, dépitée. Aucun Francis Pleasant n'était hospitalisé à La Nouvelle-Orléans. Cependant s'il avait eu une attaque en revenant de Prescott, il pouvait être dans n'importe quel hôpital entre ici et le Mississippi. Mais comment le trouver ?

Et s'il n'était pas tombé malade ? Si, comme elle le présumait, Guy avait été assassiné, il était fort possible que Francis Pleasant ait posé des questions gênantes et qu'on ait voulu le faire taire. Mon Dieu, faites que je me trompe, songea-t-elle. L'idée qu'à cause d'elle il ait pu arriver quoi que ce soit au charmant vieux monsieur l'horrifiait.

Bien sûr, elle s'affolait peut-être pour rien. Mais d'après ce qu'elle connaissait de la vie, le pire n'était pas une probabilité mais un fait avéré.

— Qu'allez-vous faire ? demanda la secrétaire.

— Signaler sa disparition à la police.

Que faire d'autre ? Au moins cela permettrait peut-être de déclencher une enquête.

La secrétaire lui indiqua comment se rendre au commissariat. Après s'être trompée deux fois de rue, elle se gara finalement dans le parking en face d'un bâtiment moderne. L'officier à l'accueil lui indiqua un bureau où un inspecteur à la mine aussi fatiguée que son costume l'écouta d'un air blasé.

— Donc, au motel, ils vous ont dit qu'il était parti ? demanda-t-il.

— En fait, ils ne m'ont pas dit qu'ils l'avaient vu partir. La clé était sur la porte et la chambre était vide.

— La chambre avait été payée d'avance ?

Clémence approuva d'un hochement de tête.

— Hum... rien d'inhabituel à cela. Bon, résumons : personne ne l'a vu depuis qu'il a quitté Prescott, son courrier s'amoncelle à son bureau, le téléphone ne répond pas chez lui et il est cardiaque... Je vais aller jeter un œil pour voir ce que je peux trouver là-bas, mais...

Il hésita en la regardant d'un air compatissant.

Clémence n'avait pas besoin qu'il termine sa phrase pour comprendre que selon lui Francis Pleasant avait dû faire un infarctus quelque part entre Louisiane et Mississippi.

Elle poussa un petit soupir, prit une carte de visite dans son sac et la tendit à l'inspecteur.

— Appelez-moi si vous trouvez quoi que ce soit, dit-elle. Je ne le connaissais pas bien mais je l'aimais beaucoup. C'était un monsieur adorable.

Horrifiée, elle s'aperçut qu'elle en parlait déjà au passé.

L'inspecteur prit la carte et passa le pouce sur un des bords.

— J'aimerais savoir la nature de l'enquête qu'il menait pour vous, madame Hardy.

Elle s'était doutée qu'il lui poserait la question et lui exposa les faits.

— Il y a douze ans ma mère a disparu avec son

amant. Je voulais que M. Pleasant retrouve leurs traces.

— Et alors ?

— La dernière fois que je l'ai vu, il n'avait rien découvert.

— Quand était-ce ?

— Nous avons dîné ensemble le soir qui a précédé son départ du motel.

— Est-ce que quelqu'un l'a revu après ça ?

— Je l'ignore.

— Avait-il l'air souffrant lorsqu'il vous a quittée ?

— Non, il m'a semblé normal. J'ai eu une visite impromptue et M. Pleasant est parti tout de suite après dîner.

— Donc quelqu'un d'autre l'a vu ?

— Oui, répondit-elle en esquissant un sourire.

— Qui était votre visiteur ?

— Un voisin. Gray Bouvier. Il était venu me proposer de racheter ma maison.

Incroyable comme les faits bruts étaient à cent lieues de la vérité. Elle devenait experte à slalomer entre vérité et mensonge.

— Gray Bouvier ? répéta l'inspecteur dont le regard terne s'alluma soudain. Celui qui jouait dans l'équipe de football de l'Université de Louisiane il y a une dizaine d'années ?

— Presque treize ans. Oui, c'est lui.

— Des gros bonnets, les Bouvier ! fit-il. Ainsi vous allez lui vendre votre maison ?

— Non. Il veut l'acheter mais je ne veux pas vendre.

— Vous êtes en bons termes avec lui ?

— Pas vraiment.

— Dommage ! fit-il, l'air déçu.

Clémence le regarda, amusée.

— Désolée, inspecteur, je ne pourrai pas intercéder en votre faveur pour avoir des billets pour les prochains matchs.

— Tant pis, répondit-il en souriant. Ça ne coûte rien d'essayer.

Il ferma le capuchon de son stylo et se leva, indiquant que l'entretien était clos.

— Je vais faire ce que je peux pour le trouver. Restez-vous quelque temps en ville ?

— Non, je rentre chez moi. Je ne suis venue ici que pour essayer de voir M. Pleasant.

Elle se leva avec soulagement de la chaise à dossier droit et réprima son envie de s'étirer.

L'inspecteur lui posa la main sur le bras.

— Il faut que vous sachiez que je vais d'abord commencer par la morgue, madame Hardy.

Clémence se mordilla la lèvre et approuva d'un signe de tête. Il lui tapota gentiment la main.

— Je vous appellerai.

L'inspecteur Ambrose — c'était son nom — n'avait pas perdu son temps. Lorsque Clémence arriva chez elle en fin d'après-midi, un message de lui l'attendait déjà sur le répondeur.

« Je suis allé au domicile de M. Pleasant, disait-il, il n'était pas chez lui, il y avait une pile de courrier dans la boîte et les voisins ne l'ont pas vu... rien à la morgue, non plus. Je poursuis les recherches et je vous tiens au courant. »

Elle se repassa le message plusieurs fois. Personne n'avait donc revu le détective depuis son départ de Prescott. Si tant est qu'il en fût jamais parti...

La colère monta et effaça l'abattement. Douze ans après, Guy et Renée semaient encore la destruction. Cette fois, c'en était trop. Si Renée savait quelque chose sur la disparition de Guy, elle la forcerait à lui parler.

D'un geste rageur, elle saisit le téléphone et composa le numéro de sa grand-mère. Elle laissa sonner plusieurs minutes mais personne ne décrocha. Elle dut s'y reprendre à quatre fois avant de parvenir à la joindre. Après avoir échangé quelques mots avec sa grand-mère, elle entendit la voix de sa mère demander au loin :

— Qui est-ce ?

— Ta fille. La plus jeune.

— Je ne veux pas lui parler ! Dis-lui que je ne suis pas là.

La main de Clémence se crispa sur le combiné. Elle entendit sa grand-mère reprendre le téléphone mais n'attendit pas qu'elle lui transmette le mensonge.

— Dis à maman que si elle refuse de me parler, je vais aller voir le shérif.

Elle bluffait, enfin pour le moment, mais sa mère ne le savait pas. Si Renée n'avait rien à cacher, son coup de bluff ne marcherait pas, mais dans le cas contraire…

Il y eut un silence et le message fut transmis.

— Qu'est-ce qui t'arrive, ma Clémence ? dit Renée d'un ton trop gentil pour être sincère. Qu'est-ce que c'est que cette histoire de shérif ?

— Je veux que tu me parles de Guy Bouvier.

— Tu ne peux pas laisser tomber ce type ? Je t'ai déjà dit que je ne l'avais pas revu, ma chérie.

Clémence réprima sa colère et s'efforça de parler d'un ton rassurant.

— Je le sais bien, maman, je te crois. Mais je pense qu'il lui est arrivé quelque chose cette nuit-là, après que tu es partie.

Il ne fallait surtout pas laisser deviner à Renée qu'elle la soupçonnait, sinon elle se fermerait comme une huître.

— Comment veux-tu que je le sache, puisque j'étais déjà partie ? Si tu es aussi maligne que tu le prétends, tu ferais mieux d'arrêter de fourrer ton nez dans cette vieille histoire.

— Où l'as-tu rencontré ce soir-là, maman ? insista-t-elle, ignorant le conseil maternel.

— Je ne vois vraiment pas pourquoi il t'intéresse

tant. S'il avait fait ce qu'il devait, il se serait occupé de moi... et de vous aussi, bien sûr. Mais il prétendait qu'il fallait attendre que Gray finisse ses études. Enfin pour ce que ça change, maintenant !

— Vous êtes allés au motel ou ailleurs ?

Renée poussa un soupir exaspéré.

— Tu es plus têtue qu'une mule ! D'ailleurs tu l'as toujours été. Puisque tu veux tant le savoir, on s'est rencontrés à la maison près du lac, comme d'habitude ! Mais si j'étais toi, je garderais ça pour moi !

Renée n'en dit pas plus et raccrocha brutalement. Clémence fit la grimace puis remit le combiné en place d'une main tremblante.

Son instinct lui disait que Renée savait ce qui s'était passé cette nuit-là ! Et visiblement elle ne souhaitait pas, mais alors pas du tout, que Clémence l'apprenne. Il allait falloir déployer des trésors d'ingéniosité pour réussir à lui faire cracher la vérité...

Ainsi, c'était à la villa d'été qu'ils s'étaient rencontrés. Clémence aurait préféré que leur lieu de rendez-vous fût plus banal, pourquoi pas un motel comme tout le monde ! Ses souvenirs de la maison près du lac avaient une coloration douce-amère, comme tout ce qui avait trait à Gray, d'ailleurs. Elle n'avait pas envie de retourner là-bas. Pas envie de se retrouver dans la peau de la petite fille qui passait de longues heures à la lisière des bois pour apercevoir son héros.

D'ailleurs, que pourrait-elle bien découvrir dans la villa après douze ans ? Rien !

Tout de même, c'était peut-être là-bas que Guy Bouvier avait passé les dernières heures de sa vie... Après tout ce qu'elle avait déjà fait pour apprendre la vérité, reculer maintenant serait plus que lâche : stupide.

Et zut ! Elle avait faim, elle était fatiguée, elle venait de conduire des heures. Mais si c'était là-bas que le mystère avait démarré, il faudrait bien s'y rendre tôt ou tard. Autant profiter que le soleil soit encore haut.

Elle prit ses clés, sortit de la maison et regrimpa dans sa voiture.

Le chemin le plus simple pour s'y rendre était encore celui qu'elle prenait lorsqu'elle était enfant. Il existait bien une route qui menait de la demeure des Bouvier au lac, mais elle préféra ne pas l'emprunter. Grâce à ses années passées à courir dans les bois, elle connaissait l'endroit comme sa poche. Elle prit le chemin de terre qui conduisait au taudis de son enfance. Encore un virage et elle y serait. Elle s'arrêta sur le bas-côté avant le tournant pour ne pas revoir le bungalow qui devait probablement être en ruine à présent. Mains crispées sur le volant, elle ferma les yeux, essayant de maîtriser son angoisse. Ses yeux la brûlaient, mais elle ne pleura pas.

Ça ne servait à rien de s'apitoyer ! Plus elle tarderait, plus elle dînerait tard, et elle mourait déjà de faim. Elle sortit de voiture, ferma les portières à clé et rangea le trousseau dans la poche de sa jupe. Les broussailles envahissaient le chemin guère plus large qu'un sentier à présent. La terre reprenait ses droits. Elle dut contourner des buissons de bruyère avant d'entrer dans la forêt. Là, le sol était dégagé. Elle ramassa un bâton, au cas où elle rencontrerait un serpent. Elle n'avait pas peur, elle avait grandi, joué dans ces bois et s'y était souvent cachée lorsque Amos avait le vin agressif.

Les parfums familiers l'enveloppèrent. Elle s'arrêta un instant et ferma les yeux pour mieux s'en imprégner. Fragrances fortes de printemps qu'elle inhala avec bonheur : odeur brune de terre, vert acide du feuillage, senteur piquante et dorée des aiguilles de pin. Elle eut un petit frisson. Gray aussi avait cette légère odeur dorée et piquante...

Elle se secoua et se remit résolument en marche.

Le lac n'était pas très loin, une vingtaine de minutes.

La forêt avait changé, évidemment ; le temps agissait sur les arbres comme sur les humains. Elle dut contourner des obstacles qui jadis n'y étaient pas, tandis que certains des anciens repères avaient disparu. Cela ne l'empêchait pas d'avancer sans hésitation comme un pigeon voyageur rentrant d'un long voyage.

Bientôt elle approcha de la villa par l'arrière. De là, elle apercevait la jetée et le coin du hangar à bateaux. Si, par le passé, elle avait souvent prié pour que la Corvette fût garée devant le porche, aujourd'hui elle fut soulagée de ne pas voir la Jaguar. Il n'aurait plus manqué que Gray soit là ! Dieu merci, il avait suffisamment de travail pour ne plus s'accorder le luxe de passer ses journées à nager et à pêcher.

Le passage du temps avait aussi laissé son empreinte sur la villa. Bien qu'elle eût toujours l'air entretenue, il était clair qu'elle n'était plus guère utilisée. Autrefois l'herbe était régulièrement tondue, maintenant le jardin ressemblait plutôt à une prairie que l'on fauchait de temps à autre.

Elle grimpa les marches, celles-là même où elle s'était tapie pour écouter Gray faire l'amour à Lindsey Partain. La porte grillagée n'était pas fermée à clé et grinça lorsqu'elle l'ouvrit. Elle sourit en retrouvant le bruit familier.

Les planches craquèrent sous ses pas. La galerie était vide, sans trace du fouillis qui la rendait si vivante ; pas de rocking-chair ni de matelas pneumatique attendant d'être réparé, pas de cannes à pêche, d'hameçons, de mouches ou de bouchons. Tous objets qui auraient dû être rangés dans le hangar à bateau mais qui traînaient régulièrement sur la véranda. Leur absence signalait que la villa n'accueillait plus depuis longtemps les jeux d'adolescents insouciants ni les rendez-vous illicites des adultes.

Elle s'avança jusqu'à la fenêtre d'où elle avait

espionné Gray et Lindsey ; la chambre était vide, les parquets recouverts d'une couche de poussière. Elle resta immobile un moment, se souvenant avec nostalgie de ce lointain été.

Puis elle s'éloigna et tourna la poignée de la porte d'entrée. Surprise, elle constata qu'elle n'était pas fermée à clé. Pourtant il n'y avait personne dans les parages. Jamais elle n'avait pénétré dans la villa jusqu'alors, et ce fut avec un petit frisson d'inquiétude qu'elle entra dans la cuisine. A la place du réfrigérateur et de la cuisinière, il ne restait plus que les prises électriques et le contour des appareils sur le mur à la peinture jaunie. Elle ouvrit placards et tiroirs, mais tout était vide.

La pièce était relativement propre — pas d'odeurs de souris en tout cas — même si, visiblement, elle n'avait pas été nettoyée depuis quelques semaines. Clémence explora ensuite le reste de la maison. Des douilles électriques pendaient, sinistres, sans ampoules. Chaque chambre avait une petite penderie qu'elle vérifia. Vides, elles aussi, sans même le moindre cintre. La villa d'été était totalement délaissée.

Dans quelle chambre Guy et Renée se retrouvaient-ils ? Peu importait, car à présent qu'elles étaient vides, elles se ressemblaient toutes. Pas de recoins dans lesquels dissimuler un cadavre. Rien de suspect ici. Les indices, s'il y en avait eu, avaient depuis longtemps été balayés, lessivés.

Il restait encore le hangar à bateaux, mais elle doutait d'y trouver quoi que ce soit. Finalement elle n'était venue que pour se rassurer, se dire qu'elle avait tout fait pour découvrir ce qui était arrivé à Guy. Sortant par la porte de devant, elle descendit vers le lac. La jetée et le hangar avaient été bâtis sur la gauche de la maison, près d'un petit marécage. La végétation avait bien changé. Les buissons et les plantes vivaces envahissaient les rives. Les jeunes saules qu'elle avait connus étaient maintenant immenses, et leur feuillage luxuriant dissimulait pratiquement la vue du lac.

La jetée paraissait avoir été entretenue et elle ne put résister à l'envie de s'y promener. C'était une journée magnifique. Une brise légère agitait imperceptiblement la surface de l'eau qui clapotait contre les piliers de bois. Cela aurait été si bon de s'allonger là à regarder défiler les gros nuages dans le ciel d'un bleu pur. Les oiseaux pépiaient dans les arbres et un poisson bondit, éclaboussement furtif qui ne dérangea pas la paix des lieux. A gauche, un bouchon rouge et blanc flottait joyeusement au bout d'une ligne...

Elle se raidit aussitôt. Les yeux écarquillés par la peur, elle pivota lentement. S'il y avait un bouchon, c'était que quelqu'un pêchait! Quelqu'un qui lui avait été caché par le hangar à bateaux. Comme le criminel approchant du gibet, elle suivit des yeux la ligne tendue jusqu'au moulinet. Torse nu, debout sur la rive de l'autre côté du hangar, Gray l'observait.

Ils se dévisagèrent silencieusement par-dessus l'étroite étendue liquide. Clémence, paniquée, se creusait l'esprit à toute allure pour trouver un prétexte pouvant justifier sa présence. Trop effarée, elle fut incapable d'échafauder le moindre mensonge. Elle s'était crue seule et voilà qu'elle se trouvait face à Gray, torse nu qui plus est! Ce n'était pas juste, elle qui avait besoin de toute sa concentration pour l'affronter allait encore devoir faire des efforts surhumains pour ne pas se laisser troubler.

Il ramena sa ligne à toute allure. Optant pour la prudence, Clémence s'enfuit à toutes jambes vers la terre ferme. Si elle parvenait à atteindre les bois avant qu'il ne l'attrape, elle était sauvée. Sa petite taille lui permettrait de se faufiler entre les broussailles tandis que lui serait ralenti. Mais il avait déjà jeté sa canne à pêche et faisait le tour du hangar au pas de course.

Vite ! Jamais elle n'arriverait au bout de la jetée avant lui. Il n'avait pas perdu sa vélocité d'ancien joueur de football. Du coin de l'œil, elle le voyait se rapprocher. Il gagnait du terrain à chacune de ses longues foulées. Il était tout près. Elle accéléra sa course mais, moins d'une foulée plus tard, son immense stature lui bloqua soudain le passage. Incapable de s'arrêter dans son élan, elle le heurta de plein fouet. La force de l'impact lui coupa le souffle. Gray poussa un grognement, recula sous le choc, et la rattrapa juste à temps pour l'empêcher de tomber.

Il se redressa, la tenant serrée contre lui, et éclata d'un rire moqueur.

— Pas mal pour une novice ! Joli sprint ! Pourquoi es-tu aussi pressée, mon petit chaperon rouge ? Et qu'est-ce que tu fabriques ici, d'abord ?

Elle haletait, essayant désespérément de reprendre son souffle. Ses poumons la brûlaient. Elle avait l'impression de s'être cognée contre un mur.

— Je me promenais dans mon passé, jeta-t-elle en tentant de le repousser.

— Non, dans une propriété privée ! rectifia-t-il d'un ton narquois, sans desserrer son étreinte.

— J'étais curieuse, c'est tout.

— Ça, je n'en doute pas ! marmonna-t-il. Qu'est-ce que tu cherches, maintenant ?

Il s'écarta légèrement. Les joues de Clémence s'empourprèrent, et la faute n'en était pas seulement à la folle course qu'elle venait d'effectuer. Gray ne portait qu'un jean moulant et une paire de vieilles boots. Son torse nu et bronzé la fascinait. Ses épaules larges, son ventre plat et dur... Des gouttes de sueur perlaient sur sa peau. Il resplendissait comme une statue de bronze.

— Comment es-tu venu ? demanda-t-elle, sans répondre à sa question. Je n'ai pas vu ta voiture.

— A cheval, répondit-il, en montrant du menton

le champ de l'autre côté du marécage. Je l'ai laissé là-bas. Il est en train de s'empiffrer dans le pré.

— C'est Maximilien ? demanda-t-elle, se souvenant du nom de l'étalon que possédait Guy.

— L'un de ses poulains, fit-il en fronçant les sourcils. Comment se fait-il que tu connaisses Maximilien ?

— Tout le monde dans le comté sait que tu as des chevaux, dit-elle en s'écartant.

— Reste là ! fit-il en la saisissant d'une main ferme par le bras. Oui, tout le monde le sait, mais peu de gens connaissent le nom de nos chevaux. Tu as encore posé des questions indiscrètes, n'est-ce pas ? A qui ? Dis-moi ! Je veux savoir.

— Personne, répliqua-t-elle. Je me souviens de son nom, c'est tout !

— Comment l'aurais-tu su ? Je doute que Renée elle-même l'ait jamais connu.

Clémence serra les lèvres. Le nom du cheval ne lui était pas inconnu parce que dans son enfance elle avait été comme une éponge qui absorbait chaque petite bribe d'information sur Gray. Elle n'allait tout de même pas lui avouer une chose pareille !

— Tout Prescott connaissait Maximilien !

Il ne la croyait pas, et son regard se durcit.

— Mais enfin puisque je te dis que je n'ai parlé à personne ! cria-t-elle en tirant les bras pour se dégager.

— Très bien, je te crois. Maintenant dis-moi pourquoi tu fouinais par ici et comment tu es venue. Je sais parfaitement que, toi, tu n'as pas de cheval !

— Je suis venue à pied. Par la forêt.

Il la dévisagea.

— Tu n'es pas vraiment en tenue de randonnée.

Pour une fois il avait raison ! Elle n'avait même pas pris le temps de se changer et portait toujours sa jupe en daim clair et les souliers à talons plats qu'elle avait à La Nouvelle-Orléans. Elle avait si souvent parcouru les environs pieds nus qu'elle n'avait pas songé un seul instant à se changer.

— Je n'y ai même pas pensé ! fit-elle en haussant les épaules avec indifférence.

Rapidement elle ajouta :

— Je suis désolée de m'être promenée dans ta propriété. Je m'en vais tout de suite.

— Oh que non ! s'exclama-t-il en l'obligeant à se tenir tranquille. Tu restes là ! Tu partiras quand je le déciderai. Tu n'as toujours pas répondu à ma première question.

— J'étais curieuse, c'est tout. Je sais que ton père et ma mère avaient l'habitude de se rencontrer ici et j'ai voulu voir à quoi la villa ressemblait...

— Ne me raconte pas d'histoires ! Cette villa, tu la connais très bien. Ce n'est pas la première fois que je te vois ici, tu sais.

Elle le regarda d'un air abasourdi.

— Qu'est-ce que tu veux dire ?

— Quand tu étais petite, tu te faufilais dans les bois comme un lutin, sauf que tu n'avais pas de bonnet pointu !

Il tira sur une mèche de cheveux puis la lui passa derrière l'oreille.

— J'avais l'impression de regarder un feu follet virevolter entre les arbres, reprit-il.

Ainsi il l'avait vue. Durant un instant elle se demanda, affolée, s'il avait deviné que c'était lui qui l'attirait à cette époque.

— Je te le demande une nouvelle fois, fit-il d'une voix tranchante comme une lame bien aiguisée, que fais-tu ici ?

— Je te l'ai dit ! Je fouinais.

— Bien ! la question suivante est : pourquoi ? Depuis que tu es revenue, tu fouines beaucoup, il me semble. Que cherches-tu, Clémence ? Je t'ai prévenue, je ne veux pas que les commérages recommencent, je ne veux pas que ma famille en souffre. Si tu continues, je vais devoir me fâcher et je n'en ai aucune envie.

Elle lui avait donné la seule réponse possible et il ne la croyait pas. Elle pouvait lui dire toute la vérité ou bien mentir. Elle choisit de rester silencieuse.

La mâchoire de Gray se crispa sous la colère. L'étau autour de son bras se resserra et elle poussa un petit cri de douleur. Baissant les yeux sur les marques que ses doigts avaient laissées, il poussa un juron et la relâcha. Aussitôt elle partit comme une flèche vers la forêt. Erreur fatale ! Elle n'avait pas fait trois enjambées que son corps massif la propulsait à terre. Il tomba avec elle, la serrant fort contre son torse et se tourna sur le côté pour amortir le choc. Elle eut une vision confuse d'herbe, d'arbres, de ciel tandis qu'il faisait un roulé-boulé et la plaquait sur le dos.

Les sensations qu'elle éprouva la paralysèrent. Elle ne voulut pas bouger de peur de rompre ce moment délicieux. Il la pressait sur le tapis d'herbe et la senteur d'un vert suave se mêlait au parfum musqué de son corps en sueur. Dans la chute, sa jupe s'était relevée à mi-cuisse et l'une des jambes de Gray était entre les siennes. Instinctivement elle s'était agrippée à lui en tombant, cuisses pressées contre sa jambe musculeuse, les mains crispées sur son dos nu. Ils étaient en position amoureuse et le corps de Clémence s'y abandonnait avec délices.

— Tu ne t'es pas fait mal ? murmura-t-il en levant les yeux sur elle.

Elle n'osa ouvrir la bouche. Son désir la poussait à se coller à lui. Il lui fallait résister, elle détourna la tête pour dissimuler son trouble.

— Clémence ? demanda-t-il d'un ton inquiet.

— Oui.

— Regarde-moi !

Il prit appui sur les coudes, la déchargeant du poids de son corps. Enfin, elle put respirer plus facilement, mais il était toujours beaucoup trop près, son visage n'était qu'à quelques centimètres à peine.

La tentation de coller sa bouche à la sienne se faisait à chaque seconde plus forte. Résister devenait de plus en plus difficile. Seule la peur d'être comme sa mère lui avait permis de tenir jusqu'alors. Mais sa détermination faiblissait et l'effort devenait de plus en plus douloureux.

Le souffle de Gray la caressait. Elle entrouvrit les lèvres malgré elle, comme pour inhaler sa substance. Il pencha la tête, approcha sa bouche...

Dans un geste désespéré, elle mit les mains entre eux pour l'empêcher de l'embrasser mais, au contact de son torse, un frisson la parcourut des pieds à la tête.

Les pointes dures de ses mamelons lui brûlaient les paumes comme des tisons minuscules. Elle voulait les caresser, goûter la saveur salée de sa peau.

La tentation la dévorait, aiguë, exigeante. Ses mains esquissèrent une caresse imperceptible et le plaisir qu'elle en ressentit était si intense que la tête lui tourna.

Les pupilles de Gray se dilatèrent, immenses cercles noirs noyant ses iris sombres. Il baissa la tête, ses longs cheveux de jais masquèrent leurs deux visages et son souffle lui effleura les lèvres. Tout basculait. Elle ne pouvait plus s'arrêter. Sa soif de lui était infinie.

Il écarta ses mains, les yeux étincelants de désir.

— A mon tour, à présent.

Elle se cambra sous la caresse, en exhalant un soupir de plaisir. Ses seins avides se tendirent. La chaleur de sa main était presque douloureuse et pourtant elle n'aurait pu supporter qu'il la retirât.

Il baissa la tête et l'embrassa fiévreusement tout en dégageant son chemisier de sa jupe. Puis il glissa la main sous son soutien-gorge et saisit entre ses doigts la pointe rose d'un sein.

Clémence poussa un gémissement. Elle voulait qu'il la prenne maintenant sur le tapis d'herbe grasse, elle voulait sentir la morsure du soleil sur leurs corps nus.

— Dis-moi, murmura-t-il en traçant un sillon de baisers sur sa gorge. Dis-moi pourquoi ?

Elle ouvrit brusquement les yeux sur les nuages immobiles au-dessus d'elle avec l'impression d'avoir reçu une douche froide. Il la désirait, elle n'en doutait pas, mais tandis qu'elle se perdait dans les limbes du plaisir, il n'avait cessé de penser, de vouloir des réponses...

Furieuse, elle le repoussa et le frappa de toutes ses forces de son poing fermé.

— Espèce de salaud ! siffla-t-elle.

Elle tremblait de colère en se levant. Elle aurait voulu le rouer de coups et lui décocha un regard meurtrier qu'il soutint calmement. Dans ses yeux brillait une lueur d'ironie, comme s'il n'attendait qu'une chose : qu'elle se jette sur lui pour reprendre les choses où ils les avaient laissées. Et le pire était qu'elle aussi en mourait d'envie.

Folle de rage — et consciente que s'il la reprenait dans ses bras, elle ne lui résisterait pas —, elle lui tourna le dos pour s'en aller mais il la retint en agrippant sa jupe.

— Je te ramène, dit-il en se levant. Je vais chercher le cheval.

— Non merci, je préfère marcher.

— Je ne t'ai pas demandé ce que tu préférais. Je t'ai dit que je te ramenais ! Tu ne devrais pas te promener toute seule dans les bois.

Persuadé sans doute qu'elle en profiterait pour s'enfuir s'il la relâchait, il la tira dans son sillage.

— Je te signale que j'ai passé presque toute mon enfance dans ces bois ! Je n'ai pas besoin de garde du corps.

— Et je te signale que c'est ma propriété, c'est

moi qui commande, répondit-il en lui lançant un coup d'œil narquois.

Ils dépassèrent le hangar à bateaux et contournèrent le marécage ; à quelques mètres de là, paissait l'étalon. Au bref coup de sifflet, le cheval s'avança placidement vers eux. Clémence, surprise, constata qu'il n'était pas sellé.

— Tu montes à cru ?

— Je ne te laisserai pas tomber, répondit-il, un éclair amusé dans les yeux. Ne t'inquiète pas.

Elle n'y connaissait pas grand-chose en chevaux, n'ayant jamais fait d'équitation, mais elle savait que les étalons étaient des animaux irascibles peu enclins à se laisser guider. Elle se recula comme le cheval approchait, mais la poigne ferme de Gray l'immobilisa.

— N'aie pas peur, il est doux comme un agneau. Je ne prendrais pas le risque de le monter sans selle sinon.

L'étalon s'arrêta bien sagement devant Gray, oreilles dressées.

— Je n'ai jamais fait de cheval, avoua-t-elle en observant, pas très rassurée, la grosse tête de l'animal se baisser vers elle.

Les lèvres duveteuses lui effleurèrent le bras et les naseaux s'agrandirent pour la renifler. Timidement elle tendit la main et le caressa.

— Eh bien, rien de tel que de commencer par un pur-sang !

Il la prit dans ses bras et la déposa en amazone sur le large dos. Affolée de se trouver si loin du sol sur un siège vivant et bien trop remuant, elle s'accrocha à l'épaisse crinière.

Gray saisit les rênes d'une main, s'accrocha à la crinière de l'autre et grimpa lestement derrière elle. L'étalon s'agita sous la charge supplémentaire et Clémence serra les dents. Gray rassura l'animal en lui parlant doucement et lui donna une petite tape sur le flanc.

— Où as-tu laissé ta voiture ? demanda-t-il.

— Au dernier virage avant le bungalow.

Ils n'échangèrent plus un mot durant le trajet. Gray guida leur monture à travers le bois, évitant les branches basses, contournant les obstacles. Elle se tenait raide, consciente du torse serré contre son dos, de la cuisse puissante dont les muscles se tendaient et se relâchaient contre la sienne. Très vite, ils atteignirent la route. Pourtant elle eut l'impression que le trajet avait duré une éternité.

Il s'arrêta à côté de la voiture, sauta à terre, puis l'aida à descendre. Les clés ! Affolée, elle mit la main dans sa poche de jupe pour vérifier et soupira de soulagement. Elle ne les avait pas perdues dans la bagarre. Ne voulant surtout pas affronter son regard, elle se détourna rapidement pour ouvrir la portière.

— Clémence ?

Elle hésita un instant mais releva les yeux.

— Ne remets plus jamais les pieds sur mes terres, sinon tu n'auras que ce que tu mérites !

14

Le lendemain alors qu'elle montait dans sa voiture, Clémence trouva une lettre sur le siège avant. Elle prit la feuille pliée en quatre et lut avec étonnement le texte écrit en lettres capitales :

NE POSE PLUS DE QUESTIONS SUR GUY BOUVIER OU TU T'EN REPENTIRAS.

La lettre à la main, elle s'adossa à la portière. Une brise légère fit frémir le papier tandis qu'elle le parcourait une nouvelle fois. N'importe qui pouvait l'avoir déposé puisqu'elle ne verrouillait jamais la voiture lorsqu'elle était chez elle. Lui voulait-on vraiment du mal ou s'agissait-il simplement d'un avertissement ? En tout cas quelqu'un n'appréciait pas sa curiosité...

Ce ne pouvait être Gray, elle en était certaine. Les lettres anonymes, ça ne lui ressemblait guère. Ses menaces, il les proférait de vive voix. La dernière, d'ailleurs, l'avait particulièrement perturbée.

Qui, alors ? Il n'y avait guère que deux possibilités : soit quelqu'un avait quelque chose à cacher, soit on voulait rendre service à Gray en l'intimidant.

Lorsqu'elle avait trouvé la lettre, elle s'apprêtait justement à rendre visite à Yolanda Foster et à lui poser quelques questions. Elle hésita un instant puis s'installa résolument au volant. Elle n'allait tout de même pas se laisser intimider par un morceau de papier ! Si on voulait lui faire peur, c'était raté.

Mieux valait tout de même garder ce torchon ! Elle ressortit de la voiture et courut ranger la lettre dans un tiroir de son bureau en faisant attention de ne pas laisser trop d'empreintes. Cela ne méritait pas de prévenir le shérif, sauf bien sûr si elle recevait d'autres missives du même genre. En attendant, moins elle voyait le shérif, mieux elle se portait. Le pénible souvenir de Deese, debout près de sa voiture de patrouille, ses énormes bras croisés sur sa bedaine, était encore vivace. Mais si on la menaçait réellement de mort, il lui faudrait bien se résoudre à aller le trouver.

Une fois la lettre rangée, Clémence partit en ville. Avant de s'endormir la veille, elle avait longuement réfléchi et décidé de ne pas prévenir Mme Foster de sa visite. Rien de tel que la surprise pour déjouer les mensonges forgés à l'avance. Seule difficulté : elle ignorait où résidaient les Foster et l'adresse qu'elle avait relevée dans l'annuaire lui était inconnue.

Son premier arrêt fut donc à la bibliothèque. Déçue, elle constata que l'aimable Carlène DuBois n'était pas à l'accueil. A sa place, une petite blonde vaporeuse, suffisamment jeune pour être encore au lycée, mâchait avec application un chewing-gum tout en feuilletant un magazine de rock.

La blonde s'arracha à contrecœur à sa lecture et fit un sourire mécanique. Elle portait du rouge à lèvres rose bonbon et ses yeux lourdement maquillés de noir avaient l'air de deux petits boulets de charbon.

— Je peux vous renseigner ?

Au moins, elle était aimable. Ne jamais se fier aux apparences, se sermonna Clémence.

— Oui, auriez-vous un plan de la ville et des environs ?

— Bien sûr.

La jeune fille fit le tour du comptoir et conduisit Clémence à une table où était posé un globe terrestre.

— C'est ici que nous gardons les atlas et les cartes. Ils sont mis à jour tous les ans, si vous cherchez une vieille carte, il faut aller aux archives.

— Non, c'est une récente dont j'ai besoin.

— Voilà.

La jeune fille sortit un énorme ouvrage qu'elle posa sur la table aussi légèrement qu'un livre de poche.

— On est obligés de plastifier les cartes et de les relier, sinon on se les fait voler.

Difficile, en effet, d'imaginer quelqu'un sortant subrepticement un ouvrage de cette dimension. Clémence sourit et la fille s'en retourna à ses préoccupations.

Elle ne savait pas si la rue des Foster se trouvait en ville ou en banlieue, mais commença par vérifier l'index de la ville. Victoire ! Elle nota mentalement les coordonnées indiquées et localisa Beauséjour sur le plan. C'était un quartier récent qui n'existait pas de son temps. Avec un nom pareil, elle s'en serait souvenue. L'originalité n'était décidément pas la qualité première des promoteurs. Elle mémorisa la route à suivre et referma l'énorme volume.

Lorsqu'elle passa devant elle, la bibliothécaire, trop absorbée par sa lecture, ne la vit même pas sortir.

Prescott était une petite ville et il ne fallut pas plus de cinq minutes à Clémence pour trouver la rue. C'était un quartier on ne peut plus chic, aux maisons entourées d'immenses jardins, relativement éloignées les unes des autres.

La demeure des Foster, de style méditerranéen, était bâtie au milieu d'immenses chênes et recouverte de vigne vierge espagnole. Clémence se gara dans l'allée et grimpa le chemin pavé de briques rouges menant à la grande porte d'entrée. La sonnerie, signalée par un voyant lumineux, était dissimulée dans une petite niche. Elle appuya et l'écho d'un carillon résonna dans la maison.

Des talons cliquetèrent sur le carrelage. La porte s'ouvrit, révélant une charmante dame proche de la cinquantaine, élégamment vêtue d'un pantalon en soie gris souris et d'une tunique blanche. Son visage était surmonté d'une masse de boucles brunes coupées court rejetées sur le côté, et de délicats pendentifs en or ornaient ses oreilles. Elle poussa une exclamation de surprise en voyant Clémence.

— Bonjour, je m'appelle Clémence Hardy, se hâta-t-elle de dire pour la rassurer. Madame Foster ?

Yolanda Foster approuva d'un signe de tête, visiblement muette d'étonnement.

— J'aimerais vous parler, si ça ne vous ennuie pas, continua Clémence.

Pour éviter qu'elle ne lui ferme la porte au nez, elle s'avança et Yolanda s'effaça pour la laisser passer.

— Je n'ai vraiment pas le temps, dit celle-ci d'un ton d'excuse plus que d'impatience. Je suis en train de déjeuner avec une amie.

Etant donné sa tenue élégante, Clémence la crut sans difficulté.

— Je vous promets que je ne vous retiendrai pas plus de cinq minutes.

Yolanda la conduisit dans un salon spacieux et l'invita à s'asseoir.

— Je ne veux pas paraître indiscrète, mais vous êtes la fille de Renée Devlin, n'est-ce pas ? J'ai appris que vous étiez de retour à Prescott, la ressemblance est frappante... Je suis sûre qu'on vous l'a souvent dit.

Yolanda ne paraissait pas mal à l'aise en sa présence et Clémence la trouva plutôt sympathique.

— En effet, on m'a souvent fait la remarque.

Son hôtesse eut un petit rire. Yolanda Foster était décidément charmante. Mais Clémence n'était pas là pour papoter.

— J'aimerais vous poser quelques questions sur Guy Bouvier, si vous le permettez.

Sous son maquillage, Yolanda pâlit légèrement.

— Sur Guy ? Mais pourquoi donc ?

— Votre mari est là ? demanda Clémence après quelques secondes de silence.

— Non. Il est à New York cette semaine.

C'était heureux et à la fois ennuyeux, car après sa conversation avec Yolanda, il pourrait s'avérer utile de rencontrer le mari.

— J'aimerais savoir si vous avez eu une aventure avec Guy avant qu'il ne s'en aille cet été-là.

Le regard bleu se voila de tristesse. Yolanda la fixa en silence. Les secondes s'écoulaient et Clémence s'attendait à ce qu'elle proteste mais elle poussa un petit soupir et demanda :

— Comment l'avez-vous appris ?

— Je me suis renseignée.

Elle ne lui dit pas bien sûr que c'était un secret de polichinelle ; puisque Ed Morgan était au courant, le comté devait l'être aussi. Mais si cela rassurait Yolanda de penser que tout le monde l'ignorait, autant ne pas la contrarier.

— C'est la seule fois où j'ai trompé Lowell.

Elle détourna les yeux, et s'agita, mal à l'aise, tirant nerveusement sur son pantalon.

— Je n'en doute pas, fit Clémence. D'après ce que j'ai entendu dire, Guy Bouvier était un expert en matière de séduction.

Yolanda esquissa un pauvre sourire.

— En effet, mais en ce qui me concerne, je ne peux pas le blâmer, le pauvre ! J'étais décidée à coucher avec lui avant même qu'il ne le sache.

Ses mains continuaient leur petit ballet nerveux.

— J'avais découvert que Lowell me trompait avec sa secrétaire depuis des années. J'étais folle de rage. Je l'ai menacé de divorcer. Il m'a suppliée de ne pas le quitter, m'a juré que ce n'était qu'une passade, une erreur, qu'il ne recommencerait jamais... tout ce qu'on dit dans ces cas-là, vous voyez. Mais trois semaines plus tard, je me suis aperçue qu'il continuait. C'est idiot comme un petit détail peut vous trahir... Un soir, il se déshabillait et j'ai vu que son caleçon était à l'envers, l'étiquette était du mauvais côté. Cela prouvait qu'il avait dû l'enlever dans la journée !

Elle hocha la tête, comme si elle se demandait comment elle avait pu être aussi bête. Clémence la laissa continuer sans l'interrompre ; maintenant qu'elle avait commencé à parler, elle ne s'arrêterait pas.

— Je n'ai rien dit. Mais le jour suivant, j'ai téléphoné à Guy pour lui demander de me retrouver à sa villa d'été, la maison près du lac. On y allait souvent pique-niquer entre amis, et ça me paraissait le lieu idéal pour se rencontrer en toute discrétion.

Toujours le même endroit ! Décidément entre le père et le fils, la maison avait accueilli beaucoup de rendez-vous galants.

— Pourquoi Guy ?

— Autant prendre quelqu'un de séduisant, non ? Tant qu'à avoir une aventure, je préférais que ce soit avec un homme expérimenté ! D'après sa réputation, il me paraissait le candidat idéal. De plus, il était inattaquable. J'avais l'intention de dire à Lowell que je l'avais trompé, sans préciser avec qui bien sûr, mais au cas où il aurait découvert l'identité de mon amant, Guy avait bien trop d'influence pour que Lowell puisse faire quoi que ce soit contre lui.

»J'ai donc rencontré Guy là-bas, et je lui ai annoncé sans détour ce que j'attendais de lui. Il a été adorable. Mais figurez-vous qu'il s'était mis en tête de me dissuader ! Mon amour-propre en a pris un coup...

Elle sourit, les yeux voilés par le souvenir.

— Avouez qu'il y avait de quoi ! Il courait après toutes les femmes du comté et il ne voulait pas de moi. J'avais toujours pensé que j'étais séduisante, mais visiblement il n'était pas de mon avis. J'ai failli en pleurer... en fait, j'ai pleuré un petit peu, et Guy a été désolé. Il était tellement adorable... Il n'a pas résisté aux larmes. Il m'a gentiment tapoté l'épaule en m'expliquant qu'il me trouvait très belle et qu'il avait très envie de faire l'amour avec moi. Mais il avait peur que je ne le regrette, Lowell était son ami et...

— Vous l'avez convaincu?

— Je lui ai dit: «Si ce n'est pas toi, Guy, ce sera un autre.» Il m'a alors dévisagée de ses yeux noirs magnifiques. Je vous assure qu'il était inquiet! Il devait s'imaginer que j'allais ramasser n'importe qui chez Jimmy Jo. Alors il m'a pris la main et m'a emmenée dans la chambre.

Elle eut un petit frisson et se tut, perdue dans ses souvenirs. Clémence attendit patiemment qu'elle reprenne son récit.

— Cela faisait vingt ans que Lowell et moi étions mariés. Je l'aimais. J'étais très heureuse, mais ce jour-là j'ai découvert la passion. Guy était... Non, je ne peux pas vous dire quel amant magnifique c'était. Il m'a fait éprouver des émotions que je n'aurais jamais soupçonnées. Je pensais que nous ferions l'amour une fois, et puis voilà... mais ce qui se passait était tellement extraordinaire que nous n'arrivions pas à nous séparer, cet après-midi-là.

»Je ne l'ai pas dit à Lowell. Cela aurait mis un terme à cette liaison et je ne le voulais pas. Je n'aurais pas supporté de ne plus voir Guy. Nous avons continué à nous rencontrer aussi souvent que nous le pouvions, et puis un jour il est parti.

Elle regarda Clémence.

— Avec votre mère... Lorsque je l'ai su, j'ai pleuré, et puis j'ai tout dit à Lowell. Il était fou de rage, bien sûr. Il a hurlé, menacé de divorcer... Je me souviens, j'étais assise et je le regardais, silencieuse. Ça le rendait encore plus furieux. Puis je lui ai dit: «Tu devrais toujours vérifier quand tu enfiles tes caleçons qu'ils ne sont pas à l'envers. » Ça l'a calmé net. Il m'a fixée, abasourdi. Il avait compris que je n'étais pas dupe pour sa secrétaire. Ensuite, nous nous sommes réconciliés... A ce que je sache, il ne m'a plus été infidèle. Ni moi non plus.

— Avez-vous eu des nouvelles de Guy ?

Yolanda secoua lentement la tête.

— Au début, j'espérais... mais non. Il ne m'a jamais écrit ou téléphoné.

Ses lèvres tremblèrent et elle regarda Clémence, les yeux pleins de tristesse.

— Je l'aimais tellement.

Une impasse de plus, songea Clémence sur le chemin du retour. Selon Yolanda, son mari n'avait été au courant de sa liaison avec Guy qu'après la disparition de celui-ci, ce qui l'innocentait. Et la franchise de Yolanda prouvait qu'elle était à cent lieues de supposer que Guy avait été assassiné, et encore moins qu'on pouvait la suspecter de meurtre. Elle avait pleuré sans retenue devant Clémence pour un homme qu'elle n'avait pas revu depuis douze ans. Elle avait dû l'aimer passionnément, songea Clémence attendrie.

Oui, enfin c'était bien joli tout ça, mais à présent il n'y avait plus de suspects ni de pistes à suivre. Ses questions restaient toujours sans réponses, et, qui plus est, quelqu'un la menaçait. La lettre anonyme l'inquiétait de plus en plus. Restait à savoir si son auteur avait un crime sur la conscience...

Que faire ? Continuer à interroger les gens autour d'elle ? Il n'y avait pas vraiment d'autre solution. Tôt ou tard, il se trouverait bien quelqu'un pour lui donner des réponses.

Et puis tant qu'elle enquêterait, elle ne penserait pas à Gray.

Plus facile à dire qu'à faire. Après l'avoir quitté la veille, elle avait réussi à l'écarter de ses pensées et à ignorer la frustration qui la tenaillait. Mais malgré toute sa volonté, son inconscient l'avait trahie. Elle avait rêvé de lui toute la nuit, et, au matin, n'avait pu éviter les larmes tant était grande sa déception de ne pas l'avoir près d'elle.

Elle était décidément sur une mauvaise pente. Elle avait beau nager de toutes ses forces dans le sens contraire, le courant qui l'entraînait vers lui était trop fort. S'il n'avait pas interrompu leur étreinte par ses questions, la veille, elle se serait donnée à lui sans hésitation.

Seulement voilà : l'idée lui faisait peut-être horreur mais Gray était un suspect possible. En plus, il avait même un mobile. La disparition de Guy l'avait automatiquement placé à la tête de l'empire financier des Bouvier. Non, pas Gray ! C'était impossible ! Il était capable de beaucoup de choses pour protéger ceux qu'il aimait, mais ce n'était pas un meurtrier.

Dire que Renée savait probablement qui était coupable. Seulement sa mère ne l'avouerait jamais. Elle aurait trop peur en parlant de s'attirer des ennuis. Clémence la connaissait suffisamment pour savoir que si elle insistait trop, sa mère risquait de disparaître à l'autre bout des Etats-Unis. Elle avait déjà réussi à lui soutirer une information, ce n'était pas si mal. Petit à petit, elle finirait bien par l'amener à en dire plus. L'espoir fait vivre...

Le colis arriva le même jour.

En revenant d'une expédition au supermarché de la ville voisine, Clémence alla chercher son courrier à l'entrée du jardin. Elle souleva le couvercle de la grande boîte et trouva le lot habituel de factures, journaux et dépliants publicitaires ainsi qu'un colis posé sur le tas. Etonnée, elle le soupesa. Qu'est-ce que cela pouvait être ? Elle n'avait pourtant rien commandé. Le carton était lourd. De l'adhésif marron l'entourait et son nom et son adresse avaient été inscrits en grosses lettres sur le dessus.

Elle rentra avec le tout, déposa le colis sur la table de la cuisine et prit un couteau à pain dans un tiroir pour couper le scotch. Puis elle ôta le papier qui masquait le contenu du carton.

Horrifiée, elle ne put réprimer une nausée.

Non seulement le chat était mort, mais il avait été mutilé. Il était enveloppé dans du plastique transparent, sans doute pour que l'odeur n'attire pas l'attention.

Un goût de bile dans la bouche, elle courut décrocher le téléphone mural de la cuisine.

Elle ferma les yeux, soulagée, en entendant la voix grave, et s'accrocha au combiné comme à une bouée de sauvetage.

— Gray...

Que pouvait-elle dire ? « Aide-moi, j'ai peur, j'ai besoin de toi » ? Leur relation était un mélange de haine et de désir, et chaque faiblesse de sa part, une arme qu'elle lui donnait. Mais elle était terrifiée et il était le seul à pouvoir la rassurer.

— Clémence ?

Il avait dû s'apercevoir qu'elle n'allait pas bien car il s'adressa à elle d'un ton très calme :

— Que se passe-t-il ?

Elle s'obligea à maîtriser sa peur, tournant obstinément le dos à l'horreur qui gisait sur la table.

— Il y a... un... chat, murmura-t-elle.

— Un chat ? Tu as peur des chats ?

Elle fit signe que non et réalisa qu'il ne pouvait pas voir son geste. Il avait dû penser que la réponse était positive car il dit pour la rassurer :

— Ce n'est pas grave, jette-lui quelque chose, il va se sauver.

— Non.

Elle prit une profonde inspiration.

— Viens, s'il te plaît !

— J'arrive, répondit-il aussitôt. Calme-toi et ne le regarde pas. Je viens le chasser.

Il raccrocha et Clémence suivit son conseil. Elle ne supportait pas l'idée de rester dans la maison avec le cadavre et sortit s'asseoir sur la balancelle de la galerie.

Gray arriva en moins de quinze minutes, une éternité pour Clémence. Il sortit de la Jaguar et se dirigea vers elle de sa démarche nonchalante, un sourire mi-attendri, mi-moqueur aux lèvres. Le héros venait tirer la faible femme des griffes du monstre. Qu'il pense ce qu'il voulait, pourvu qu'il la débarrasse de cette horreur ! Elle le regarda et le sourire de Gray s'effaça aussitôt.

— Tu as vraiment peur, dis-moi, constata-t-il en s'accroupissant devant elle et en lui prenant la main. Où est-il ?

— Dans la cuisine, répondit-elle d'une voix blanche. Sur la table.

Il lui tapota le bras, se releva et ouvrit la porte grillagée. Clémence suivit le bruit de ses pas tandis qu'il traversait le salon puis entrait dans la cuisine.

— Quel est l'enfant de salaud... !

Elle l'entendit égrener un chapelet de jurons puis la porte de derrière claqua. Clémence s'en voulut un peu de ne pas l'avoir averti mais elle en avait été incapable.

Quelques minutes plus tard, après avoir fait le tour de la maison, il vint la rejoindre, les mâchoires crispées, les yeux d'un noir d'encre. Pour une fois que sa colère n'était pas dirigée contre elle...

— Tout va bien, fit-il. Je m'en suis débarrassé. Tu peux rentrer maintenant.

Il passa le bras autour de ses épaules et l'aida à se lever. Comme ils pénétraient dans la cuisine, elle se raidit et voulut faire demi-tour.

— Calme-toi, dit-il en l'obligeant à s'asseoir sur une chaise. Tu es choquée, ça va passer. Tu as quelque chose à boire ?

— Il y a du thé et du jus d'orange au frigo.

— Je parlais d'alcool fort. Tu n'as pas de vin non plus ?

Elle fit signe que non.

— Puritaine, va ! fit-il en souriant. Bon, nous nous contenterons de jus d'orange.

Il prit un verre dans le placard, le remplit et le lui mit dans la main.

— Bois ! Ça te fera du bien. Je passe un coup de fil.

Obéissante, elle trempa ses lèvres dans le verre et but à petites gorgées malgré la nausée qui menaçait de la reprendre.

Gray saisit l'annuaire, posa le doigt au bas de la première page et composa un numéro.

— Je voudrais parler au shérif McFane, s'il vous plaît.

Clémence releva brusquement la tête, prête à protester. Gray, qui ne la quittait pas des yeux, lui intima d'un geste de rester tranquille.

— Mike, c'est Gray. Tu peux venir tout de suite chez Clémence Hardy ? Oui, la maison des Cleburne. Quelqu'un lui a envoyé un colis de très mauvais goût. Un chat mort... Oui, des menaces, aussi.

Il raccrocha. Clémence se racla la gorge.

— Il y avait une lettre ?

— Oui. Tu ne l'as pas vue ?

— Non, je n'ai vu que le chat.

Elle eut un frisson. Le verre trembla entre ses doigts crispés.

Soudain, Gray se mit à ouvrir tous les placards.

— Qu'est-ce que tu cherches ?

— Du café. Vu ton état, je ne vois que ça !

— Dans le frigo. L'étagère du dessus.

Il prit le paquet et elle lui indiqua où se trouvaient les filtres.

Une fois que le café fut mis en route, il saisit une chaise par le dossier et s'assit en face d'elle. Il était si près que ses jambes enserraient les siennes. Il ne lui posa pas de questions, sachant sans doute que bientôt elle devrait tout raconter au shérif et elle lui fut reconnaissante de son tact. Il resta là, la réconfortant par sa présence et sa chaleur. Il ne la quittait pas des yeux et se maîtrisait visiblement pour ne pas l'obliger à boire plus vite son jus d'orange.

Pour le rassurer, elle avala une grande gorgée et sentit ses muscles se détendre légèrement.

— Je fais de mon mieux, grommela-t-elle. Si je bois trop vite, je vais être malade.

Une lueur d'amusement éclaira son visage soucieux.

— Comment as-tu deviné à quoi je pensais ?

— Ce n'est pas difficile, tu n'arrêtes pas de regarder le verre et puis mon visage en fronçant les sourcils.

Elle but une nouvelle gorgée.

— Je croyais que c'était Deese le shérif.

— Il a pris sa retraite. Michael McFane le remplace. Un type très bien.

Le souvenir qu'elle gardait de Deese n'était sans doute pas très bon, et pour cause, songea-t-il. Ce devait être pour cette raison qu'elle avait semblé affolée lorsqu'il avait demandé à parler au shérif. Mike aussi avait participé à l'expulsion cette nuit-là, mais Clémence ne le reconnaîtrait probablement pas. Dans la bagarre, les autres flics n'avaient dû être pour elle que des silhouettes en uniforme. Seuls le shérif et lui-même avaient dû à jamais marquer sa mémoire.

Bizarre comme elle semblait terrifiée de revoir Deese, se dit Gray. Elle était obstinée, contrariante, voire énervante, mais lâche, sûrement pas. Jamais elle n'avait montré jusque-là la moindre peur en sa présence.

Du coup, il n'avait pas hésité une seule seconde

à répondre à son appel, annulant sans se poser de questions un rendez-vous d'affaires pour venir la délivrer des griffes d'un chat ! Mais il ne regrettait pas d'être venu si vite. Le salaud qui lui avait envoyé ce paquet ne perdait rien pour attendre ! Il serra les poings.

— Pourquoi n'as-tu pas pensé que c'était moi qui avais expédié le colis ? demanda-t-il en la regardant attentivement. Je fais tout ce que je peux pour t'obliger à quitter Prescott ; logiquement tu aurais dû me soupçonner en premier.

— Tu ne ferais pas une chose pareille. Et tu ne m'aurais pas envoyé non plus l'autre lettre.

— Quelle lettre ? demanda-t-il après un instant d'hésitation, heureux qu'elle se confiât à lui.

— Je l'ai trouvée hier, sur le siège avant de ma voiture.

— Tu l'as signalé à la police ?

Elle secoua la tête.

— Ça n'en valait pas la peine.

— Et elle disait quoi, cette lettre ?

Clémence le regarda, mal à l'aise.

— En gros : « Arrête de fouiner si tu ne veux pas avoir d'ennuis. »

A peu de chose près, c'était ce qu'il lui avait dit lui-même. Sauf qu'il ne lui avait envoyé ni lettres, ni tartare de chat. Le café était prêt. Il se leva et emplit deux tasses.

— Tu veux du lait ou du sucre ? demanda-t-il d'un air préoccupé.

— Non, merci.

Il lui tendit la tasse et se rassit, tout près d'elle. Plus il pensait à toute cette histoire, plus elle le turlupinait. Clémence dut le sentir car elle changea ostensiblement de sujet.

— J'avais l'habitude de le boire très sucré, mais M. Gresham est diabétique. A force de vivre avec lui, j'ai fini par laisser tomber...

Pour une manœuvre de diversion, c'était réussi ! songea-t-il avec irritation, sentant la jalousie pointer le bout de son nez.

— Qui est M. Gresham ?

Elle le regarda de ses grands yeux verts innocents.

— Le mari de Mme Gresham !

— Mais encore, gronda Gray, à moitié furieux en sentant qu'elle se moquait un peu de lui.

— C'est chez eux que j'ai été placée après l'orphelinat. Ma famille adoptive, si tu préfères.

Gray se sentit stupide. Et même un peu coupable. Bien sûr, que s'imaginait-il ? Qu'après l'expulsion sa vie avait continué comme avant ? L'orphelinat avait sans doute été préférable à ce qu'elle avait vécu, mais ce n'était jamais facile pour les enfants de quitter leur famille, si tarée soit-elle, pour vivre avec des étrangers. Et puis les bonnes familles d'accueil ne couraient pas les rues, beaucoup d'enfants étaient maltraités, et lorsqu'on était une jeune fille aussi belle que Clémence...

Le crissement du gravier dans l'allée le tira de ses pensées. Une voiture venait de se garer près de la maison...

— Attends-moi, grommela-t-il.

Il s'avança à la rencontre de Mike qui sortait de son véhicule et lui fit signe de le suivre derrière la maison où il avait déposé le colis.

En découvrant le chat coupé en morceaux, Mike eut une grimace de dégoût.

— Je vois souvent des trucs moches dans mon boulot, mais celui qui a fait ça doit vraiment être tordu. Tu as touché la boîte ?

— Oui mais j'ai fait attention pour ne pas effacer des empreintes, s'il y en avait. Je me suis servi d'un stylo pour ouvrir les battants. Il y a un message inscrit sur l'un d'eux.

Mike sortit un stylo de sa poche et utilisa la même

technique. Il pinça les lèvres en lisant le texte écrit au feutre en lettres capitales.

PARS DE PRESCOTT OU TU FINIRAS COMME CE CHAT.

— Je vais l'emporter avec moi pour voir si je trouve des empreintes, à part les vôtres. Sur le plastique, peut-être.

Il désigna la maison du menton.

— Comment a-t-elle pris la chose ?

— Mal, mais je pense que ça va un peu mieux.

— Hum, fit Mike en refermant le carton avec le stylo. Pas de timbres. Donc ça a été livré en mains propres. Allons lui demander si elle a entendu quelque chose ou vu une voiture.

Ils entrèrent dans la cuisine. Clémence était toujours assise là où Gray l'avait laissée, buvant à petites gorgées son café. Elle semblait calme à présent mais Gray se doutait que le choc était encore loin d'être dissipé.

Elle se leva aussitôt en regardant Mike.

— Bonjour, madame, fit-il en touchant de l'index son chapeau. Michael McFane, shérif. Ça ne vous ennuie pas de répondre à quelques questions ?

— Pas du tout. Vous voulez un café ?

— Avec plaisir.

Une fois qu'elle l'eut servi, Clémence se rassit. Gray et Mike restèrent debout.

— Où avez-vous trouvé le colis ? demanda ce dernier.

— Dans ma boîte aux lettres, posé sur mon courrier.

— Quelqu'un a dû le déposer. Avez-vous vu quoi que ce soit d'inhabituel ? Quelqu'un ou une voiture ?

Elle hocha négativement la tête.

— Je n'étais pas là. Je faisais mes courses. Quand je suis rentrée, j'ai rangé mes paquets et je suis allée chercher mon courrier.

— Avez-vous des ennemis ? Qui pourrait vous en vouloir au point de vous envoyer un chat mort ?

— Elle a aussi trouvé une lettre anonyme dans sa voiture hier, intervint Gray.

— Vous l'avez gardée ?

Clémence acquiesça, alla la chercher dans son bureau et revint, tenant la feuille de papier par un coin.

— Posez-la ici, je préfère ne pas la toucher au cas où il y aurait des empreintes.

Elle obéit et Gray s'approcha en même temps que Mike pour la lire. C'étaient les mêmes caractères que ceux du colis. Gray lança un coup d'œil irrité à Clémence. Pourquoi diable ne lui avait-elle pas dit que le nom de son père y figurait en toutes lettres ?

— Je vois, grommela-t-il.

— Pas moi, fit Mike en se grattant la joue, et j'aimerais bien comprendre ce que ton père a à voir là-dedans, Gray ?

Ce fut Clémence qui répondit :

— Il se trouve que j'ai interrogé deux ou trois personnes en ville sur Guy Bouvier.

Mike eut l'air perplexe.

— Apparemment, ça a dérangé quelqu'un. Et pas qu'un peu !

— Oui, moi ! jeta Gray. Je ne veux pas que Monica ou ma mère aient à subir de nouveau des commérages. Mais je ne vois pas qui ça peut déranger autant que moi !

Le shérif resta silencieux un moment, l'air pensif.

— En d'autres termes, tu es le principal suspect.

Clémence voulut protester mais Mike ne lui en laissa pas le temps.

— Je suppose que vous le saviez aussi, madame, alors pourquoi avoir appelé Gray plutôt que moi ?

— Parce qu'il n'aurait jamais fait une chose pareille !

— Pourtant, tout le monde sait, Gray, que tu n'as pas apprécié le retour de Mme Hardy à Prescott...

— C'est un fait et je continue, d'ailleurs ! fit-il avec

un sourire sans joie. Mais les lettres anonymes et les chats débités en tranches, ce n'est pas mon genre. J'ai l'habitude de me battre à visage découvert.

— Je le sais bien, j'essaie simplement de comprendre pourquoi Mme Hardy t'a appelé à l'aide.

— Devine ! grommela Gray.

Le regard de Mike alla de Gray à Clémence et l'ombre d'un sourire étira ses lèvres.

— Je pense avoir compris, merci.

— Alors, arrête de poser des questions stupides !

Le shérif ne sembla pas choqué et son sourire s'élargit.

— J'ai fini. Mais j'ai besoin que vous veniez avec moi tous les deux au commissariat. Je vais prendre vos empreintes pour les comparer à celles du colis et de la lettre. J'ai aussi besoin de votre déposition, madame Hardy.

— Très bien, dit Clémence en se levant. Je vais chercher mes clés de voiture.

Gray l'arrêta par le bras.

— Je t'emmène.

— Ce n'est pas la peine, tu seras obligé de me ramener et...

— Je te dis que je t'emmène, coupa-t-il d'un ton sec.

— Bon, si tu y tiens... rétorqua-t-elle excédée.

De nouveau, le regard de Mike alla de l'un à l'autre avec un amusement à peine voilé.

Sans lui prêter attention, Gray prit fermement Clémence par le bras, l'entraîna dehors et la fit monter dans la luxueuse Jaguar.

— J'aurais très bien pu prendre ma voiture, grommela-t-elle, tout en bouclant sa ceinture.

— Oui, mais j'ai à te parler.

Il mit le contact, recula dans l'allée et suivit la voiture du shérif qui s'éloignait déjà.

— Apparemment, quelqu'un t'en veut, reprit-il, et ce quelqu'un est cinglé. Il faut que tu partes de Prescott, tu n'y es pas en sécurité.

Elle détourna la tête, regardant d'un air buté par la fenêtre.

— Ça t'arrange bien de voir les choses sous cet angle ?

— Ecoute-moi bien, espèce de tête de mule, tu ne comprends donc pas que ça peut être dangereux pour toi de rester ici ?

Ça, elle était bien d'accord avec lui ! Mais elle n'était pas sûre que l'auteur des lettres anonymes soit le danger qu'elle craignait le plus...

15

Clémence sortit du bureau du shérif encore plus furieuse qu'elle n'y était entrée. Durant tout le trajet, Gray n'avait pas cessé d'essayer de la convaincre de déménager de Prescott. Et comme si cela ne suffisait pas, le shérif s'y était mis aussi : selon lui, et compte tenu des circonstances, il n'était pas prudent de vivre seule dans une maison isolée, sans voisins proches. Elle lui avait rétorqué que si elle partait, l'auteur des lettres anonymes aurait gagné et jamais ne serait démasqué. Elle resterait !

Reconnaissant la justesse de son raisonnement, le shérif McFane avait admiré son courage mais déploré son manque de bon sens. Clémence était bien de son avis. Mais ça ne changeait strictement rien à sa décision.

Ce n'était pourtant pas faute de mesurer la gravité réelle de la situation. En s'obstinant à rester, elle jouait un jeu dangereux. L'envoi du chat prouvait qu'elle était toute proche de découvrir ce qu'il était advenu de Guy. Or, si le shérif et Gray semblaient trouver tout naturel qu'on veuille la faire partir en usant des moyens les plus sordides pour protéger un simple secret de famille, elle savait, elle, que l'enjeu était autrement plus sérieux. Elle avait été à deux doigts de le leur avouer mais s'était ravisée au dernier moment. Si la rumeur de l'assassinat de Guy se propageait, le coupable serait sur ses gardes et beaucoup plus difficile à démasquer. Mieux valait garder le silence.

Tout cela la mettait à cran et comme Gray essayait une dernière fois de la raisonner en sortant du bureau du shérif, elle explosa :

— Combien de fois dois-je te le répéter ? Non, non et non ! cria-t-elle en montant dans la Jaguar.

Des têtes se tournèrent vers eux.

— Et merde ! grommela Gray.

Pour quelqu'un qui voulait éviter un scandale, il se conduisait vraiment en dépit du bon sens. Sa Jaguar était connue de tous et Clémence une femme qui ne passait pas inaperçue. Tout le monde avait dû remarquer qu'il l'avait accompagnée au palais de justice et repartait avec elle, sans compter la dispute qu'ils étaient en train d'avoir sur le trottoir. Dans moins d'une heure, tout Prescott serait au courant mais il était un peu tard pour avoir des regrets, maintenant ! Haussant les épaules, il s'installa au volant.

Clémence boucla rageusement sa ceinture de sécurité et continua à tempêter.

— D'accord, tu n'as rien à voir avec ces menaces mais tu essayes d'en tirer parti, ça ne vaut pas mieux. Depuis le début tu veux que je m'en aille ! Ça te reste en travers de la gorge que je ne t'obéisse pas au doigt et à l'œil ! Pour une fois que quelqu'un te résiste !

Il lui jeta un coup d'œil ironique puis démarra.

— Tu crois ça ? fit-il calmement. Sais-tu que j'aurais pu te faire expulser dans la demi-heure qui a suivi ton arrivée ?

— Pourquoi t'en es-tu privé ?

— Pour deux raisons. Premièrement, parce que je ne suis pas un salaud pour t'obliger à revivre ce qui s'est passé il y a douze ans. Deuxièmement...

Il tourna la tête et la déshabilla du regard.

— Tu sais parfaitement pourquoi ! Ou dois-je te faire une démonstration ?

L'atmosphère dans la voiture devint soudain étouffante. Bien sûr, il la désirait, mais le problème c'était qu'il la voulait selon ses conditions à lui. Et ça, elle ne l'accepterait jamais !

— Je ne te laisserai pas me cacher comme un objet de honte, prononça-t-elle d'un ton amer, les yeux fixés sur la route devant elle. Si tu ne veux pas de moi au grand jour, alors fiche-moi la paix ! De toute façon, je reste.

Il tapa du poing sur le volant.

— Mais bon sang, Clémence ! Ce foutu chat n'était pas un cadeau de bienvenue ! Si je te demande de partir, ce n'est pas seulement parce que ça m'arrange, c'est aussi parce que tu es en danger !

— C'est à moi d'avoir peur, pas à toi !

Il poussa un grognement de colère.

— Tu es plus entêtée qu'un troupeau de chèvres !

Maintenant qu'ils étaient sortis de la ville, la route était presque déserte. Il bifurqua au croisement qui menait chez elle. Auparavant, elle n'avait jamais remarqué combien sa maison était isolée. Jusqu'alors elle en avait aimé la paix et la tranquillité. A présent, elle voyait à quel point elle était loin de tout. Oui, enfin mieux valait garder ce genre de réflexion pour elle : il était franchement inutile d'ajouter de l'eau au moulin de Gray.

Ils restèrent tous deux muets jusqu'à ce qu'il se gare dans l'allée. Il était tard et le soleil couchant nimbait d'or la petite maison.

Gray se pencha et lui agrippa le poignet.

— J'imagine que tu ne m'invites pas à entrer ?

— A quoi bon ? répondit Clémence en éludant son regard. Nous nous sommes assez querellés pour aujourd'hui, tu ne crois pas ? Je préfère en rester là.

Sans rien dire, il la relâcha et elle se dépêcha de sortir de la voiture pour regagner la protection de sa maison. Adossée contre la porte, le cœur battant, elle écouta le feulement de la Jaguar qui s'éloignait.

Elle l'avait échappé belle. Si Gray avait insisté pour l'accompagner à l'intérieur, il aurait suffi d'un baiser pour qu'il fasse d'elle ce qu'il voulait. Oui, elle l'avait échappé belle. Alors pourquoi se sentait-elle aussi misérable ?

— Mais enfin à quoi pensais-tu, nom d'un chien ! lança Alex d'un ton irrité. La conduire en ville... te disputer avec elle devant le palais de justice... la moitié de Prescott vous a vus, et l'autre moitié est déjà au courant à l'heure qu'il est !

Monica releva la tête et regarda son frère d'un air peiné. Gray eut envie d'étrangler Alex. Qu'avait-il besoin d'aborder le sujet devant elle !

— J'essayais de la convaincre de partir, répliqua-t-il sèchement.

Monica sembla se détendre un peu.

— Quelqu'un s'amuse à lui faire peur, continua-t-il. On lui a expédié un chat mort, aujourd'hui.

— Un chat mort ! s'écria Alex en faisant une grimace. Quelle horreur ! Mais ça n'explique pas pourquoi elle était dans ta voiture.

— Elle m'a téléphoné après l'avoir trouvé et...

— Pourquoi toi ?

Ignorant l'interruption de Monica, il poursuivit :

— J'ai aussitôt appelé Mike et il est venu me retrouver chez elle. Ensuite, il a tenu à ce que nous l'accompagnions au palais de justice pour prendre nos empreintes. Clémence était sous le choc, j'ai préféré ne pas la laisser prendre le volant dans cet état.

— Mais pourquoi avait-il besoin de prendre tes empreintes ? demanda Monica, avec inquiétude. Est-ce qu'elle t'a accusé ?

— Non, mais j'ai touché la boîte et Mike avait besoin d'avoir nos empreintes pour ne pas les confondre avec celles du salaud qui a fait ça. A supposer qu'il n'ait pas mis de gants, bien sûr.

Monica se figea.

— Et... il a trouvé quelque chose ?

— Je l'ignore. Après sa déposition, je l'ai ramenée tout de suite chez elle. Point final.

— Elle va s'en aller ? demanda Alex.

— Elle ne veut pas en entendre parler ! s'exclama Gray en se passant la main dans les cheveux. Elle est plus têtue qu'une mule.

Il écarta sa chaise du bureau et se leva brusquement.

— Je sors.

— Maintenant ! s'exclama Monica, interloquée. Où vas-tu ?

— Prendre l'air !

Il étouffait. Il avait besoin d'action, n'importe quoi, mais bouger ! L'air lui semblait chargé d'électricité comme avant un orage, pourtant la nuit était calme.

— Je ne sais pas à quelle heure je rentrerai. On s'occupera de ces papiers demain, Alex.

Impuissante, Monica ne put que le regarder sortir du bureau. Elle se mordit la lèvre jusqu'au sang. Alex n'avait ni menti ni exagéré : Gray s'était amouraché de cette Devlin au point de s'afficher avec elle sans même se soucier du qu'en-dira-t-on. Elle l'avait appelé et il était accouru au galop. Comment osait-il ! Après tout ce que cette famille leur avait apporté de malheur. Dire que Michael était aussi allé chez elle ! Monica serra les poings de rage. Ces femmes étaient comme des araignées : elles tissaient leur toile gluante pour mieux attraper les hommes qui s'approchaient trop près.

Alex hocha la tête, l'air soucieux.

— Je monte dire bonsoir à ta mère.

Noëlle s'était retirée dans sa chambre peu après dîner, prétextant la fatigue.

Alex lui tint compagnie une demi-heure. Monica était encore dans le bureau lorsqu'elle l'entendit redescendre. Il s'arrêta devant la porte ouverte. Monica leva les yeux. Il s'avança, ferma derrière lui et éteignit la lumière. Elle se pétrifia, sentant la peur courir dans ses veines.

— Noëlle, ma chérie...

Raide de dégoût, Monica ferma les yeux mais ne put esquisser le moindre geste pour le repousser. Sa lâcheté lui donnait envie de mourir...

Clémence arpentait le salon de long en large, trop énervée pour lire ou regarder la télévision. Les événements de la journée la perturbaient plus qu'elle ne voulait l'admettre. Etait-elle réellement en danger? Malgré sa résolution de ne pas brusquer Renée, l'idée que sa mère pût connaître l'identité du meurtrier de Guy la tourmentait. A la fin, n'y tenant plus, elle décrocha le téléphone et composa le numéro de sa grand-mère.

Ce fut Renée qui répondit.

— Maman? dit Clémence, surprise d'entendre sa voix trembler. J'ai besoin de toi.

Il y eut un silence à l'autre bout du fil. Puis Renée demanda sèchement:

— Qu'est-ce qui se passe?

La sollicitude maternelle n'avait jamais été son fort. Clémence avait beau le savoir, ça faisait quand même un peu mal.

— J'ai reçu des lettres de menaces parce que je posais trop de questions, poursuivit-elle en s'efforçant de contrôler sa voix. Je ne sais pas qui...

— Quelles questions? coupa Renée.

Clémence hésita, craignant que sa mère ne raccroche.

— A propos de Guy, admit-elle enfin.

— Bon Dieu, Clémence! Je t'ai déjà dit de ne pas fourrer ton nez partout! Tu vas te faire tuer si tu ne te tiens pas tranquille!

— Quelqu'un a assassiné Guy, n'est-ce pas ? Et tu connais l'assassin, c'est pour ça que tu es partie ?

La respiration de sa mère s'accéléra.

— Ne te mêle pas de ça... je ne peux rien dire. Ce salopard a gardé mon bracelet. Si je parle, c'est moi qu'il fera accuser.

Après avoir échafaudé différents scénarios pendant des semaines, creusé les vieilles rumeurs sans avancer d'un iota, la vérité lui fit l'effet d'une décharge électrique qui la paralysa. Il lui fallut quelques instants avant de réaliser qu'elle touchait enfin au but. Sa propre voix lui parut venir de très loin.

— Que s'est-il passé, maman ?

Renée se mit à sangloter.

— Je ne peux rien dire.

— Je t'en prie, maman.

Elle chercha désespérément une bonne raison qui pourrait convaincre sa mère et n'en trouva qu'une : l'appât du gain. Vite, elle improvisa :

— Réfléchis ! Pour la justice, Guy est toujours vivant, son testament n'a jamais été ouvert...

Renée renifla bruyamment mais le mot « testament » éveilla son intérêt.

— Et alors ?

Clémence s'engouffra dans la brèche.

— Eh bien, s'il t'a laissé quelque chose, c'est dans son testament. Après toutes ces années, ça pourrait faire une jolie petite somme...

Renée poussa un profond soupir.

— Il a toujours promis qu'il s'occuperait de moi...

— Tu vois bien ! Je suis persuadée qu'il t'a couchée sur son testament. Mais tant qu'on le croira vivant, tu ne toucheras pas un centime. Tu dois me dire ce qui s'est passé !

Le cœur battant, Clémence suspendit sa respiration. Il y eut quelques secondes de silence, puis soudain la voix de sa mère retentit dans le combiné et elle sut qu'elle avait gagné.

— On s'était rencontrés à la villa d'été, comme d'habitude. On avait déjà… enfin, tu vois ce que je veux dire. On était allongés dans le noir quand il est arrivé. Guy a enfilé un pantalon et il est parti avec lui dans le hangar à bateaux pour discuter d'une affaire urgente, soi-disant. Enfin, c'est ce que l'autre avait dit. Au bout d'un moment, je les ai entendus crier, alors je me suis rhabillée et je suis sortie pour les rejoindre. Guy a ouvert la porte juste quand j'arrivais. Il s'est retourné et il a dit : « Je ne changerai pas d'avis ! » Le coup est parti. Il a reçu la balle en pleine tête. Il est tombé sur l'herbe, devant le hangar. Je me suis agenouillée près de lui… J'ai hurlé… Il était mort avant même de toucher le sol.

— Est-ce que c'était Gray ? demanda Clémence, angoissée. C'est lui qui a tué son père ?

— Gray ? Non, il n'était pas là.

Ce n'était pas lui ! Merci, mon Dieu ! Même si elle s'était répété des centaines de fois que Gray ne pouvait pas être l'assassin, la confirmation de son innocence venait de la délivrer d'un énorme fardeau. Qui était le meurtrier ? La question lui brûlait les lèvres, mais si elle la posait tout de go, sa mère risquait de se refermer comme une huître. Avant toute chose, il fallait lui arracher le plus d'informations possible.

— Mais pourquoi n'es-tu pas allée voir le shérif ? demanda-t-elle en s'exhortant au calme.

— Tu parles ! s'exclama Renée. (Elle éclata d'un rire amer qui se transforma en sanglots.) Les gens auraient été trop contents de me voir derrière les barreaux ! Ils s'en seraient bien fichus que je sois innocente. En plus, il avait tout combiné… Il m'a forcée à lui donner mon bracelet en me menaçant avec son revolver et il m'a dit que si je ne promettais pas de disparaître et de me taire, il me ferait porter le chapeau. Il est très fort, tu sais !

— Pourquoi ne t'a-t-il pas tuée ? demanda Clémence, ne comprenant pas comment un assassin pouvait laisser échapper le principal témoin.

Renée ne put répondre tant elle sanglotait. Au bout d'un moment, elle eut un hoquet et réussit à balbutier :

— Parce qu'il me tenait. Si jamais j'avais parlé ou remis les pieds à Prescott, il se serait servi de mon bracelet pour prouver que j'avais tué Guy ! Il m'aurait fait condamner à mort ! Il en a les moyens ! Tu ne le connais pas !

Elle avait l'air morte de peur et sanglotait à fendre l'âme. Clémence en eut la gorge serrée. Pour la première fois, elle éprouvait de la pitié pour sa mère. Pauvre Renée, sans éducation, sans amis ni relations ! Elle avait été le bouc émissaire idéal. L'assassin n'était pas fou, il ne s'était pas trompé en pensant qu'elle n'irait jamais voir le shérif. Personne n'aurait douté un instant de sa culpabilité ni levé le petit doigt en sa faveur.

— Calme-toi, maman, ça va aller.

— Tu... tu ne diras rien, n'est-ce pas ? balbutia Renée, d'une voix brisée. C'est notre secret. Sinon il va me faire arrêter, je sais qu'il le fera.

— Je ne laisserai personne te mettre en prison, je te le promets. Est-ce que tu sais ce qu'il a fait du corps de Guy ?

— Je... je n'en sais rien. Il a dû l'enterrer quelque part.

Possible, mais peu probable. Avec le lac à côté, l'assassin n'avait pas dû perdre de temps à creuser une tombe. Il lui suffisait de lester le corps de pierres et le tour était joué.

— Tu te souviens de son revolver ?

— Je n'y connais rien en armes !

— Est-ce qu'il ressemblait à ceux des westerns ? demanda Clémence patiemment. Tu sais, les revolvers avec un barillet rond dans lequel on met les balles ? Ou bien à ceux des films policiers avec le chargeur dans la crosse ?

— Le film policier, dit Renée après un moment de réflexion.

Un automatique ! La douille avait donc été éjectée quelque part dans le hangar. L'assassin s'était débarrassé du corps, il s'était assuré que le témoin ne parlerait pas... avait-il aussi pensé à récupérer la douille ? S'il l'avait oubliée, il restait peut-être un espoir : après la disparition de Guy, l'endroit avait été peu utilisé. Oui, mais la douille pouvait aussi bien avoir été éjectée dans l'eau.

Tout de même, il y avait une chance infime pour qu'elle soit toujours dans un coin du hangar. On aurait déjà vu plus étrange.

— Surtout n'en parle pas, supplia Renée. Ne dis rien ! Tu n'aurais jamais dû retourner à Prescott. Il en a après toi, à présent. Va-t'en, avant qu'il ne soit trop tard ! Tu ne sais pas de quoi il est capable...

— Qui est-ce, maman ? Dis-moi...

Trop tard, Renée avait raccroché au milieu d'un sanglot.

Avec un soupir, Clémence reposa le combiné. Elle en savait beaucoup à présent, mais pas encore assez. L'essentiel était que Gray soit innocent mais elle enrageait de ne pas connaître l'identité de l'assassin.

En tout cas c'était un homme. Même si elle n'avait jamais vraiment cru à la culpabilité d'une femme, cela éliminait Noëlle et Monica Bouvier, Andréa Wallice et Yolanda Foster. A priori Lowell Foster n'avait appris la liaison de sa femme qu'après la disparition de Guy, mais il était fort possible qu'une bonne âme l'ait informé avant des frasques de sa femme. Lowell était donc toujours suspect.

Qui d'autre aurait pu se disputer avec Guy cette nuit-là ? Et pour quelles raisons ? Qu'avaient été ses dernières paroles déjà ? « Je ne changerai pas d'avis »... Un associé mécontent, peut-être ? Non, étant donné la vie amoureuse de Guy, un mari jaloux semblait plus probable. Avait-il eu d'autres liaisons cet été-là ?

Elle ne trouverait pas la réponse ce soir, par contre elle pouvait très bien aller faire un tour au hangar de la villa voir si la douille s'y trouvait encore.

Elle jeta un coup d'œil à la pendule. Vingt et une heures trente. A cette heure-là, elle avait peu de chance de rencontrer Gray là-bas.

Sa décision était prise : elle allait y retourner. Cette fois, elle mit des chaussures de marche et emporta une torche électrique.

Elle allait s'engager sur la route privée qui menait directement au lac lorsqu'elle changea d'avis. Ce n'était guère prudent, quelqu'un pourrait la reconnaître et signaler sa présence aux Bouvier. Pas question de prendre ce risque. Et si par malchance il y avait du monde à la villa, les phares de sa voiture la trahiraient.

Clémence se gara donc au même endroit que la dernière fois. Une marche d'un kilomètre et demi dans la forêt ne l'effrayait pas. Elle n'avait jamais craint l'obscurité et elle connaissait les bois comme sa poche. Elle se munit tout de même d'un bâton au cas où elle rencontrerait un serpent.

De nuit, la forêt était bien plus bruyante que le jour. Les animaux vaquaient à leurs occupations : les opossums et les ratons laveurs grimpaient aux arbres, les chouettes ululaient, les crapauds coassaient, les oiseaux de nuit chantaient et les cigales stridulaient frénétiquement. Le vent ajoutait son murmure à cette cacophonie, et le feuillage bruissait doucement. Les sens en alerte, Clémence suivit le chemin habituel. Lorsqu'elle arriva au ruisseau, à l'endroit précis où elle avait toujours traversé, elle ne put réprimer un sourire. Elle n'avait rien perdu de ses instincts de fille des bois. Elle s'arrêta un instant pour vérifier qu'aucun ragondin ne prenait un bain de minuit, sauta sur la pierre plate au milieu du cours d'eau puis, de là, sur l'autre rive. Elle n'était plus qu'à quelques centaines de mètres de la villa.

Cinq minutes plus tard, elle s'arrêtait à la lisière de la clairière, repérant les lieux avant de quitter le couvert des arbres. Tout était sombre et silencieux. Elle tendit l'oreille, mais n'entendit que les bruits de la nuit. Les petites vagues du lac se jetaient en clapotant contre le ponton ; la lune aux trois quarts pleine se reflétait dans l'eau miroitante que ridait de temps à autre le souffle léger du vent. Des poissons venaient gober les insectes à la surface en faisant des ronds.

Silencieusement, Clémence s'avança sur la pente douce.

Que ferait-elle si le hangar était fermé à clé ? Il devait l'être probablement. Aucune importance.

Elle ne se laisserait pas arrêter par une porte close ; au pire elle plongerait et passerait sous la paroi qui donnait sur le lac…

Vraiment au pire ! La plongée sous-marine au beau milieu de la nuit dans un lac aux eaux sombres ne lui disait rien. Elle aurait l'air maligne si elle se faisait piquer par une vipère d'eau. Mieux valait éviter si possible de jouer les femmes-grenouilles. Elle casserait plutôt une vitre, si toutefois le hangar avait une fenêtre, ce dont elle ne se souvenait absolument pas.

Le bâtiment se profilait sur la surface brillante du lac, silhouette fantomatique aux murs blancs. Clémence s'engagea sur l'allée de graviers et éclaira de sa torche la grande double porte. Elle étouffa un juron. Une grosse chaîne passée dans les poignées la cadenassait. Il ne restait plus qu'à trouver une fenêtre !

Face à la jetée, la paroi n'avait pas une ouverture. Clémence fit le tour du bâtiment et regarda, dubitative, l'unique fenêtre qui avait l'air d'un œil noir sur la façade pâle. C'était une fenêtre, certes, avec une vitre que l'on pouvait briser, mais elle était à la verticale du lac. En plus, elle était si haute que personne n'aurait pu se hisser jusque-là, à moins d'avoir...

Une poigne ferme enserra tout à coup son bras nu et la fit pivoter contre un corps dur comme de l'acier.

— Je t'avais prévenue de ce que tu risquais si tu revenais, fit Gray d'une voix douce.

16

Paralysée de stupeur, Clémence se laissa soulever de terre et s'accrocha instinctivement aux épaules de Gray tandis qu'il se dirigeait vers la villa. A le sentir si proche, une vague sombre de plaisir la submergea soudain et elle oublia tout ce qui n'était pas lui. Son corps ne lui laissait pas le choix : il exigeait au-delà de toute raison l'assouvissement de ses désirs.

Gray la porta dans ses bras jusqu'à la véranda, à l'abri de la moustiquaire, puis il la posa à terre sans cesser de l'étreindre. Clémence tremblait de tous ses membres. Elle le désirait ! Maintenant. Désir irrépressible, aveugle, si violent qu'il en était presque douloureux. Incapable de se maîtriser, elle l'enlaça et s'offrit tout entière.

Il la plaqua contre le bois dur d'un des piliers carrés du porche qu'éclairait doucement le clair de lune. L'air chaud était saturé des senteurs du printemps et du parfum épicé de Gray. Les mains dans ses cheveux, il lui renversa la nuque pour qu'elle accueille mieux son baiser et l'embrassa passionnément, écrasant ses lèvres sur les siennes avec une ardeur presque sauvage.

Loin de résister, Clémence se hissa sur la pointe des pieds et répondit avec fougue à son étreinte. La chemise de Gray était ouverte et elle se frotta contre son torse luisant de sueur et couvert d'une fine toison bouclée. Elle avait mal tant elle brûlait de le sentir en elle.

Elle poussa un gémissement de plaisir lorsqu'il se mit à lui caresser les seins mais, très vite, la caresse ne lui parut plus suffisante. Il dut lire dans ses pensées, car il lui arracha son chemisier. Des boutons volèrent dans le silence qui les enveloppait. D'une main, il dégrafa son soutien-gorge et, passant l'autre sous ses reins, il la souleva pour l'avoir à portée de lèvres ; du bout de la langue, il traça alors un sillon mouillé sur sa poitrine, puis prit entre ses lèvres un des mamelons gonflés et le suça. Clémence se cambra comme si elle voulait le repousser, mais il la serra plus fort. Son désir si évident déclencha en elle une émotion irrépressible. Malgré toute sa volonté, elle se sentait glisser le long du noir tunnel qui menait à l'orgasme.

Elle résista. Elle voulait que ce plaisir dure toujours. Elle essaya de s'écarter. En vain. Il pressait contre son ventre son désir impérieux, de plus en plus fort, de plus en plus exigeant, et elle frémit en sentant qu'il lui relevait sa jupe jusqu'à la taille. Tout allait si vite, trop vite... La tête lui tournait. Elle pensa à la fois où elle l'avait vu faire l'amour tendrement, murmurant des mots doux de sa voix grave et cajoleuse. Rien de comparable à présent. Elle était prise dans une tornade implacable qui la laissait sans force en territoire inconnu.

Tenant sa jupe de la main gauche, il lui arracha sa culotte. L'air frais de la nuit caressa ses fesses nues, la faisant se sentir vulnérable, et elle ne put réprimer un frisson. Il fit glisser le sous-vêtement jusqu'à ses genoux, puis trop pressé acheva de l'arracher. Le tissu se déchira et tomba sur le sol.

Alors il la souleva de nouveau contre le pilier, lui écarta les cuisses, et, débouclant rapidement son jean, il la pénétra brusquement, si fort qu'elle en cria presque de douleur.

Ecrasant sa bouche sur la sienne, il se mit à aller et venir en elle. A chaque poussée, il la pénétrait plus profondément. Clémence gémit et s'affaissa contre lui, visage baissé. Elle n'entendait plus que les battements de son cœur et la respiration haletante de Gray. Mains agrippées à sa chemise, elle essayait de supporter la violence des assauts de son amant et son corps se cambrait convulsivement pour essayer de l'accueillir, mais elle se sentait douloureusement envahie, au-delà du plaisir. L'orgasme qui avait semblé si proche quelques minutes auparavant paraissait maintenant hors de portée.

Puis, soudain, il changea de position, la souleva davantage et lui écarta encore plus largement les cuisses, l'écrasant sous le poids de son torse pour la maintenir contre le pilier. Elle était totalement ouverte, vulnérable, incapable de bouger. Une des mains de Gray vint alors caresser le petit capuchon gonflé en haut de sa vulve, le faisant délicieusement rouler entre le pouce et l'index.

Un éclair la transperça soudain de la tête aux pieds et, aussitôt, la douleur laissa place à une ardente volupté. A présent, elle gémissait de plaisir. L'orgasme s'abattit sur elle comme une tornade et elle fut agitée de spasmes, griffant les bras musclés qui la soutenaient. Presque en même temps, elle le sentit jouir en elle. Nuque renversée, les muscles de son cou tendus comme des cordes prêtes à se déchirer, il poussa un cri rauque, le rythme de ses hanches s'accéléra en une dernière poussée et il s'effondra sur elle.

Le silence les enveloppait maintenant. Le visage reposant sur l'épaule de Gray, Clémence se sentait aussi molle et alanguie qu'une poupée de chiffon, aussi éprouvée que si elle s'était livrée à un combat. Elle poussa un léger soupir quand il se retira, et se laissa aller contre le pilier, se retenant des deux mains à la colonne de bois pour ne pas glisser à terre.

De son côté, Gray reprenait lentement ses esprits, ébranlé jusqu'au plus profond de lui-même par l'intensité de ce qu'il venait de vivre. Lui, d'ordinaire si maître de lui, s'était laissé emporter par une frénésie sauvage et n'était la certitude que Clémence avait, elle aussi, atteint la jouissance, il lui aurait presque demandé pardon de son comportement de soudard. Ce qu'il avait éprouvé n'avait rien de commun avec ce qu'il avait connu jusqu'alors. Un déferlement de plaisir l'avait arraché hors de lui-même, le laissant épuisé, mais brûlant du désir de recommencer. Le corps souple et mince de Clémence l'hypnotisait. Il aurait aimé la reprendre dans ses bras et l'aimer encore et encore. La violence de son désir lui tordait le ventre. Il avait peur de ne pouvoir résister et s'écarta légèrement.

— Bon sang, fit-il, d'un ton voilé, je comprends pourquoi mon père ne pouvait se passer de Renée !

Le sang de Clémence se figea dans ses veines. S'il avait eu l'intention de l'humilier, c'était réussi ! Tout son être se révulsa sous l'insulte. Elle serra les dents. Elle venait de se donner à lui comme jamais elle ne l'avait fait, et lui...

Sans le regarder, elle remit sa jupe d'aplomb et, les mains tremblantes, rajusta son soutien-gorge. Il n'y avait plus de boutons à son chemisier et elle dut le nouer à la taille. Quand elle se baissa pour ramasser sa culotte en lambeaux, le feu de la honte envahit ses joues. Heureusement l'obscurité dissimulait sa gêne.

Silencieusement, elle glissa le morceau de tissu dans sa poche de jupe et tourna les talons aussi dignement que possible. Vu les circonstances, ce n'était pas aisé. Comment être digne après s'être laissé prendre comme la première prostituée venue par un homme qui avait eu autant de délicatesse qu'un marin de retour à terre après un long voyage? Ses jambes flageolantes la supportaient à peine, ses muscles étaient douloureux.

Elle ouvrit la porte de la véranda et descendit les marches. La torche électrique gisait sur le sol, là où elle l'avait laissée tomber; le faisceau éclairait les brins d'herbe et la nuée d'insectes attirés par la lumière. Elle la ramassa, se redressa et tressaillit en avisant la haute silhouette de Gray juste à côté d'elle. Décidément, il était aussi silencieux qu'un cobra. Elle ne l'avait même pas entendu la suivre. Elle s'écarta de lui pour continuer son chemin mais il lui saisit le bras.

— Où vas-tu?

— A ma voiture.

— Pas question! Je ne veux pas que tu traverses la forêt en pleine nuit, toute seule!

Et en plus il se croyait maintenant habilité à lui donner des ordres. Elle se dégagea.

— Ce que tu veux ou ne veux pas m'est complètement égal.

— Cesse de faire l'enfant et monte dans ma voiture. Je te ramène!

Sa voiture? Clémence, étonnée, regarda autour d'elle et vit soudain la Jaguar garée sur le côté de la maison. Comme la fois précédente, elle était venue par le côté opposé et n'avait pu remarquer le véhicule. Quel mauvais génie avait poussé Gray à la garer là plutôt que devant la maison? Si elle l'avait vue, jamais elle ne se serait aventurée hors de la forêt.

Il la poussa vers la voiture et Clémence ne s'épuisa pas à résister. Si elle voulait se débarrasser de lui le plus rapidement possible, le mieux était encore d'obéir.

Il ouvrit la portière et elle s'installa tandis qu'il faisait le tour du véhicule et se glissait derrière le volant.

— Tu es garée au même endroit que la dernière fois ? demanda-t-il d'une voix peu amène.

— Oui.

Ce fut le seul mot qu'elle prononça de tout le trajet. Les yeux fixés sur la route, elle regarda défiler les silhouettes sombres des arbres.

Le chemin faisait le tour du lac, puis croisait la grande route ; pour rejoindre l'endroit où elle s'était garée, Gray dut prendre ensuite la petite route défoncée qui passait devant son ancienne maison. Cela leur prit presque aussi longtemps que si elle avait marché à travers bois, mais en fin de compte Clémence n'était pas mécontente d'avoir évité l'épreuve. Dans son état, elle aurait sans doute trébuché sur toutes les racines et les pierres du sentier.

La Jaguar aborda silencieusement la dernière courbe et sa voiture apparut dans le faisceau des phares. Elle chercha ses clés et ne trouva qu'une poche vide. Une bouffée d'angoisse lui noua la gorge.

— J'ai perdu mes clés ! souffla-t-elle.

Pas étonnant. Il lui avait relevé la jupe sans aucun ménagement. A moins d'un miracle, les clés ne pouvaient pas rester dans sa poche.

— Tiens ! fit-il en les lui lançant. Je les ai ramassées.

Gray se gara à côté de sa voiture. Elle ouvrit la portière avant même qu'il n'ait coupé le contact et se précipita dehors vers sa berline. Fébrilement, elle chercha la bonne clé dans le trousseau puis l'introduisit dans la serrure. Elle se dépêcha d'ouvrir en voyant Gray faire le tour de la Jaguar pour la rejoindre, et se glissa sur le siège.

— Clémence !

Vite, elle mit le moteur en marche, enclencha la marche arrière et démarra, portière encore ouverte. Elle la claqua, l'arrachant des mains de Gray tout en reculant à toute allure sur le chemin cahoteux avant de faire demi-tour.

Debout au milieu de la route, Gray observa les soubresauts des phares tandis qu'elle manœuvrait. En quelques secondes, les lumières rouges des feux arrière disparurent. Il serra les poings, furieux de ne pouvoir s'élancer à sa poursuite. Elle était dans un tel état que ce serait trop risqué. Il ne voulait pas la pousser à bout. S'il la suivait, elle était capable de foncer dans un arbre pour lui échapper.

Il retourna vers la Jaguar, se maudissant silencieusement. Pourquoi avait-il mentionné le nom de Renée tout à l'heure ? Comme mufle, on ne trouvait pas mieux ! S'il avait pu se botter les fesses, il l'aurait fait. Bon sang ! Comment avait-il pu dire une chose aussi stupide, aussi cruelle ? Lui qui se targuait de savoir parler aux femmes ! Il avait réussi à blesser la seule qui comptait vraiment !

Il était venu à la villa pour trouver un peu de paix. La journée avait été rude et il avait ressenti le besoin de mettre de l'ordre dans ses idées. Assis sur le plancher, dos au mur, il était resté longtemps à contempler le clair de lune qui blanchissait le lac. Soudain il l'avait vue surgir de nulle part comme une apparition. D'abord, il avait cru à une hallucination, mais non, c'était bien elle. Elle s'était dirigée tout droit vers le hangar à bateaux et en avait fait le tour, éclairant de sa torche le bâtiment. C'était la deuxième fois qu'il la surprenait à rôder près de la villa. Que cherchait-elle ?

Mais très vite une vague de désir avait monté en lui, étouffant toute question. Il l'avait avertie et si elle était revenue, c'était qu'elle acceptait le prix à payer...

Aurait-il été capable de faire marche arrière si elle s'était refusée à lui ? Il en doutait fort. Elle n'avait rien dit quand il l'avait soulevée de terre. Elle s'était agrippée à ses épaules comme si elle tentait de se fondre en lui. Bon sang ! Il en avait perdu la tête ! Elle était si douce, si chaude... Rien ni personne n'aurait pu l'empêcher de lui faire l'amour. Il en tremblait encore en y songeant.

Et dire qu'il avait tout gâché ! Maintenant elle allait le repousser. Non ! Ce qui existait entre eux était trop précieux pour qu'il la laisse faire. Il n'avait pas encore dit son dernier mot...

Clémence se réveilla très tôt d'un sommeil agité. Ses paupières étaient lourdes et elle était aussi fatiguée qu'avant de s'endormir. Elle avait écarté Gray de ses pensées la nuit dernière, ignoré la douleur cuisante entre ses cuisses, avait même réussi à l'oublier tandis qu'elle se douchait pour effacer tout vestige de leur étreinte. Mais malgré tous ses efforts, elle n'avait rêvé que de lui et s'était réveillée le corps brûlant de désir.

Depuis quatre ans, elle avait totalement réprimé tout désir en elle mais dès qu'il s'agissait de Gray, son corps ne lui obéissait plus. Au souvenir de la façon impudique dont elle s'était donnée à lui, le rouge de la honte lui monta aux joues. Et aussi celui de la colère...

Il l'avait traitée comme une prostituée alors qu'il séduisait les Lindsey Partain avec patience et douceur ! A l'évidence, seules les femmes de son milieu avaient droit à certaines attentions. Des mots tendres en français pour Lindsey et pour elle une attitude de fauve en rut. Et le pire était qu'elle en avait tiré un plaisir plus violent que ce qu'elle avait jamais éprouvé auparavant. A quoi bon se mentir ? Son esprit avait beau se tordre sous le feu de l'humiliation, son corps, lui, n'attendait qu'une chose : se soumettre de nouveau au désir de Gray, quelque brutal qu'il pût être. Sa faiblesse l'effrayait d'autant plus qu'elle ne se faisait guère d'illusions : à présent, Gray ne la laisserait jamais en paix. Si elle restait à Prescott, elle n'avait aucune chance de parvenir à l'éviter et à ce petit jeu son amour-propre ne tiendrait pas longtemps. Alors fuir ?

Non, elle ne pouvait pas partir. Pas maintenant ! Il lui fallait d'abord découvrir qui avait tué Guy. Quand elle s'était fixé un but, jamais elle n'avait renoncé avant de l'avoir atteint. Elle ne commencerait pas aujourd'hui. Elle devait poursuivre l'enquête. Il fallait aller fouiller le hangar, reprendre contact avec l'inspecteur Ambrose pour savoir s'il avait des nouvelles de M. Pleasant et continuer à interroger autour d'elle. Si elle réussissait à déstabiliser l'assassin, il serait obligé de se montrer au grand jour et si elle parvenait à le démasquer... Un lent sourire naquit sur ses lèvres. Si elle parvenait à le démasquer, alors Gray et sa famille connaîtraient enfin la vérité, ils sauraient que Guy ne les avait pas abandonnés. Et ce serait à une Devlin qu'ils le devraient !

17

Le téléphone n'arrêtait pas de sonner. Excédée, Clémence songea à le débrancher mais se souvint qu'elle avait tout de même une entreprise à diriger. Elle n'avait pas de ligne séparée pour le fax et ne pouvait jouer les abonnés absents. Elle brancha son répondeur pour filtrer les appels et s'en félicita en entendant soudain la voix grave de Gray résonner dans la pièce.

« Je voulais venir te voir ce matin mais j'ai dû partir de bonne heure pour La Nouvelle-Orléans. Je ne rentrerai que ce soir. » Clémence se détendit. Au moins, il ne surgirait pas d'un moment à l'autre comme elle l'avait craint.

Le timbre de Gray se fit plus tendre : « Il faut que nous parlions. Je passerai chez toi quand je reviendrai cette nuit. Je te rappelle plus tard. »

— Non ! hurla-t-elle en direction du répondeur lorsque Gray raccrocha.

Soudain, elle réalisa ce que son absence signifiait. Elle n'avait guère envie de retourner à la villa, mais au moins si elle y allait maintenant, elle ne risquait pas de le rencontrer et elle pourrait même se permettre de s'y rendre sans crainte en voiture. L'occasion était trop belle pour être négligée.

Oui, mais comment faire pour s'introduire dans le hangar ? La porte était verrouillée et il était impossible de passer par la fenêtre sans échelle, or elle n'en avait pas... Restait la solution écartée la veille. Elle était bonne nageuse et ce qui avait semblé impensable de nuit était parfaitement faisable par une matinée ensoleillée.

Le téléphone sonnait de nouveau lorsqu'elle quitta la maison. Elle ne prit même pas la peine d'écouter qui l'appelait et alla à la voiture, ses affaires à la main.

Bizarrement, elle se sentait d'excellente humeur et alla même jusqu'à chantonner durant le trajet en voiture. Par deux fois, Gray l'avait surprise, mais cette fois-ci la chance serait de son côté. A priori, elle avait pensé à tout. Elle avait enfilé un maillot de bain sous son pantalon. Dans son sac, elle avait pris deux serviettes et une torche qui pouvait se révéler utile pour chercher dans les coins sombres. Elle avait protégé la lampe d'un sac plastique à fermeture étanche, et, par précaution, avait aussi emporté un grand couteau à découper. On ne savait jamais ! Elle espérait ne pas avoir à s'en servir mais en tout cas ça la rassurait.

Lorsqu'elle arriva à destination, elle ne put s'empêcher de regarder du côté de la villa et un frisson de désir courut dans ses veines. Dieu qu'elle se haïssait !

Elle se dévêtit rapidement et frappa à coups de poing la porte du hangar pour faire peur aux éventuelles bestioles — serpents ou ragondins — qu'il abritait. Pas de frôlements ni de bruits d'eau suspects. Bon, la place était vide ! Elle tapa néanmoins de nouveau sur la porte et agita la chaîne contre le vantail pour plus de sûreté. Il était temps d'y aller, à présent. Elle s'engagea sur le ponton et s'arrêta à la hauteur de la porte du hangar qui donnait sur le lac.

Gray, Monica et leurs amis nageaient souvent à cet endroit, autrefois. Clémence aussi s'y était baignée, mais jamais lorsqu'ils étaient présents. L'eau ne lui faisait pas peur et elle connaissait parfaitement la profondeur du lac aux alentours de la jetée. Torche à la main, elle plongea. Dieu merci, on était à la fin du mois de mai et l'eau n'était pas trop froide. Au bout de quelques longueurs, elle lui parut même délicieuse.

Il ferait sans doute sombre dans le hangar. Arrivant devant, elle alluma la torche à travers le plastique, prit une profonde inspiration, plongea sous la porte, et remonta à la surface de l'autre côté.

On n'y voyait pas grand-chose en effet. Même avec la lampe c'était pire qu'un tombeau. Elle s'agrippa à la passerelle en bois, posa la torche sur les planches et dégagea les cheveux collés sur son visage. Puis elle se hissa hors de l'eau et, dégoulinante, laissa ses yeux s'accoutumer à l'obscurité.

Le hangar était pratiquement vide. Autrefois il était encombré de matelas pneumatiques, de gilets de sauvetage accrochés aux parois, le bateau à moteur tanguait doucement contre les pneus le long de la passerelle et des caisses de bidons d'essence étaient empilées dans un coin. Il n'y avait plus rien de tout cela. L'endroit avait été entièrement vidé et nettoyé. Il ne restait qu'une vieille tondeuse à gazon à rouleau, un râteau et un balai usé. Aucune chance pour qu'une douille l'ait attendue pendant douze ans.

Sans se faire beaucoup d'illusions, elle vérifia quand même, éclaira chaque recoin, se mit à quatre pattes. Pas plus de douille que de beurre en broche !

C'était un échec mais au moins elle avait essayé, et puis ça lui avait fait prendre un bain. Elle replongea, nagea sous la porte et émergea de nouveau en plein soleil. Aucune surprise ne l'attendait cette fois-ci. Elle grimpa tant bien que mal sur le ponton, s'essuya et se rhabilla rapidement. Hormis ses cheveux mouillés, elle n'avait pas du tout l'air d'avoir joué les

James Bond Girls quand elle reprit le chemin du retour.

Deux messages de Gray l'attendaient sur le répondeur.

« Ne me dis pas que tu as quitté Prescott, je ne te croirais pas ! Je te rappelle plus tard. »

La machine émit un bip et passa le message suivant : « Ça ne sert à rien de ne pas répondre, Clémence, il faudra bien que tu me parles à un moment ou à un autre. Décroche, tête de mule. »

La sonnerie du téléphone la poursuivit toute la journée ; à chaque message, Gray paraissait plus en colère.

A la fin de l'après-midi, quand la sonnerie s'éleva une nouvelle fois, Clémence se boucha les oreilles pour ne pas entendre une énième bordée de jurons. Mais elle ôta immédiatement ses mains lorsqu'elle reconnut la voix de l'inspecteur Ambrose.

Elle se rua sur le combiné.

— Bonjour, inspecteur. Excusez-moi, j'avais mis mon répondeur. Avez-vous des nouvelles de M. Pleasant ?

— Non, désolé. On n'a pas retrouvé sa voiture non plus. Ce n'est pas très bon signe. Il est possible qu'il ait perdu le contrôle de son véhicule, qu'il ait eu une crise cardiaque, ou qu'il se soit endormi au volant... Si sa voiture a quitté la route et est tombée dans le bayou...

Il ne termina pas sa phrase mais Clémence n'avait pas besoin qu'on lui fasse un dessin.

— Vous me tenez au courant, murmura-t-elle en refoulant ses larmes.

— Bien sûr ! Dès que j'ai des nouvelles, je vous appelle.

Elle ne se faisait aucune illusion : il n'en aurait pas. La gorge nouée, Clémence replaça le combiné sur son support. Guy Bouvier avait été assassiné et M. Pleasant enquêtait sur la disparition de Guy. Ses questions avaient-elles inquiété le meurtrier au point qu'il commette un autre meurtre... ?

C'était malheureusement l'hypothèse la plus probable. Francis Pleasant n'aurait jamais disparu si quelqu'un ne l'avait pas fait disparaître. Elle n'avait plus aucun espoir de le retrouver vivant. Dire que le vieux monsieur était mort à cause de l'enquête dont elle l'avait chargé ! Non, elle n'était pas responsable. Pas question d'endosser la culpabilité à la place de l'assassin mais elle ne se pardonnerait jamais de ne pas livrer le coupable à la justice.

Ce deuxième meurtre serait peut-être l'erreur qui allait permettre de le coincer. Si les douze années qui s'étaient écoulées depuis l'assassinat de Guy rendaient les indices difficiles à trouver, en revanche, M. Pleasant n'avait disparu que depuis deux semaines... Il devait bien rester des traces. A commencer par son cadavre.

Elle s'obligea à réfléchir froidement. Où se débarrasser d'un corps ? Pour celui de Guy, la réponse la plus évidente était le lac. Rien de plus facile que de le hisser à bord du bateau et de le jeter à l'eau après l'avoir lesté. Evidemment, rien ne prouvait que M. Pleasant fût allé à la villa. Mais puisque la première méthode avait parfaitement marché, pourquoi le meurtrier n'aurait-il pas fait la même chose avec la seconde victime ? L'eau était suffisamment profonde autour du ponton. Oui, c'était là-bas qu'il fallait chercher.

Mais cela, elle ne pouvait pas le faire seule, il fallait draguer le lac, cela demandait du matériel, des hommes. Le shérif pouvait déclencher les recherches, cependant il faudrait d'abord le convaincre et jamais elle n'y parviendrait sans lui expliquer toute l'histoire, à commencer par l'assassinat de Guy.

Mais avant, il fallait en parler à Gray. C'était à elle de le prévenir, pas à un étranger. Coïncidence ou signe du destin, la sonnerie du téléphone résonna à la seconde même où elle avait cette pensée. Et comme de bien entendu, c'était Gray...

Clémence ferma les yeux. D'accord, il allait bien falloir tôt ou tard qu'elle lui apprenne la vérité sur son père mais pas maintenant. Elle n'était pas prête. La nuit dernière était encore trop proche pour qu'elle ait le courage de lui parler.

— Bon sang, Clémence ! Décroche ! Si tu ne réponds pas pour me dire que tout va bien, j'envoie Mike McFane chez toi !

Elle attrapa le téléphone avec un soupir exaspéré.

— Je vais bien ! martela-t-elle.

Et elle raccrocha aussitôt. Allait-il bientôt cesser de la persécuter ?

La sonnerie retentit de nouveau. Juste le temps de recomposer le numéro.

Le répondeur se déclencha.

— Très bien, fit-il après le bip d'une voix plus calme mais toujours sourde de colère. Je n'aurais jamais dû te dire une chose pareille, hier soir. Je ne suis qu'un idiot... je suis désolé.

— Pas tant que moi ! grommela-t-elle à l'adresse du répondeur.

— Je comprends que tu m'en veuilles, mais ne t'imagine pas que tu vas m'éviter longtemps. Je ne te laisserai pas faire, Clémence ! Au fait, au cas où tu ne l'aurais pas remarqué, je ne portais pas de préservatif, la nuit dernière, ajouta-t-il, calmement. Et arrête-moi si je me trompe, mais je parie que tu ne prends pas de contraceptifs. Passe une bonne soirée, conclut-il, narquois.

Sur ce il raccrocha.

— Salaud ! s'exclama-t-elle, le visage rouge de colère.

Elle se mit à arpenter le bureau de long en large, furieuse. Comment avaient-ils pu être aussi imprudents ? Il ne manquerait plus qu'elle tombe enceinte !

Elle n'y avait même pas pensé ! Il fallait que ce soit lui qui le lui rappelle, d'un ton goguenard en plus !
Comme si elle n'avait pas assez de soucis ! Elle était tellement chamboulée qu'elle ne songea à consulter un calendrier qu'une demi-heure plus tard. Elle se livra à un rapide calcul et poussa un soupir de soulagement. Bien sûr, rien n'était jamais certain, mais il y avait tout de même peu de risques.

Le matin suivant, il y eut une nouvelle lettre. Clémence verrouillait maintenant sa voiture et le message avait été glissé sous l'essuie-glace. Elle aperçut le papier blanc en jetant un coup d'œil par la fenêtre de la cuisine et sortit immédiatement. Certaine que c'était encore une lettre anonyme, elle ne la toucha pas. Elle ne voulait pas en connaître le contenu.

Le papier détrempé et l'encre délavée par la rosée prouvaient qu'on avait dû la déposer durant la nuit. Elle n'avait rien entendu. Au moins, ce n'était qu'une lettre et pas un autre cadavre d'animal.

Encore en pyjama, elle se dépêcha de rentrer, laissant la lettre sur le pare-brise. Quinze minutes plus tard, habillée, maquillée et coiffée, elle ressortit.

Elle ouvrit sa portière et déposa son sac sur le siège. Puis elle souleva l'essuie-glace, saisit le papier détrempé entre le pouce et l'index en prenant garde de ne pas la déchirer, monta ensuite en voiture et se rendit directement au palais de justice.

Elle se gara devant le jardin et, tenant la lettre du bout des doigts, grimpa les trois longues marches basses. Juste à l'entrée, se trouvait le bureau d'accueil, derrière lequel était assise une petite dame aux cheveux gris-bleu. Clémence n'eut pas besoin de lui demander où se trouvait le bureau du shérif. Elle y était déjà venue deux jours plus tôt. Remontant le couloir, elle tourna à gauche. Un autre couloir s'ouvrait devant elle. Elle le prit, passa cinq portes, et s'arrêta devant les doubles portes vitrées du bureau du shérif. Un comptoir occupait toute la longueur ; derrière se trouvaient plusieurs bureaux, un standard, et deux pièces dont l'une semblait légèrement plus petite que l'autre. Sur la porte de la plus grande, était inscrit le nom du shérif McFane. La porte était à moitié ouverte, mais d'où elle se tenait, Clémence ne put voir s'il était présent. Sur les murs, seul élément de décoration, pendaient les photographies de tous les anciens shérifs de Prescott.

Une femme d'une cinquantaine d'années, vêtue d'un uniforme marron, assise derrière le comptoir, releva les yeux.

— Vous désirez ?

— Je voudrais parler au shérif McFane, s'il vous plaît.

La femme observa Clémence d'un air peu amène par-dessus la monture de ses lunettes.

— Comment vous appelez-vous ?

— Clémence Hardy.

— Attendez un instant.

Elle entra dans le bureau du shérif. Il y eut un murmure de voix et elle ressortit.

— Par ici, dit-elle en indiquant une demi-porte au bout du comptoir.

Elle appuya sur un bouton et la porte s'ouvrit pour laisser passer Clémence.

Le shérif McFane s'avança à sa rencontre.

— Bonjour, madame Hardy, comment allez-vous ?

— Pas très bien, dit Clémence en lui tendant la lettre. J'en ai reçu une autre.

Le visage avenant du shérif se rembrunit aussitôt.

— Je n'aime pas ça du tout.

Il sortit une grande enveloppe jaune d'un tiroir de son bureau et l'ouvrit pour que Clémence y dépose le papier. Elle laissa tomber la lettre à l'intérieur avec une moue de répugnance.

— Encore des menaces? demanda-t-il, les sourcils froncés.

— Je suppose. Je ne l'ai pas lue. Je l'ai trouvée sous mon essuie-glace ce matin. J'ai fait attention de ne pas laisser mes empreintes partout. Si tant est que vous puissiez relever quelque chose, le papier est tout détrempé...

— La rosée. La lettre a dû rester plusieurs heures sur votre pare-brise. En fait, nous avons déjà relevé quelques bonnes empreintes provenant du colis et de l'autre lettre. Le problème, c'est que nous ne pouvons rien en faire si le coupable n'est pas dans nos fichiers.

Il déposa l'enveloppe sur son bureau.

— Voyons voir ce que ça dit, fit-il en ouvrant un tiroir.

Il fouilla pendant un moment en grommelant et finit par en sortir une pince à épiler. A l'aide d'un stylo et de la pince, il déplia le papier avec précaution. Clémence pencha la tête pour déchiffrer le message en même temps que lui.

ON NE VEUT PAS DE TOI ICI FICHE LE CAMP AVANT QU'IL NE T'ARRIVE MALHEUR

— C'est la même personne, dit le shérif, même calligraphie, pas de ponctuation.

— Sa signature en quelque sorte.

— Mmm... on peut dire ça comme ça.

Il la regarda d'un air grave.

— Madame Hardy... Clémence... Gray et moi vous l'avons déjà dit l'autre jour, rester seule dans cette maison isolée est dangereux...

— Et ma réponse n'a pas changé: je ne m'en irai pas!

McFane réfléchit un instant.

— Alors pourquoi ne pas envisager de prendre un chien? Pas besoin que ce soit un doberman, même un petit chien fera l'affaire pourvu qu'il aboie s'il entend du bruit.

Elle le regarda, étonnée. Un chien ! Jamais elle n'avait eu d'animaux et l'idée ne lui était même pas venue à l'esprit. Mais après tout, pourquoi pas ?

— Vous avez raison, c'est une bonne idée. Merci.

— N'attendez pas. Il y a un chenil près de l'étang, prenez-en un jeune mais pas trop. Pour qu'il s'habitue vite à vous et aboie suffisamment fort pour vous avertir.

Il jeta un coup d'œil à la lettre.

— La seule chose que je puisse faire, continua-t-il, c'est de demander à mes équipes de patrouiller régulièrement près de chez vous. A part ça...

— Bah, coupa Clémence, d'un ton volontairement léger. Quelques lettres anonymes et un chat mort, ce n'est pas vraiment le crime du siècle !

McFane lui fit un petit sourire plein de taches de rousseur.

— Si ça peut vous rassurer, le chat n'a pas été torturé. Il s'est fait écraser par une voiture. Quelqu'un l'a ramassé et s'en est servi, c'est tout. J'avoue que ça m'a soulagé. Ce n'est pas l'œuvre d'un psychopathe.

La nouvelle soulagea Clémence aussi. L'image du pauvre animal la rendait malade à chaque fois qu'elle y songeait. Ça ne ressuscitait pas le chat pour autant mais au moins il avait dû mourir sur le coup.

Comme elle sortait du bureau du shérif, elle aperçut soudain dans le couloir une haute silhouette carrée aux longs cheveux attachés en catogan debout devant l'accueil.

Son cœur fit une embardée. Affolée à l'idée de se trouver en face de Gray, elle pivota aussitôt et repartit en sens inverse vers le bureau du shérif. C'était ridicule mais elle avait beau se dire qu'il faudrait tôt ou tard qu'elle lui parle, ses jambes ne lui obéissaient pas.

Elle entendit sa voix grave l'appeler et accéléra. Au bout du couloir, elle jeta un coup d'œil derrière elle et le vit arriver à grandes enjambées. Il n'était plus qu'à quelques mètres et ses yeux noirs la transpercèrent.

Elle repartit comme une flèche. Les toilettes pour dames ! Elle s'y précipita. Adossée à la porte, une main sur la poitrine pour essayer de calmer les battements de son cœur, elle songea un instant à aller s'enfermer dans une des cabines mais n'en eut pas le temps.

La porte s'ouvrit brutalement et Clémence dut bondir pour ne pas se faire assommer. Gray se tenait dans l'embrasure, immense, menaçant, la mine sombre et les prunelles glacées. Elle recula et buta sur la rangée de lavabos. La petite pièce ne lui laissait guère d'issue.

— Tu n'as pas le droit d'entrer ici ! bredouilla-t-elle, paniquée.

Gray s'avança et referma tranquillement la porte.

— Vraiment ?

Elle respira à fond pour se calmer.

— Quelqu'un peut venir.

— Et alors ? fit-il en se rapprochant.

Il était si près qu'elle dut renverser la tête en arrière pour le regarder dans les yeux.

— C'est toi qui as choisi le lieu, pas moi.

— Je n'ai rien choisi du tout, lança-t-elle. J'essayais de t'éviter.

— J'avais remarqué. On peut savoir ce que tu fais au palais de justice ?

Il n'y avait aucune raison de ne pas l'informer.

— J'ai trouvé une autre lettre anonyme sur le pare-brise de ma voiture ce matin et je l'ai apportée au shérif.

L'expression de Gray s'assombrit encore d'un cran.

— Bon Dieu, Clémence, tu...

— McFane m'a conseillé de prendre un chien, lança-t-elle pour l'empêcher de continuer, et j'allais justement au chenil. Si tu veux bien me laisser passer...

— Inutile d'aller là-bas, je t'en donnerai un, répliqua Gray, peu disposé à s'écarter. Pourquoi n'as-tu pas répondu quand je t'ai appelée hier ?

— Parce que je ne voulais pas te parler ! Et je m'achèterai mon chien moi-même, merci ! Je te signale aussi que si tu espérais être père, c'est loupé !

Il haussa les sourcils.

— Comment le sais-tu ? Tu as eu tes règles ?

— Non, mais tu as déjà entendu parler de cycles, pas vrai ?

— Ma chérie, tu ne serais pas la première à tomber enceinte alors que ce n'est pas censé être le bon moment !

— Je sais ce que je dis, répliqua-t-elle en se glissant vers la porte.

Gray la saisit par la taille.

— Tiens-toi tranquille, bon sang ! Tu essaies toujours de t'enfuir. Qu'est-ce que tu crois que je vais te faire ?

— Ce que tu as fait la dernière fois.

Aussitôt elle rougit. Finalement, l'instinct qui lui avait commandé de fuir n'était pas aussi ridicule que ça. Il suffisait que Gray soit près d'elle pour que son corps la trahisse. Elle avait beau s'efforcer de l'ignorer, le désir s'insinuait peu à peu en elle. Son ventre se crispait, une douce chaleur l'envahissait...

Gray lui coula un regard tendre.

— Ne me dis pas que tu n'as pas aimé, je ne te croirais pas... Je t'ai sentie vibrer entre mes bras.

Clémence s'empourpra, et pas seulement de gêne. Si seulement il ne la tenait pas plaquée contre lui, si seulement elle ne sentait pas la chaleur de son corps dur et viril !

— Eh bien je te le dis quand même, répondit-elle calmement en s'apprêtant à proférer le plus gros mensonge de sa vie. Je n'ai pas aimé et je ne veux plus jamais recommencer.

— Tu mens, fit-il, les yeux rivés aux siens. Et en ce moment même, tu meurs d'envie que je t'embrasse.

Le cœur de Clémence battait à tout rompre. Ses seins, sensibles à l'extrême, se tendaient douloureusement contre la dentelle de son soutien-gorge. Elle leva les yeux et se perdit dans l'éclat sauvage de ses prunelles sombres.

— Clémence, murmura-t-il.

Le désir les enchaînait l'un à l'autre comme une corde. Et petit à petit la corde se raccourcissait, les rapprochant inexorablement. Soudain affolée, elle plaqua les mains sur son torse et le repoussa. Mais elle aurait pu aussi bien essayer de déplacer un bloc de marbre.

— Non, Gray ! Pas ici !

Il n'écoutait pas. Ses yeux étaient rivés à ses lèvres. Ses mains lui enserraient la taille et l'attiraient contre lui. Elle ne put retenir un gémissement au contact de son corps musclé et brûlant. Il baissa le visage pour l'embrasser et elle entrouvrit instinctivement les lèvres. Sa bouche était chaude, douce. Une vague de plaisir la fit frissonner et elle cessa de le repousser pour s'agripper à sa chemise. Il la serra plus fort et approfondit son baiser tandis qu'elle répondait passionnément à la caresse.

Le feu du désir les embrasa d'un coup. Gray remonta sa jupe d'un geste et Clémence ne tenta même pas de résister alors qu'il la saisissait sous les reins et lui ôtait sa culotte. Elle eut un petit frisson en sentant le contact froid du lavabo sur ses fesses nues. Il lui écarta les jambes et dégrafa en même temps la ceinture de son pantalon. Clémence enfonça les ongles dans ses épaules musclées tandis qu'elle le sentait brûlant contre son ventre. Quand il entra en elle, elle retint de justesse un cri. Il s'immobilisa, son front moite posé contre le sien, lui caressa le dos, puis doucement il commença à bouger. Clémence fut aussitôt envahie par des spasmes de plaisir qui s'intensifièrent alors qu'il accélérait peu à peu son rythme. Il la prenait tout entière et cela la rendait folle. Elle gémit de nouveau, s'agrippant à lui de toutes ses forces. Son corps se cambrait contre le sien, ondulant à son rythme. Son ventre était en feu, sa tête allait exploser.

A cet instant, la porte grinça.

Au moment où le battant commençait à s'ouvrir, Gray, aussi vif que l'éclair, plaqua la paume sur le montant pour la refermer d'un coup sec.

— Hé! protesta une voix féminine de l'autre côté.

— C'est occupé! cria-t-il sans cesser de faire l'amour à Clémence.

Trop étourdie de plaisir, Clémence n'avait même pas réagi. Seuls comptaient pour elle les assauts brûlants qui, vague après vague, la transportaient toujours plus haut.

Soudain un frisson la secoua tout entière. Elle pressa son visage contre le torse de Gray et mordit sa chemise pour étouffer les cris qu'elle ne pouvait réprimer.

Maintenant une main sur la porte, il lui agrippa la taille de l'autre pour s'arrimer plus profondément en elle et fut secoué d'un spasme violent. Rejetant la tête en arrière, il poussa un gémissement qui semblait venir du tréfonds de son être.

Des coups résonnaient maintenant sur la porte.

— Qu'est-ce que vous fabriquez là-dedans? cria une voix aiguë de femme. Ce sont des toilettes pour dames!

Gray redressa lentement la tête et dédia à Clémence un sourire en coin en lui chuchotant d'un air complice :

— Si on lui jure que je suis une femme, tu crois qu'elle nous croira ?

Clémence éclata de rire.

18

Jamais elle n'avait été aussi honteuse de sa vie! En arrivant chez elle, Clémence se précipita à l'intérieur et ferma toutes les portes à clé. Comme si ça pouvait changer quelque chose! Quand elle était sortie du palais de justice, le front moite et le feu aux joues, elle avait trouvé le courage de garder la tête haute et même de toiser avec défi les gens qu'elle avait croisés en allant jusqu'à sa voiture. Mais à présent, elle aurait voulu se cacher dans un trou de souris. Comment avait-elle pu se conduire ainsi? Et le pire était que, sur le moment, elle avait trouvé ça drôle.

Dès que Gray l'avait relâchée, elle avait sauté du lavabo et s'était enfermée dans une cabine des toilettes, secouée par un fou rire incontrôlable. Tandis qu'elle essayait de se rhabiller, le vol plané de sa culotte par-dessus la porte de la cabine avait redoublé son hilarité.

— Chut! avait marmonné Gray.

Il avait ajouté autre chose, mais elle riait si fort qu'elle n'avait pas compris. Un instant plus tard, elle avait entendu la porte grincer et deux escarpins bleus s'étaient précipités dans la cabine voisine de la sienne. La voix aiguë de leur propriétaire avait alors résonné, bafouillante d'indignation mais si forte qu'elle en avait couvert les rires nerveux de Clémence.

— C'est scandaleux, je devrais prévenir le shérif! Faire ça dans les toilettes des dames! C'est honteux, dégoûtant! Les gens n'ont aucune moralité!

La tirade outrée fut accompagnée d'un puissant bruit de cascade. Apparemment, l'indignation valait tous les diurétiques du monde, songea Clémence, en riant de plus belle.

Profitant du répit, elle s'était néanmoins précipitée hors des toilettes. Une fois dans le couloir, plus personne ne pouvait la soupçonner, ce qui ne l'empêcha pas de rejoindre sa voiture au pas de course. Elle n'avait pas revu Gray, mais il faut dire qu'elle ne l'avait pas vraiment cherché. Sans doute s'était-il réfugié dans les toilettes pour hommes.

Effondrée sur une chaise de la cuisine, Clémence se demanda une nouvelle fois comment elle avait pu agir de façon aussi éhontée. Elle n'avait plus du tout envie de rire. Le pouvoir que Gray avait sur elle avait quelque chose d'effrayant. Pourquoi était-elle incapable de se refuser à lui? Au point d'en oublier où ils se trouvaient! Quand elle était près de lui, elle devenait pire qu'une chatte en chaleur!

Le téléphone sonna. Elle ne bougea pas. Le répondeur se déclencha et elle reconnut la voix de Gray, sans toutefois saisir ce qu'il disait. Il raccrocha et, quelques minutes plus tard, la sonnerie retentit de nouveau. Cette fois-ci, c'était Margot. Il fallait aller répondre! Non, c'était au-dessus de ses forces. Dans l'état où elle était, elle aurait été incapable d'articuler deux phrases cohérentes.

Lorsque ses jambes purent la soutenir, elle se leva pour aller dans la salle de bains. Une douche, voilà ce qu'il lui fallait! Une bonne douche, froide. Très froide.

Assis au volant de sa Jaguar, Gray laissa échapper un profond soupir. Clémence n'avait pas répondu au téléphone mais il était persuadé qu'elle était chez elle. Tout en roulant, il esquissa une grimace en songeant à l'accueil qu'elle allait lui réserver. Il aurait peut-être été sage de la laisser souffler un peu mais il avait trop envie de sa présence. L'attirance qu'il éprouvait pour elle le rendait aussi inconscient qu'un adolescent. Faux! Même dans sa folle jeunesse, il ne s'était jamais conduit aussi stupidement. Dire qu'il lui avait fait l'amour dans les toilettes du palais de justice!

Il se prit à sourire en songeant à la façon cocasse dont leur étreinte torride s'était terminée. Le fou rire nerveux de Clémence quand elle l'avait planté là pour se réfugier dans une des cabines. Bon Dieu, il devait vraiment avoir l'air fin avec son pantalon baissé, coinçant la porte d'une main, se rajustant à la hâte de l'autre tandis que la vieille bique tambourinait sur la porte en glapissant. Entre ses cris et le rire de Clémence, il ne s'entendait plus penser. Le temps de vérifier que sa tenue était correcte et de donner à Clémence un rendez-vous qu'elle n'avait sûrement pas entendu tant elle riait, il était sorti des toilettes pour se trouver nez à nez avec la grosse Biddy Jones du service des vignettes, qui l'avait fusillé du regard. De toute évidence, il était inutile de lui raconter qu'il avait atterri là par erreur. Elle les avait probablement entendus. Sans doute lui aurait-elle servi une tirade enflammée s'il lui en avait laissé le temps mais il l'avait écartée et était rentré illico dans les toilettes pour hommes, le temps de reprendre ses esprits.

Il se rembrunit soudain. Connaissant Biddy Jones, il pouvait être certain que l'histoire allait faire le tour de Prescott en moins de deux.

Personnellement, il s'en moquait; sa réputation n'était plus à faire mais Clémence serait atterrée. Restait à espérer qu'elle avait pu s'éclipser avant que Biddy Jones ait pu la voir... Il la connaissait assez à présent pour deviner à quel point le mépris des gens de Prescott l'avait toujours blessée et vu le nom qu'elle portait, il était prêt à parier qu'elle devait mettre un point d'honneur à se conduire de façon irréprochable. Il était sûr qu'elle n'aurait jamais laissé un autre que lui la prendre ainsi mais le courant qui les portait l'un vers l'autre était trop fort. Pas plus que lui ne pouvait y résister. Son fou rire n'avait certainement pas duré longtemps. A présent, elle devait s'être barricadée chez elle, malade de honte. Pourvu qu'elle ne soit pas partie...

Il poussa un soupir de soulagement en arrivant devant chez elle : sa voiture était garée là. Il s'engagea dans l'allée, longea la maison jusque dans le jardin, contourna la cabane à outils et se gara à l'abri de la treille recouverte de chèvrefeuille. Comme ça, personne ne saurait qu'il était là. Il se fit l'effet d'un idiot mais espéra que Clémence apprécierait sa discrétion.

Il frappa à la porte vitrée de la cuisine et attendit impatiemment qu'elle vienne lui ouvrir.

A l'abri derrière sa porte verrouillée, Clémence écarta le rideau. Elle avait failli avoir une attaque en entendant une voiture s'engager dans l'allée pour se garer derrière la maison. La vue de la Jaguar l'avait rassurée mais elle n'était pas pour autant disposée à parler à Gray. Il aurait tout de même pu avoir la décence de la laisser un peu tranquille !

— Va-t'en !

Il secoua la poignée.

— Clémence, fit-il d'une voix tendre, ouvre-moi, ma chérie.

— Non !

— Il faut que je te parle.

Peut-être, mais pour le moment elle ne rêvait que de faire l'autruche et de s'enfoncer la tête dans le sable pour y cacher sa honte.

— Plus tard.

— Non, maintenant ! martela Gray.

Son ton ne laissait aucun doute. Si elle n'ouvrait pas la porte tout de suite, il l'enfoncerait. Furieuse, elle tourna la clé.

Sans la quitter des yeux, il entra et verrouilla derrière lui. Elle sortait de sa douche et n'avait pas eu le temps de s'habiller. Lorsqu'elle avait entendu le bruit de moteur, elle avait saisi le peignoir accroché à la porte de la salle de bains et s'était précipitée dans la cuisine. Le vêtement en tissu éponge blanc, noué à la taille, n'avait rien d'affriolant mais dessous elle était nue et des gouttelettes d'eau ruisselaient encore sur sa peau. D'un geste pudique, elle rapprocha les revers pour couvrir sa poitrine.

— Je t'écoute.

Un sourire d'une tendresse extraordinaire éclaira le visage de Gray.

— Ça attendra, fit-il en la soulevant dans ses bras.

Deux heures plus tard, ils reposaient épuisés au milieu des draps froissés. Les rayons du soleil de midi se frayaient un passage à travers les persiennes closes et dessinaient de fins rectangles de lumière sur le parquet. La petite brise provenant du ventilateur au plafond fit soudain frissonner Clémence. Leur étreinte avait été si brûlante qu'elle en avait encore les sens à fleur de peau. Blottie contre Gray allongé sur le dos, paupières closes, elle laissa échapper un soupir alangui.

Elle se sentait encore tout étourdie. En deux heures ils avaient fait l'amour trois fois, comme s'ils ne pourraient jamais se rassasier l'un de l'autre. Elle avait répondu à la fougue et à l'impatience de Gray avec bonheur. Elle ne savait plus combien d'orgasmes elle avait eus, mais le dernier ressemblait à une longue vague sur laquelle elle flottait toujours, ivre de plaisir.

A ses côtés, Gray remua légèrement, tenta de se

redresser puis se laissa retomber avec un grognement.

— Je ne peux plus bouger.

— Qui te le demande? murmura-t-elle en ébauchant un sourire.

Deux minutes plus tard, il fit une seconde tentative et, se soulevant à demi, regarda leurs deux corps enlacés avant de dévisager Clémence en souriant. Il caressa une mèche rousse puis sa main descendit le long de sa gorge pour s'arrêter sur son sein. Doucement, il en effleura la pointe de son pouce, puis se pencha, le prit entre ses lèvres comme un fruit délectable et le caressa de la langue.

Clémence eut un frisson de désir tandis que la pointe de son autre sein se dressait à son tour. Pourtant, elle se sentait trop épuisée pour faire l'amour une nouvelle fois.

— Je n'en peux plus... gémit-elle.

Il s'écarta et sourit tout en la couvant d'un regard admiratif.

Dieu qu'elle était belle! C'était la première fois qu'il pouvait la contempler tout à loisir. Ses seins étaient pâles, de la douceur du satin, et sa peau si translucide et fine que ses vaisseaux dessinaient un entrelacs bleuté. Son corps était une contrée magique qu'il ne se lassait pas d'explorer.

— C'est de ta faute: chaque fois que je te vois, je deviens fou.

— Je n'y suis pour rien.

— Si. Tu existes et c'est suffisant.

Il se rallongea avec un grand soupir et la serra contre lui en lui caressant le dos et la courbe des reins.

Clémence frotta sa joue contre la peau de Gray, se délectant de le sentir si chaud, fort et plein de vie. Depuis qu'il l'avait prise dans ses bras pour l'amener au lit, elle était au paradis. Jamais elle n'avait éprouvé autant de bonheur. C'était si merveilleux d'être allongée avec lui, tous deux détendus, sans aucune hostilité. Leurs problèmes n'étaient pas pour autant résolus et la tension reviendrait sans doute bientôt, mais pour le moment elle était heureuse et ne put s'empêcher de le taquiner.

— N'empêche que moi, je n'ai pas eu droit aux mots d'amour en français comme Lindsey Partain, lança-t-elle malicieusement.

— Quoi ?

Gray la contempla d'un air incrédule et éclata soudain de rire.

— Alors, tu nous avais vus ce jour-là !

— Vus et entendus ! J'aurais bien aimé moi aussi que tu me courtises comme ça...

Elle avait parlé d'un ton léger mais sans pouvoir dissimuler une pointe de jalousie.

Gray lui caressa doucement la joue.

— Tu ne connais pas grand-chose aux hommes, n'est-ce pas ? Alors, laisse-moi t'apprendre quelque chose : quand un homme est capable de se concentrer pour murmurer des mots d'amour dans une autre langue que sa langue maternelle, ça prouve qu'il n'a pas vraiment la tête à ce qu'il fait. Quand nous faisons l'amour tous les deux, c'est à peine si je peux m'exprimer en anglais, alors imagine en français !

Etonné, il la vit rougir et en fut ému. Elle avait l'air si innocente parfois qu'il en était sidéré. Il eut soudain envie de tout savoir d'elle.

— Parle-moi de ta famille adoptive, demanda-t-il tout à coup. Comment étaient-ils ?

— Les Gresham ? fit-elle un peu surprise. Très gentils. Ils m'ont offert un vrai foyer pour la première fois de ma vie. Je suis toujours en contact avec eux.

— Comment as-tu abouti chez eux ?

— Peu après... la fameuse nuit, dit-elle d'une voix qui tremblait un peu, papa est parti. Russ, mon frère aîné, l'a suivi de peu. Nick a essayé de s'occuper de nous, mais les services sociaux nous sont tombés dessus. On était à Beaumont à l'époque. Jodie a été placée dans une famille, Scottie et moi dans une autre.

— Où est-il à présent ?

— Il est mort le mois de janvier suivant. Grâce aux Gresham, il aura été heureux au moins les six derniers mois de sa vie mais sa santé s'est très vite détériorée et...

Elle s'interrompit, les yeux pleins de larmes.

— Je lui ai tenu la main jusqu'à la fin, conclut-elle faiblement.

Respectant sa tristesse, Gray attendit un moment avant de demander :

— Qu'est devenu le reste de ta famille ?

— Je ne sais pas. Je pense que Jodie habite du côté de Jackson mais je ne l'ai pas revue depuis ses dix-huit ans. Et je n'ai aucune idée de ce que sont devenus mes frères et mon père.

Elle évita de parler de Renée.

Gray garda quelques instants le silence, envahi par un désagréable sentiment de culpabilité. C'était en partie à cause de lui que la famille Devlin, si épouvantable fût-elle, avait été brisée. Il serra Clémence contre lui comme s'il voulait la protéger des douleurs du passé et éprouva tout à coup le besoin de se justifier.

— Quand j'ai compris que papa nous avait quittés, ça m'a fait tellement mal que je suis devenu presque fou, commença-t-il lentement.

Clémence se mordit la lèvre, songeant à ce qu'elle devrait bientôt lui révéler.

— Et comme si ça ne suffisait pas, Monica a essayé de se suicider, continua-t-il. Elle s'est tailladé les poignets juste après que je lui ai annoncé le départ de papa. Elle s'est presque vidée de son sang pendant que je l'emmenais à l'hôpital. Quand je suis venu chez vous cette nuit-là, je revenais des urgences de Baton Rouge. Ce n'est pas très glorieux mais je voulais que quelqu'un paye pour toute cette souffrance. Guy et Renée étaient partis. Alors, ça a été vous...

Clémence l'embrassa tendrement sur l'épaule pour lui montrer qu'elle lui pardonnait. Les explications étaient inutiles : il y avait longtemps qu'elle avait compris le chagrin qu'il avait éprouvé lui aussi mais, sentant qu'il avait besoin de parler, elle ne chercha pas à l'interrompre.

Les pales du ventilateur ronronnaient doucement tandis qu'il reprenait.

— Après ça, ma mère s'est complètement repliée sur elle-même. Elle ne parlait plus, ne mangeait plus. Elle a refusé de sortir de sa chambre pendant deux ans. C'est la personne la plus égoïste que je connaisse, mais je ne veux plus jamais la voir souffrir autant. Ni Monica. Tu comprends à présent pourquoi ton retour m'a à ce point perturbé ?

— Oui, murmura Clémence. Je m'en doutais...

— Cette nuit terrible nous unira toujours, prononça-t-il à mi-voix. Sais-tu que c'est cette nuit-là que je t'ai désirée pour la première fois ?

Il s'allongea sur Clémence, lui posa une main sur la joue et la pénétra doucement. Il bougeait lentement au creux de son ventre et son regard brûlait sous le feu de la passion.

— Tu n'avais que quatorze ans mais je t'ai désirée, chuchota-t-il tout en lui faisant l'amour. Et lorsque je t'ai revue au motel, c'était comme si le temps qui s'était écoulé n'avait pas existé. Je te désirais toujours autant.

Son visage perdit son air grave et il sourit soudain :

— Veux-tu que je te le dise en français ? demanda-t-il.

Il faisait presque nuit lorsqu'ils se réveillèrent. Gray s'étira longuement.

— Je meurs de faim, s'exclama-t-il. Bon sang ! Il faut que je téléphone pour dire où je suis.

Clémence roula sur le dos et se redressa en faisant la grimace. Bien qu'elle eût passé la majeure partie de la journée au lit, elle était aussi épuisée qu'après un marathon. Il est vrai que rester au lit avec Gray Bouvier n'était pas de tout repos. Divinement sensuel, oui, mais reposant certainement pas.

Gray s'assit sur le côté, et tandis qu'il décrochait le téléphone et tapait le numéro, elle ne put résister à l'envie de lui caresser le dos. Elle sentit rouler les muscles sous sa paume et effleura le sillon saillant de la colonne vertébrale qui descendait des larges épaules jusqu'à la taille svelte.

Gray se retourna pour lui sourire puis son visage se fit soudain attentif.

— Bonsoir, Monica ! dit-il. Tu préviendras Delfina que je ne rentre pas dîner.

Clémence entendit un murmure indistinct à l'autre bout.

— Je suis chez Clémence, répondit Gray calmement.

La voix était toujours inaudible mais beaucoup plus forte. Clémence se sentit mal à l'aise et voulut s'éloigner par discrétion.

Elle se leva lentement. Chaque muscle de son corps protestait. Elle avait les jambes faibles, ses cuisses tremblaient, mais elle ne supportait pas d'écouter la conversation. Le coup de fil s'acheva toutefois avant même qu'elle ait pu quitter la chambre.

— Ecoute, Monica, dit Gray fermement. On en parlera plus tard, je serai à la maison demain matin. Non, pas avant. Demain. S'il y a quoi que ce soit, appelle-moi ici.

Sur ce, il raccrocha sans se préoccuper de la voix

qui criait à l'autre bout du fil et se tourna de nouveau vers Clémence.

— Ma pauvre chérie, tu as des courbatures...

Il se leva et ôta le drap du lit en le secouant.

— Je sais ce qu'il te faut.

— Moi aussi. Une bonne douche chaude.

— Plus tard !

Il l'enveloppa dans le drap et la souleva dans ses bras.

— Chut ! Tais-toi et laisse-toi faire.

— Qu'est-ce que tu fabriques ?

— Tais-toi ! répéta-t-il en l'embrassant sur le bout du nez.

Elle ne pouvait même pas se débattre car ses bras étaient coincés sous le tissu. Il l'emporta jusqu'à la table de la cuisine et l'allongea dessus avec précaution.

— Ça fait longtemps que cette table me donne des idées, dit-il d'un air malicieux.

— Que vas-tu faire ? s'écria-t-elle, un peu affolée.

Il n'avait pas allumé et la cuisine était plongée dans la pénombre. Allongée sur la table de la cuisine, elle se sentait complètement vulnérable et se faisait l'effet d'être une victime prête pour le sacrifice.

— Fais-moi confiance et ne bouge pas ! ordonna-t-il en quittant la pièce.

Quelques secondes plus tard, il revenait avec une petite bouteille d'huile et un gant de toilette.

— Allonge-toi sur le ventre. Je vais te masser.

Il ouvrit le robinet d'eau chaude, attendit que l'eau soit brûlante, en remplit un bol et vida la bouteille d'huile dedans.

— Ferme les yeux et détends-toi. Tu peux dormir, si tu veux.

Clémence obéit sans discuter. Ses muscles se faisaient peu à peu à la dureté du bois. Elle ferma les paupières et écouta le bruit de l'eau couler dans l'évier.

La voix de Gray était calme et apaisante, guère plus forte qu'un murmure.

— Je vais te laver, tu te sentiras mieux.

Il appliqua le gant de toilette brûlant et mouillé entre ses jambes. La chaleur était délicieuse et calma sa chair gonflée. Les gestes de Gray étaient tendres et précis. Il la lava avec douceur puis Clémence entendit de nouveau l'eau couler dans l'évier.

— Ça va être froid maintenant, dit-il avant de poser le gant glacé entre ses jambes.

Il répéta l'opération plusieurs fois, calmant la douleur, puis passa à l'étape suivante.

Il commença par ses épaules. Ses doigts puissants s'enfoncèrent, pétrissant ses muscles. Elle se crispa tout d'abord mais bientôt se laissa aller sous les mains habiles qui chassaient la tension. Les paumes de Gray enduites d'huile chaude glissaient sur sa peau, la laissant luisante et parfumée. Un bien-être total l'envahit peu à peu et elle faillit ronronner de plaisir lorsqu'il passa à son dos.

Puis ce fut au tour des jambes. Il lui massa la plante des pieds, remonta sur les mollets puis, lui écartant les jambes, massa délicatement l'intérieur des cuisses avant de se concentrer sur les fesses. Clémence poussa un gémissement de plaisir.

Une douce chaleur l'envahissait, pas seulement due à l'huile chaude. Les mains de Gray avaient réveillé son désir et elle frémissait d'impatience à l'idée de lui appartenir.

La pièce était totalement obscure à présent, les ombres du crépuscule avaient laissé place à la nuit. Gray s'arrêta et alluma au-dessus de l'évier, les isolant dans une flaque de lumière. Puis il revint vers elle.

— Sur le dos, maintenant, fit-il en l'aidant à se retourner.

Il contempla d'un air malicieux les mamelons dressés puis ses grandes mains lui couvrirent les seins, faisant doucement pénétrer l'huile sur la peau irritée par ses baisers passionnés et ses joues râpeuses.

Il s'attarda sur les mamelons et ne cessa que lorsque ses gémissements de plaisir se transformèrent en supplications.

— Gray, fit-elle d'une voix voilée par le désir, en lui tendant les bras. S'il te plaît...

— Pas encore, murmura-t-il avec un regard brûlant.

Il la tira au bout de la table avec le drap.

— Qu'est-ce que...

Elle s'interrompit en se laissant retomber sur le dos tandis qu'il lui soulevait les jambes pour les poser sur ses épaules. Il ouvrit doucement les lèvres gonflées de son sexe, l'effleura de son souffle tiède, puis la caressa de sa langue. Clémence poussa un cri d'extase. Ce fut comme un éclair qui la transperçait délicieusement. Gray était si tendre, si attentif à son plaisir que l'orgasme fondit bientôt sur elle comme un ouragan.

Plus tard, il la porta dans la salle de bains. Enlacés, ils se prélassèrent sous le jet chaud de la douche.

— J'ai faim ! murmura-t-il au bout d'un moment.

Elle s'écarta à regret et le laissa fermer les robinets. Repoussant les cheveux mouillés de son visage, elle le regarda. Des gouttelettes d'eau étincelantes comme des diamants pendaient à ses cils. Ses yeux noirs lui sourirent et elle éprouva un pincement au cœur à la pensée qu'il allait bientôt lui falloir briser la magie de cette journée. Elle ne pourrait plus repousser encore très longtemps la conversation qu'ils devaient avoir à propos de Guy.

Elle décida d'attendre qu'ils aient dîné.

Lorsqu'ils eurent terminé les sandwiches qu'elle avait préparés, ils remontèrent dans la chambre et refirent le lit avec des draps propres. Gray s'y laissa tomber de tout son long avec un soupir de fatigue.

Son grand corps, bras et jambes écartés, prenait presque toute la place. Clémence se blottit contre lui, posa la joue sur son épaule et l'enlaça, le serrant fort comme pour le protéger.

— Gray ? murmura-t-elle. Il faut que je te dise quelque chose…

19

Après le coup de téléphone de Gray, Monica avait éclaté en sanglots. Jamais elle n'avait été aussi désespérée depuis le départ de son père.

Le cauchemar recommençait. Gray était avec Clémence Devlin. Son frère s'était laissé séduire par une traînée ! Il passait la nuit avec elle, sans se soucier du qu'en-dira-t-on et des commérages qui ne manqueraient pas d'arriver aux oreilles de leur mère. Leur père avait rejeté sa famille pour Renée Devlin et maintenant Gray suivait la même voie avec la fille. Il n'y avait que le sexe qui comptait pour eux. Ils se fichaient bien de la peine qu'ils faisaient aux autres !

La tête enfouie dans ses bras croisés, elle laissait ses larmes chaudes et salées maculer la surface du bureau ciré. Lorsqu'elle s'en aperçut, elle les essuya d'un revers de manche pour ne pas tacher la patine du plateau. Son geste lui arracha un sourire d'amertume. Quelle idiote elle était ! Toujours à se soucier de faire ce qu'il fallait, jamais ce dont elle avait envie. Dire qu'elle n'avait toujours pas osé dire à Gray que Michael l'avait demandée en mariage, encore moins avoué à sa mère qu'elle l'aimait. Alors qu'elle croyait avoir réussi à reprendre sa vie en main depuis sa tentative de suicide, voilà que tout s'écroulait. Et pendant ce temps-là, son frère se vautrait tranquillement et sans le moindre remords avec une Devlin ! Ses sanglots s'arrêtèrent soudain et un calme terrible se fit dans son esprit. Elle ouvrit un tiroir du bureau de Gray et contempla le revolver qui s'y trouvait.

Assez tergiversé ! La Devlin ne pourrait pas dire qu'elle ne l'avait pas prévenue ! Puisque les menaces n'avaient pas suffi, elle allait lui montrer... Tant pis pour cette salope ! Tant pis pour Gray ! Ça lui apprendrait !

D'un geste décidé, Monica saisit le revolver.

Cette fois-ci, Prescott allait être définitivement débarrassé des Devlin.

— De quoi s'agit-il ? demanda Gray.

Il étendit le bras pour éteindre la lampe puis serra Clémence contre lui.

— Tu as l'air si sérieuse...

— Je le suis, dit-elle en refoulant ses larmes. Je ne voulais pas t'en parler parce que je ne veux pas te faire souffrir... Mais d'abord il faut que je te dise que... que je t'aime. Je t'ai toujours aimé. Quand j'étais petite, je ne vivais que pour t'apercevoir, t'entendre. Rien n'a jamais altéré mon amour, pas même cette horrible nuit ni les années qui ont suivi.

Il la serra plus fort et voulut parler, mais elle lui posa la main sur les lèvres.

— Non, ne dis rien. Laisse-moi terminer.

S'il l'interrompait, elle n'était pas certaine d'avoir le courage de poursuivre.

— Gray... ton père n'est pas parti avec ma mère.

Elle le sentit se crisper et lui serra l'épaule.

— Je sais où se trouve maman et Guy n'est pas avec elle. Ils n'ont jamais pris la fuite ensemble. Ton père est mort, Gray. Il est mort depuis douze ans. Quelqu'un l'a tué cette nuit-là. Maman a vu l'assassin mais elle s'est enfuie de peur qu'on ne l'accuse, elle...

— Tais-toi ! ordonna Gray d'une voix coupante en la repoussant. Je ne sais pas qui ment, si c'est toi ou Renée, mais si mon père avait été tué cette nuit-là comme tu le prétends, il n'aurait pas pu m'écrire ! Or j'ai reçu une lettre de lui, postée de Baton Rouge, le lendemain de son départ.

— Une lettre ? s'écria Clémence abasourdie. De ton père ? Tu en es certain ?

— Bien sûr.

— C'était son écriture ?

— Elle était tapée à la machine, mais c'était sa signature !

Gray lui tourna le dos pour s'asseoir au bord du lit. Clémence le retint, s'agrippant à ses épaules.

— Que disait la lettre ? demanda-t-elle avec désespoir.

— Quelle importance !

Il voulut se dégager mais elle s'agrippa plus fort, refusant de lâcher prise.

— Je t'en prie, Gray ! supplia-t-elle en éclatant en sanglots. C'est très important.

Gray poussa un juron. Malgré toute sa colère, les larmes lui déchiraient le cœur et il lui fallut lutter pour ne pas la consoler. De mauvaise grâce, il expliqua :

— C'était une lettre me donnant les pleins pouvoirs, c'est tout. Il n'y avait aucune explication.

Il prit une profonde inspiration.

— Si je ne l'avais pas reçue, j'aurais peut-être essayé de le retrouver. Dedans, il n'y avait pas un mot d'excuse, rien d'affectueux. On aurait dit qu'il se bornait à régler un petit détail oublié avant de partir.

— Peut-être que ce n'est pas lui qui l'a écrite. Peut-être est-ce le meurtrier... Gray, je te promets que maman a vu le meurtre. On l'a tué. Guy et elle étaient à la villa du lac et quelqu'un est venu en voiture. Elle m'a dit que Guy et l'autre homme étaient allés au hangar à bateaux. Elle les a entendus se disputer...

Se dégageant de son étreinte, il se leva d'un bond, ralluma et la regarda en hochant la tête d'un air furieux...

— C'est donc pour cela que tu fouinais là-bas, fit-il d'un air incrédule. Et c'est aussi pour cette raison que tu posais toutes ces questions au sujet de mon père !

— Oui. Je savais que je ne trouverais sans doute rien à la villa, continua Clémence, mais j'ai fouillé le hangar au cas où la douille...

— Quoi ! Quand ?

— Hier matin.

— C'est fermé avec un cadenas, ne me dis pas que tu l'as forcé !

— J'ai nagé sous la porte.

Gray ferma les yeux, réprimant un frisson en songeant au péril qu'elle avait couru. Le filet sous le hangar, conçu pour éloigner les reptiles et autres animaux nuisibles, était déchiré depuis longtemps et n'avait pas été réparé, mais il était toujours en place. Elle aurait très bien pu se prendre dans les mailles et se noyer. Son inconscience le sidérait. Et tout ça parce qu'elle était persuadée — à tort, bien évidemment — que Guy avait été assassiné. Quelle absurdité !

— Je n'ai rien trouvé, acheva Clémence d'une petite voix. Mais de toute évidence, j'ai dû effrayer quelqu'un, sinon pourquoi aurais-je reçu des lettres de menaces ?

Gray eut l'impression de recevoir un direct à l'estomac. Il la regarda abasourdi puis se laissa retomber sur le lit.

— Mon Dieu ! murmura-t-il simplement.

— J'ai aussi engagé un détective privé, continua Clémence en se rapprochant de Gray.

Elle avait besoin de le sentir tout près d'elle. Cette fois-ci, il ouvrit les bras et la serra contre lui.

— Francis Pleasant. C'est lui que tu avais vu chez

moi. Il a cherché s'il trouvait des relevés de banque, des bordereaux d'assurance-maladie, des feuilles d'impôts. Rien, pas la moindre petite trace de Guy après son prétendu départ. Gray, réfléchis... il n'avait aucune raison de vous abandonner toi et Monica, et de renoncer à sa fortune. Il n'aimait pas ma mère à ce point, c'est ridicule ! Il n'avait aucune raison de disparaître, à moins d'être mort. C'était aussi l'avis de M. Pleasant, et la dernière fois que je l'ai vu, il se proposait d'aller enquêter en ville.

Un sanglot lui souleva la poitrine.

— Et il a disparu à son tour... J'ai peur que l'assassin de Guy ne l'ait tué aussi !

— Tais-toi, Clémence, je t'en prie.

Elle appuya le visage contre son torse et obéit. Malgré tout ce qu'elle lui avait dit, il la serrait toujours dans ses bras et elle se prit à espérer qu'il l'aimait encore.

— C'est Alex qui a envoyé la lettre, prononça soudain Gray, d'une voix très calme, presque détachée. J'aurais dû m'en douter. Il était le seul à savoir que papa ne m'avait pas laissé les pleins pouvoirs. Il savait aussi que sans ce document je ne pourrais rien faire si mon père ne revenait pas. Il n'a pas voulu courir de risque. Il était tellement bouleversé. Il m'a dit la même chose que toi. Papa n'avait aucune raison de s'enfuir avec Renée puisqu'il l'avait déjà à sa disposition, et puisque maman s'en moquait... Tu as raison, il doit être mort.

Des larmes jaillirent tout à coup de ses yeux.

— Eteins la lumière, s'il te plaît.

Clémence obéit, comprenant sa pudeur.

Il tremblait, le corps secoué de sanglots. Blottie contre lui, elle resta silencieuse, lui offrant le réconfort de son corps, de sa présence. S'ils n'avaient pas partagé une telle intimité aujourd'hui, Gray n'aurait sans doute jamais supporté qu'elle le voie aussi vulnérable. Mais ils étaient liés, indissolublement liés par le passé et les longues heures de plaisir intense qu'ils venaient de vivre.

Un détail la tourmentait cependant. Quelque chose que Gray avait mentionné, mais qui lui échappait. Tant pis, elle s'en souviendrait plus tard ; pour l'instant elle ne devait se préoccuper que de le consoler.

Il se calma peu à peu, mais ne desserra pas son étreinte. Elle repoussa tendrement les cheveux de son visage humide de larmes.

— Durant toutes ces années, murmura-t-il tristement, je lui en ai voulu, je l'ai maudit... il m'a tellement manqué et... pendant tout ce temps il était mort.

Elle hésita un moment. Allait-elle encore lui faire de la peine ?

— Il faudra faire draguer le lac.

Elle le sentit se raidir.

Il aurait fallu continuer à parler, décider d'un plan d'action, mais Gray était épuisé et la fatigue la terrassait elle aussi.

— Dors, murmura-t-elle en lui caressant la joue, nous en reparlerons demain.

Ils sombrèrent dans un sommeil fiévreux. Mais bientôt Clémence se réveilla. Une pensée la taraudait. La lettre... Alex... oui, c'était cela...

Le corps de Gray lui parut brûlant. Malgré tous les efforts du ventilateur, ils étaient tous deux couverts de transpiration. Pourquoi l'avocat avait-il fait un faux si rapidement, alors qu'il trouvait inconcevable que Guy abandonne famille et fortune pour Renée ? En toute logique il aurait dû attendre que Guy le contacte...

A moins de savoir que c'était impossible.

Alex ! Ce ne pouvait être que lui le meurtrier.

Elle ouvrit brusquement les paupières. Une étrange lueur rouge enveloppait la chambre. La chaleur était insoutenable, l'air irrespirable, son nez et ses yeux la piquaient.

— Gray ! cria-t-elle en le secouant. Réveille-toi, il y a le feu !

Monica gara la voiture au même endroit que les deux fois précédentes, dans un chemin qui menait à une prairie, invisible de la maison. Elle était vêtue de noir et portait des mocassins foncés pour se déplacer sans bruit. Cela avait été si facile de déposer, ni vu ni connu, les messages... Pour le colis, Clémence lui avait même simplifié la tâche en s'absentant. Heureusement, car elle avait dû le livrer en plein jour après le passage du facteur.

Elle sortit de la voiture, revolver à la main, et s'engagea sur la chaussée obscure. La route était peu passante et si par malchance une voiture approchait, elle l'entendrait et aurait le temps de se cacher dans le bas-côté. C'était l'accès le plus pratique et, au moins, elle était certaine de ne pas laisser d'empreintes.

A l'horizon, au-dessus des arbres, le ciel était nimbé d'une étrange lueur rouge. Soudain elle comprit. Le feu. La maison était en feu ! Gray ! Sa gorge se serra de terreur et elle se mit à courir à toutes jambes.

Gray roula du lit et entraîna Clémence dans sa chute. Près du sol, il était plus facile de respirer, bien que la fumée âcre y fût aussi épaisse. Il attrapa le peignoir de Clémence sur la chaise et le lui mit dans les mains.

— Mets-le et rampe dans le couloir, ordonna-t-il. Mets aussi des chaussures ! Je te suis.

Elle obéit tandis qu'il saisissait son pantalon et ses souliers et les enfilait rapidement. Une toux violente lui déchira les poumons.

Une fois dans le couloir, ils virent les flammes lécher la fenêtre de la salle de bains. Gray ne s'en préoccupa pas et fonça dans la pièce. Les canalisations n'avaient pas encore été touchées et il mouilla rapidement des serviettes.

— Protège-toi le nez avec ça! ordonna-t-il d'une voix éraillée par la toux.

Elle pressa la serviette sur sa bouche et son nez tandis qu'elle rampait à sa suite aussi vite qu'elle le pouvait. Le tissu mouillé la soulagea et elle respira un peu mieux.

Le feu semblait les encercler. Des flammes orange crépitaient tout autour d'eux. Une épaisse fumée emplissait la maison. Comment l'incendie avait-il pu se répandre aussi vite? Sa maison allait s'effondrer. La chaleur lui desséchait la peau et les étincelles la brûlaient comme des milliers de petits poignards acérés. Le plancher sous ses mains semblait respirer, vibrant d'une chaleur intense. Bientôt il se consumerait. S'ils ne parvenaient pas à sortir rapidement, ils mourraient carbonisés.

Gray attrapa Clémence par le col pour la tirer et l'obliger à accélérer. Dans une minute, il serait trop tard s'ils n'avaient pas atteint la porte. La fumée noire était comme un mur qui les étouffait peu à peu.

— La porte! hurla-t-il. Vite! Elle ne brûle pas encore!

La maison était petite et pourtant la porte d'entrée lui semblait loin, très loin. Ses poumons la brûlaient et elle devait faire des efforts désespérés pour respirer. Le feu dévorait l'oxygène aussi sûrement que le plancher. Sa vue se troublait, elle n'en pouvait plus. Gray la tirait sans faiblir et le parquet lui déchirait les genoux; seule la douleur l'empêchait de sombrer dans la torpeur et elle se força à continuer. Il ne fallait pas faiblir. « Ne t'arrête pas, se répétait-elle comme une litanie. Si tu flanches, tu ralentiras Gray. » La terreur de le perdre lui fit redoubler ses efforts.

Soudain il se redressa en titubant et la saisit par la taille en la tenant serrée contre lui.

— Prépare-toi, on y va !

Il se servit de la serviette pour couvrir la poignée brûlante et ouvrit brusquement la porte.

Il recula brutalement comme les flammes s'engouffraient dans un souffle terrible. Il saisit Clémence sous son bras comme un vulgaire ballon de rugby et passa en courant la barrière de feu.

Emporté par son élan, il traversa la galerie et plongea dans l'obscurité. Il fit un rétablissement, essayant de protéger Clémence dans leur chute. Il n'y parvint qu'à moitié et ils atterrirent brutalement dans l'herbe. Ils étaient encore beaucoup trop près de la maison. Il fallait s'éloigner. Il se pencha pour la prendre dans ses bras.

— Vite, ma chérie !

— Ne bougez pas ! Gray ? Que fais-tu ici ?

Gray se redressa lentement et se mit devant Clémence pour la protéger. Ils étaient pris entre deux dangers, le feu derrière eux et le fusil dans les mains de l'homme qu'il considérait comme son oncle adoptif, son ami de toujours et conseiller.

Alex le regardait, les yeux écarquillés par la panique. Il hochait la tête d'un air incrédule.

— Je pensais qu'elle était seule ! Je te le jure, Gray ! Je ne voulais pas te mettre en danger !

La chaleur des flammes léchait la nuque de Gray. Il avait l'impression de sentir les cloques se former sur sa peau. Il avança sans quitter Alex des yeux, voulant éloigner Clémence de la fournaise. Une violente quinte de toux l'obligea à s'arrêter. Clémence toussait elle aussi. De son bras, il la maintint fermement derrière lui pour l'empêcher de s'éloigner de la protection qu'il lui offrait. Il reprit son souffle et s'essuya les yeux d'une main noire de fumée.

— C'est donc toi qui as envoyé les lettres anonymes, fit-il d'une voix rauque, presque méconnaissable. Et le chat aussi...

— Non, protesta Alex avec indignation. Je n'aurais jamais fait une chose pareille !

— Mais tu n'hésites pas à incendier une maison et à tuer une innocente !

— J'espérais qu'elle allait partir, répondit-il avec calme. Mais rien n'y a fait, pas même les lettres anonymes. Je ne savais pas quoi faire. Je ne pouvais pas la laisser remuer le passé, Noëlle en aurait été bouleversée. C'est pour elle que j'ai tout fait... Tu sais à quel point je l'aime.

Gray jeta un éclat de rire sinistre.

— Au point de tuer mon père pour l'avoir à toi seul ?

Gray était fou de rage. Ses mains tremblaient dans son effort à se maîtriser. Il savait qu'il ne se trompait pas. Alex avait tué son père et voulait maintenant tuer la femme qu'il aimait ! Il mourait d'envie de se jeter sur lui et de l'étrangler. Mais c'était trop risqué : s'il échouait, Clémence était morte.

Ils étaient encore beaucoup trop proches de la maison en flammes. Au-delà du cercle de lumière rougeoyante qui les enveloppait, le monde semblait englouti par les ténèbres.

— Je ne voulais pas le tuer ! s'écria Alex. C'est lui qui m'y a forcé ! Il allait demander le divorce ! Noëlle n'aurait jamais supporté une pareille humiliation. J'ai essayé de le raisonner mais il ne voulait rien entendre. Il préférait une putain à ta mère ! Il était fou, complètement fou !

Soudain Clémence se dégagea.

— Vous l'avez tué ! jeta-t-elle en s'avançant vers Alex, et vous avez menacé ma mère de l'accuser du meurtre si elle parlait. Entre elle et vous, il était facile de voir qui Prescott choisirait !

— Sale petite punaise !

L'avocat regarda Clémence avec tant de haine que

Gray la ramena de force derrière lui et la tint fermement pour qu'elle reste à couvert. Lui ne craignait rien. Alex ne le tuerait jamais.

— Tout est sa faute ! Au début, ça m'était égal qu'elle soit revenue à Prescott, mais il a fallu qu'elle pose des questions, qu'elle fourre son nez partout. Et elle a embauché ce détective privé...

— Vous l'avez tué aussi, n'est-ce pas ? s'écria Clémence, pleine de rage.

— J'y ai été contraint ! Il devenait trop curieux... ce minable a osé me demander si Noëlle, ma Noëlle, avait eu des aventures...

— Et vous avez jeté son corps dans le lac, comme celui de Guy ? jeta Clémence, tremblant de tous ses membres.

Ce n'était pas de peur qu'elle tremblait, réalisa Gray, mais de colère. La même qu'il sentait courir sous sa peau. Il eut soudain la vision effrayante de Clémence se précipitant sur Alex et abattue à bout portant. Il lui serra le bras à lui faire mal et la repoussa de nouveau derrière lui, mais Clémence, enragée, se débattait avec l'énergie du désespoir.

— Laisse-la partir ! cria Alex. Elle n'en vaut pas le coup. Je vais m'occuper d'elle et tout pourra recommencer comme avant. Ce n'est qu'une Devlin, tout le monde sera content d'en être débarrassé. Guy était mon meilleur ami, Gray ! Je l'aimais ! C'était un accident...

— Si c'est le cas, tu aurais pu te dénoncer, répliqua Gray d'un ton qu'il espérait calme.

Si Clémence consentait à se tenir tranquille, il parviendrait à s'approcher suffisamment d'Alex pour lui faire lâcher son fusil... Il était beaucoup plus fort que lui, il pourrait facilement en venir à bout.

— Puisque ce n'était pas ta faute, tu ne craignais rien...

— Je ne pouvais pas... Noëlle ne m'aurait jamais pardonné, elle ne m'aurait plus adressé la parole.

Levant le fusil, Alex se prépara à viser.

Il allait tirer ! D'un geste brusque Gray poussa Clémence sur le côté et fonça sur Alex. Il vit le canon suivre Clémence et plongea. Le coup sec déchira la nuit. La cartouche, en s'éjectant, lui brûla la joue mais il réussit à saisir le fusil en levant le canon vers le ciel tandis qu'il s'effondrait à terre avec Alex. Le choc lui fit lâcher prise. En un éclair, Alex roula, se remit sur pieds et réarma le fusil. Gray se releva à son tour. Il n'osait pas regarder en direction de Clémence... la peur de la perdre lui nouait le ventre. Terreur et colère gonflaient sa poitrine. Il s'avança lentement vers Alex.

— Non, fit celui-ci en reculant de quelques pas, ne m'oblige pas à te tuer, Gray !

— Ordure ! hurla soudain une voix dans la nuit.

Aveuglé par les hautes flammes et la fumée, Gray fut tout d'abord incapable de distinguer la silhouette qui s'avançait. Puis il reconnut Monica, vêtue de noir des pieds à la tête. Elle était livide, un éclat meurtrier brillait dans son regard.

— Ordure ! cria-t-elle de nouveau en se précipitant sur Alex comme une furie, revolver à la main. Pendant toutes ces années, tu t'es servi de moi alors que tu avais tué mon père !

Alex, surpris par la soudaine apparition de Monica, se tourna brusquement vers elle en relevant son fusil. Gray bondit dans un hurlement, mais trop tard ! Il entendit un coup de feu...

20

— L'ordure! répétait Monica comme une litanie.

Effondrée à l'arrière de la voiture de police, elle était visiblement en état de choc et la couverture que le shérif lui avait posée sur les épaules ne l'empêchait pas de trembler de tous ses membres malgré la chaleur de la nuit et de l'incendie.

Assise auprès d'elle, Clémence lui jeta un coup d'œil de pitié puis regarda par la portière ouverte les ruines noircies. Tout s'était passé si vite... Sa maison était totalement détruite. Avant d'y mettre le feu Alex avait aspergé d'essence tout le pourtour, espérant que Clémence brûle vive à l'intérieur. Et à supposer qu'elle en ait réchappé, elle se serait fait tirer comme un lapin en fuyant les flammes. Sans la présence de Gray et sans le miracle qui lui avait fait dissimuler sa Jaguar sous la treille, elle serait morte à l'heure qu'il est.

Sa voiture, garée près de la maison, n'était plus qu'une épave. Un pan de mur s'était écroulé dessus et le véhicule avait totalement brûlé. La Jaguar de Gray avait pu être écartée à temps et était à l'abri sur le bas-côté de la route. Derrière le rideau de fumée, l'appentis était encore intact. Elle pourrait toujours camper dedans en attendant mieux, songea-t-elle avec amertume.

Une horde avait envahi son petit jardin. Le shérif

et ses adjoints, les pompiers, les médecins, le coroner et une bonne vingtaine de curieux. Comme des insectes irrésistiblement attirés par la lumière, les badauds en quête d'émotion avaient suivi les gyrophares. Ils n'avaient donc rien de mieux à faire ?

Un peu à l'écart de la foule, la haute silhouette de Gray se découpait sur les ruines fumantes. Il parlait avec le shérif McFane à quelques mètres du corps d'Alex qu'on avait recouvert d'une couverture. Son torse nu était noir de suie. Une quinte de toux le secoua.

Elle aussi avait la gorge en feu. A chaque accès de toux, sa poitrine se déchirait, comme si ses poumons voulaient expulser tout reste de fumée. Ses bras, ses mains, son dos et ses jambes étaient couverts de brûlures. Dieu merci, elle était vivante !

— Je suis désolée, dit soudain Monica, le regard fixe, c'est moi qui ai envoyé les lettres anonymes... je voulais vous faire peur pour que vous partiez... Je n'aurais jamais dû...

Abasourdie, Clémence se laissa retomber sur le dossier mais écarta aussitôt son dos douloureux du siège. Elle aurait voulu pouvoir dire à Monica que ce n'était pas grave et qu'elle lui pardonnait mais c'était au-dessus de ses forces. Plus tard, peut-être. De toute façon, ce n'était pas à elle de l'absoudre et elle resta silencieuse.

Dehors, elle vit un médecin s'approcher de Gray, un masque à oxygène à la main. Gray le repoussa d'un geste exaspéré et lui désigna Clémence du doigt.

— Je vais tout avouer à Michael et à Gray, continua Monica sur le même ton monocorde. Je veux qu'ils sachent que c'est moi qui ai envoyé les lettres et le chat. Je serai sans doute acquittée pour avoir tiré sur Alex mais ce ne serait pas juste que je ne sois pas punie pour le mal que je vous ai fait.

Clémence n'eut pas le temps de répondre car le

médecin venait d'arriver avec son équipement. Solidement carré dans l'ouverture de la portière, il lui examina les pupilles avec une petite lampe-stylo qui l'éblouit, vérifia son pouls, examina rapidement ses brûlures et voulut lui mettre le masque à oxygène. Secouant la tête, Clémence se renfonça sur la banquette et désigna Gray du menton.

— Dites-lui que je mettrai un masque s'il en met un aussi !

Le médecin la regarda étonné, puis il eut un petit sourire.

— Très bien, madame !

D'un pas désinvolte il s'en alla retrouver Gray.

Clémence l'observa lui transmettre son message. Gray se tourna aussitôt vers elle puis attrapa à contrecœur le masque qu'on lui présentait et l'enfila sans la quitter des yeux tandis qu'une violente quinte de toux le secouait de nouveau.

Quand le médecin revint vers elle, elle accepta cette fois le masque qu'il lui tendit et écouta distraitement ses explications d'où il ressortait que ses fonctions respiratoires n'étaient pas atteintes et que ses brûlures étaient pour la plupart bénignes excepté celles de son dos qui nécessitaient une brève hospitalisation à la clinique du Dr Bogarde. Gray était sensiblement dans le même état. Ils avaient tous deux eu beaucoup de chance. Mis à part que Gray avait perdu un ami de toujours et qu'elle avait perdu toutes ses affaires, hormis le peignoir qu'elle avait sur le dos et ses chaussures. La maison et la voiture étaient assurées mais cela prendrait du temps pour tout remplacer.

Son esprit fatigué commença machinalement à établir la liste des corvées qui l'attendaient : remplacer ses cartes de crédit, ses chéquiers, acheter des vêtements, une voiture, trouver un endroit où habiter, se faire réexpédier son courrier…

Elle était tellement épuisée que tout cela lui

parut insurmontable. Heureusement que rien n'était irremplaçable, à part les quelques photos qu'elle avait de Kyle. Maintenant qu'elles étaient détruites, elle n'avait plus aucun souvenir personnel.

La vue des ambulanciers soulevant le corps d'Alex la tira de ses pensées et, instinctivement, elle se tourna vers Monica. Le regard vague, la sœur de Gray suivit la civière des yeux jusqu'à ce que les portes de l'ambulance à destination de la morgue se referment.

— Je ne regrette pas d'avoir tiré, prononça lentement Monica. Il a tué papa et il m'aurait tuée aussi. Pendant sept ans, je l'ai laissé abuser de moi parce qu'il était le dernier lien qui me rattachait à mon père. Et c'était lui qui...

Un frisson la secoua.

— Comment vais-je dire ça à Michael ? murmura-t-elle, tout à coup.

— Michael ? demanda Clémence, un peu interloquée.

Monica la regarda d'un air surpris.

— Le shérif. Michael McFane. Il m'a demandé de l'épouser.

Clémence soupira. Elle s'était demandé un instant si Monica ne commençait pas à dérailler.

— Ne lui dites rien, conseilla-t-elle en lui posant la main sur le bras. A quoi bon ? Cela ne ferait qu'une victime de plus à l'actif d'Alex et n'atténuerait en rien votre souffrance. Oubliez si vous le pouvez et repartez de zéro.

Monica resta muette mais Clémence espéra qu'elle suivrait son conseil. Elle-même avait subi suffisamment d'épreuves pour savoir qu'il est toujours possible de recommencer sa vie. A condition de le vouloir...

Finalement on les conduisit, Gray et elle, à la clinique du Dr Bogarde, dans deux boxes de consultation différents. A travers la cloison fine comme du papier à cigarette, Clémence entendit le Dr Bogarde examiner Gray en premier. Au bout d'un court moment le médecin vint l'ausculter à son tour. Il nettoya et pansa ses blessures.

— Où allez-vous passer la nuit? demanda-t-il aimablement.

Clémence haussa les épaules avec un sourire triste.

— Vous pouvez rester ici, si vous voulez, reprit le médecin. Vous êtes épuisée, on peut vous installer un lit d'appoint et je peux même vous prêter une chemise de nuit, ne le répétez pas, je l'ai «empruntée» à l'hôpital de Baton Rouge.

Il la regarda d'un air malicieux.

— Quelques heures de sommeil et vous vous porterez comme un charme. Mes infirmières arrivent à huit heures et demie. Un dernier examen et vous pourrez ensuite prévenir votre assurance, vous acheter des vêtements et régler vos affaires. Je vous assure que tout ira mieux après avoir dormi.

— Merci, répondit-elle, soulagée du répit qu'il lui offrait.

Elle se sentait incapable pour le moment de résoudre le moindre problème. Demain matin, elle demanderait à Margot de lui envoyer de l'argent et y verrait sans doute plus clair.

Le Dr Bogarde sortit et quelques minutes plus tard Gray vint la rejoindre. Son torse et son visage étaient toujours maculés de fumée mais çà et là sa peau avait été badigeonnée de jaune. Clémence lui trouva l'air d'un zèbre et sourit. Elle devait avoir la même allure, mais pour rien au monde elle n'aurait voulu vérifier dans un miroir.

Un sourire éclairait le visage de Gray, pourtant tiré par la fatigue.

— Le Dr Bogarde m'a dit que tu allais bien mais je voulais m'en assurer.

— Oui, je suis épuisée, c'est tout.

Gray hocha la tête et s'approcha pour l'enlacer. A présent qu'il la savait hors de danger, il s'aperçut à quel point l'inquiétude l'avait dévoré ces deux dernières heures. Il enfouit le visage dans son cou, goûtant le bonheur de l'avoir près de lui et le réconfort de sa chaleur de femme. Encore sous le choc des événements de la nuit, il se sentait à la fois abattu par la stupeur et terrassé par un immense chagrin. Peu importait que le meurtre de son père se soit déroulé douze ans auparavant ; il venait d'apprendre la nouvelle et c'était comme si Guy venait juste de mourir. Clémence elle aussi avait failli mourir...

— Viens chez moi, dit-il en pressant ses lèvres contre sa tempe.

Elle s'écarta brusquement et le regarda, stupéfaite.

— C'est impossible !

— Pourquoi donc ?

— As-tu oublié que ta mère ne me portait pas vraiment dans son cœur ?

— Laisse-moi m'occuper d'elle, répondit Gray. Elle n'appréciera certainement pas, mais...

— C'est le moins qu'on puisse dire ! Ecoute, je ne crois pas que lui imposer ma présence en un pareil moment soit une très bonne idée. Elle sera bien trop choquée lorsqu'elle apprendra ce qui s'est passé cette nuit. Et je ne me sens pas de taille à affronter une autre scène ce soir. Le Dr Bogarde m'a proposé de dormir ici et j'ai accepté.

— Pas question, grommela Gray. Puisque tu ne veux pas venir chez moi, je t'emmène au motel.

— Je n'ai pas d'argent ni de carte de crédit.

Il la prit par les épaules et la contempla, les yeux assombris par la colère.

— Bon Dieu, Clémence ! Tu ne crois tout de même pas que je vais te faire payer la chambre !

— Je suis navrée, dit-elle, d'un air confus. J'ai toujours l'habitude de payer, je n'ai pas réfléchi...

Il soupira et lui effleura tendrement la joue. Sa colère s'était évanouie. Les plus belles fleurs poussent souvent dans des endroits surprenants ; les Devlin avaient accouché d'un miracle : Clémence ; elle était aussi fière et délicate qu'eux étaient vulgaires et corrompus.

— Viens, dit-il en l'aidant à descendre de la table d'examen. Allons prévenir Bogarde que je t'emmène.

Dix minutes plus tard, il se garait devant la porte du motel et sortait de la Jaguar pour ouvrir la portière de Clémence. Sans se préoccuper de son apparence, il alla à l'accueil prendre une clé puis revint l'accompagner à la chambre n° 11. Il ouvrit la porte, alluma la lumière et s'écarta pour la laisser entrer. Clémence, épuisée, regarda avec envie le grand lit. Elle ne rêvait que de s'allonger et de dormir, mais impossible de se coucher dans des draps propres tant qu'elle ne se serait pas débarrassée de sa couche de suie.

Gray entra derrière elle, referma la porte puis la prit dans ses bras. Elle posa la tête contre son épaule et ferma les yeux. Il était tellement fort et plein de vie ! Dire que ce soir la mort avait failli les séparer...

— Demain, nous commencerons les recherches dans le lac, dit-il brusquement.

Trop épuisée pour le suivre sur ce terrain, Clémence se contenta de se frotter la joue contre son torse, en une caresse apaisante.

— Je vais avoir beaucoup à faire, continua Gray, et je risque d'être très pris...

— Je comprends, répondit-elle, machinalement. Moi aussi, j'ai des tonnes de choses à régler.

Elle aurait voulu pouvoir l'aider dans l'épreuve qui l'attendait, mais elle savait que lorsque la police effectuerait les recherches dans le lac, personne, excepté Gray, ne serait autorisé à approcher du périmètre surveillé.

Il lui prit le menton et plongea ses yeux noirs dans les siens.

— Nous parlerons de l'avenir une fois que tout ceci sera fini.

Clémence acquiesça et poussa un léger soupir quand il l'embrassa. Ses lèvres étaient chaudes et fermes.

— Appelle-moi si tu as besoin de quoi que ce soit, souffla-t-il en s'écartant.

— Promis.

Il l'embrassa de nouveau et elle lui caressa tendrement les cheveux, consciente de la difficulté qu'il avait à la quitter.

— Si seulement je pouvais envoyer quelqu'un d'autre à ma place, dit-il en appuyant son front contre le sien. Il y a douze ans, j'ai dû annoncer à ma mère que père l'avait quittée, maintenant je dois lui dire qu'il a été assassiné. Et le pire, c'est que je sais que cela l'attristera à peine. Un mari mort, c'est tout de même plus respectable qu'un mari infidèle, ajouta-t-il avec amertume.

— Tu n'as pas à te sentir responsable, répondit Clémence en effleurant du pouce sa lèvre inférieure. Toi et Monica vous aimiez votre père, c'est cela qui compte.

— Oh Monica! coupa Gray avec un soupir de colère. Dire que c'était elle l'auteur des lettres anonymes et du colis... Si tu avais vu l'expression de Michael quand elle nous l'a avoué. Sa petite plaisanterie risque de lui coûter cher!

— Laisse les choses se calmer. Ta sœur et ta mère ont déjà beaucoup souffert. C'est ta famille. Alors ne fais rien que tu puisses regretter plus tard...

Soudain, elle ne put réprimer un énorme bâillement et laissa tomber son front contre l'épaule de Gray.

— Ce sera mon dernier conseil pour ce soir, dit-elle en bâillant de nouveau.

Il déposa un baiser sur ses cheveux encore imprégnés de l'odeur de fumée et se dépêcha de s'écarter, sachant bien que s'il ne partait pas vite, ils s'effondreraient tous deux sur le grand lit.

— N'oublie pas, téléphone-moi si tu as besoin de quoi que ce soit.

Les jours suivants, Clémence constata avec un grand plaisir qu'elle avait au moins une amie à Prescott. Halley Johnson avait-elle appris par la rumeur publique qu'elle était à l'hôtel et était-elle venue d'elle-même proposer son aide, ou bien Gray lui avait-il demandé de venir la trouver ? En tout cas, le matin suivant à dix heures, Halley frappait à sa porte.

Clémence avait déjà appelé Margot pour qu'elle lui fasse parvenir des fonds. Ne restait plus qu'à trouver le moyen d'aller les chercher à la banque dans une tenue décente ! Ensuite elle s'en irait faire des achats. Elle craignait un peu que les commerçants de Prescott ne continuent à appliquer leur politique d'ostracisme. La situation avec Gray avait beau avoir radicalement changé, personne n'était encore au courant.

— Chaque chose en son temps ! s'exclama Halley lorsque Clémence lui annonça qu'elle devait aller à la banque. Comment te sens-tu ? ajouta-t-elle tandis qu'elles se rendaient à sa voiture.

— Ma foi, je me suis déjà sentie mieux, avoua Clémence.

Les brûlures ne la faisaient pas trop souffrir mais elle avait l'impression de s'être fait renverser par un quinze tonnes, sans doute les conséquences de ses deux chutes.

— Alors je t'emmène d'abord chez moi, dit Halley. N'hésite pas à utiliser mon maquillage et à te pomponner. Pendant ce temps-là, si tu me donnes tes mesures, j'en profiterai pour aller t'acheter des vêtements. Rien d'extraordinaire, ne t'inquiète pas! Des sous-vêtements, un pantalon, un chemisier. Tu me rembourseras plus tard.

Clémence accepta avec reconnaissance.

— Merci, répondit-elle avec un sourire. Toi, au moins, on acceptera de te servir dans les magasins... Evite quand même de dire que c'est pour moi.

— J'aimerais bien voir ça! répliqua Halley. S'ils font la moindre difficulté, j'appelle Gray. Et puis maintenant tout Prescott est au courant que Guy Bouvier n'était pas parti avec ta mère et que tu as découvert qu'il s'était fait assassiner. On sait que si tu es revenue à Prescott, c'est uniquement pour démasquer son meurtrier. Tu es une vedette, à présent! Mais je t'avoue que tout le monde a eu un choc quand on a appris pour Alex Chelette. Quelle horreur! Dire qu'il a assassiné son meilleur ami et, pendant toutes ces années, il a fait comme si de rien n'était! C'est vrai qu'il a voulu te tuer et que c'est Monica qui l'en a empêché?

— En quelque sorte, oui.

Clémence ignorait la version officielle des événements et préférait ne pas s'appesantir. Seuls Gray, Monica et elle-même étaient au courant de ce qui s'était passé entre Alex et Monica durant sept ans.

Halley la conduisit donc chez elle et pendant qu'elle allait faire des courses, Clémence prit une longue douche et se lava les cheveux avec un shampooing à la vanille jusqu'à ce que l'odeur de fumée disparaisse totalement. Obéissant aux consignes de son amie, elle s'enduisit de lotion des pieds à la tête et se sentit nettement plus en forme une fois qu'elle se fut séché les cheveux et maquillée légèrement. Elle sortait à peine de la salle de bains quand Halley réapparut les bras chargés de paquets.

Les vêtements qu'elle lui avait achetés étaient simples mais de bon goût: soutien-gorge et culotte en coton, pantalon et tunique assortie en lin. C'était divin d'être enfin habillée et propre. Sans compter que l'ensemble en lin qu'elle lui avait choisi lui allait à ravir.

Halley resta avec elle presque toute la journée pour l'accompagner dans ses corvées. Elles se rendirent d'abord à la banque et dès qu'elle eut retiré de l'argent, Clémence insista pour rembourser aussitôt son amie. Ensuite, elles allèrent voir l'assureur. Heureusement la maison et la voiture étaient assurées par la même compagnie. Ça facilitait les choses. Clémence s'amusa de l'accueil presque déférent qu'elle reçut partout. La frontière entre l'opprobre général et la notoriété était étroite et en quelques heures elle venait de la franchir avec succès. Halley n'avait pas menti. Désormais, elle était une célébrité à Prescott.

Plus la matinée avançait, plus elle appréciait son nouveau statut. Comme elle n'avait plus aucune pièce d'identité, son assureur lui proposa de se porter lui-même garant afin d'obtenir le remplacement de ses cartes de crédit en un délai record. Il s'occupa aussi de lui louer une voiture dont elle pourrait disposer l'après-midi même.

Ensuite elles allèrent dans un grand magasin à la sortie de la ville. Même en se limitant au strict nécessaire, Clémence en ressortit avec deux caddies pleins à craquer : sous-vêtements, objets de toilette, valise, fer à repasser de voyage et Dieu sait quoi d'autre encore. Ensuite, elles écumèrent les quelques boutiques de Prescott pour trouver des vêtements et des chaussures. Halley était tellement enthousiaste que Clémence prit goût à leur expédition. L'expérience était totalement nouvelle pour elle. Jamais elle n'avait partagé avec une amie le plaisir de courir les magasins. Un plaisir exténuant. A la fin de la journée, lorsque Halley la raccompagna au motel, Clémence était complètement lessivée.

Gray l'appela le soir même. Il paraissait épuisé lui aussi.

— Comment vas-tu, ma chérie? Tu as réussi à faire tout ce que tu voulais?

— Oui. Tout va bien. L'assurance s'occupe de mes cartes de crédit et m'a loué une voiture. Halley m'a emmenée faire des courses et j'ai enfin de quoi m'habiller.

— Dommage!

Elle préféra ignorer la remarque mais ne put s'empêcher de sourire.

— Et toi? Comment s'est passée ta journée?

— Disons que j'en ai passé des meilleures...

Clémence hésita un instant, redoutant de poser la question qui s'imposait, puis se risqua tout de même à demander:

— Vous avez trouvé quelque chose?

— Non, pas encore, répondit-il d'une voix tendue.

— Comment va Monica?

Gray soupira.

— Je ne sais pas. Elle est restée prostrée toute la journée. C'est à elle et à Mike de résoudre leurs problèmes maintenant. Je ne peux plus m'en mêler. Quant à ma mère, mieux vaut ne pas en parler.

— Prends soin de toi, Gray, dit-elle tendrement.

— Toi aussi, ma chérie.

Dès qu'ils eurent raccroché, Clémence appela Renée. Elle s'en voulut de ne pas avoir songé plus tôt à la rassurer. Ce fut sa grand-mère qui décrocha. Lorsque Clémence demanda à parler à Renée, sa grand-mère répondit d'une voix énervée:

— Elle s'est envolée sans rien me dire! Quand je me suis réveillée avant-hier matin, elle n'était plus là et ses affaires non plus.

Le cœur de Clémence se serra. Renée avait dû paniquer après lui avoir avoué ce qui s'était passé à la villa du lac; maintenant elle se cachait de nouveau sans savoir qu'elle ne risquait plus rien.

— Si elle t'appelle, dis-lui que l'homme qui a tué Guy Bouvier est mort. C'est très important. Surtout dis-lui qu'elle n'a plus rien à craindre.

Sa grand-mère resta silencieuse un instant.

— C'est donc pour ça qu'elle avait tout le temps peur! Peut-être qu'elle va me téléphoner. Elle a laissé quelques vêtements ici, il faudra bien qu'elle vienne les prendre. Je lui transmettrai le message si j'ai de ses nouvelles.

La voiture de Francis Pleasant fut sortie du lac l'après-midi suivant. Pleasant était à l'intérieur.

Sans doute à la demande de Gray, un officier de police vint au motel pour avertir Clémence. Le jeune homme, poli mais visiblement mal à l'aise, ne cessait de tourner son Stetson dans ses mains d'un geste nerveux tout en parlant. Il ne put lui dire comment était mort le détective mais l'informa que le corps allait être envoyé pour autopsie à la morgue. Dans la même pièce que son assassin! Clémence se mordit violemment les lèvres pour ne pas protester, sachant bien que c'était inutile.

Après le départ du policier, elle s'assit sur le lit et pleura longuement. Puis elle appela l'inspecteur Ambrose. Le pauvre M. Pleasant n'avait plus de proches parents et l'inspecteur promit de rechercher s'il avait pris des dispositions pour son enterrement ou laissé un testament.

La Cadillac de Guy Bouvier fut découverte le matin suivant, non loin de l'endroit où l'on avait repêché la voiture de Francis Pleasant. Un grand squelette sur la banquette arrière. Voilà tout ce qui restait du père de Gray. La méthode d'Alex pour se débarrasser des cadavres avait été la même dans les deux cas : une fois le corps à l'intérieur du véhicule, il avait posé une pierre sur l'accélérateur et mit en prise. C'était le shérif McFane qui avait pensé à chercher les voitures. Il n'y avait que trois endroits du lac suffisamment profonds pour engloutir un véhicule, et que l'on pouvait atteindre depuis la terre ferme. A partir de là, il n'avait pas fallu longtemps à la police pour retrouver les voitures.

Clémence n'eut pas l'occasion de parler à Gray au cours des jours suivants mais les nouvelles allaient vite. Elle sut qu'il usait de son influence pour récupérer la dépouille de Guy le plus rapidement possible afin de lui donner une sépulture. Noëlle Bouvier, tout de noir vêtue, refit son apparition dans les rues de Prescott en veuve éplorée. La remarque cynique de Gray s'avérait exacte : il était beaucoup moins humiliant d'être veuve qu'abandonnée. Maintenant que tout le monde savait que son mari ne l'avait pas quittée pour Renée Devlin, elle n'avait plus aucune honte à se montrer.

L'enterrement eut lieu quatre jours après la découverte du corps de Guy.

Les gens jaseraient, mais tant pis ! Clémence tenait à y assister. Elle s'acheta une robe noire et se rendit à la cérémonie en compagnie de Halley et de sa famille.

Gray ne la vit pas à l'église, mais au cimetière leurs regards se croisèrent. Il se tenait devant la tombe, un bras autour des épaules de sa sœur. Le shérif McFane était près d'elle aussi. Ils n'avaient donc pas rompu. Noëlle était entourée de tous ses vieux amis, ceux précisément qu'elle avait refusé de voir durant douze ans. Clémence était à une dizaine de mètres de là, séparée de Gray par une foule de gens venus assister aux obsèques, par respect et beaucoup par curiosité.

Gray avait l'air fatigué mais calme. Ses épais cheveux noirs étaient retenus comme d'habitude par un catogan et il portait un costume croisé italien très sobre. Des gouttes de sueur brillaient sur son front.

Elle ne s'approcha pas et il ne lui fit pas non plus

signe de le rejoindre. Les sentiments qui les unissaient leur appartenaient et n'avaient pas à être exhibés. Elle n'était pas venue à l'enterrement en quête d'une reconnaissance publique de leur amour mais simplement pour lui montrer qu'elle l'aimait.

Lorsque la cérémonie fut terminée, Clémence quitta le cimetière et aperçut Yolanda Foster qui se recueillait devant la tombe de Guy. Ses yeux étaient secs mais rouges d'avoir trop pleuré; une immense détresse se lisait sur son visage. Puis elle soupira, se redressa et s'éloigna. Soudain Clémence comprit.

Mais bien sûr! Cela lui avait toujours paru incompréhensible que Guy ait voulu tout abandonner pour Renée alors qu'elle était sa maîtresse depuis des années. D'après Alex, Guy s'apprêtait à demander le divorce, mais, contrairement à ce que l'avocat avait pensé alors, ce n'était pas Renée qu'il voulait épouser, mais Yolanda. Pour préserver sa réputation, il n'avait sans doute pas mentionné son nom devant Alex, le laissant croire ce qu'il voulait. Pauvre Guy et pauvre Yolanda!

Ils avaient eu l'intention de refaire leur vie ensemble et Alex avait brutalement mis fin à leurs rêves. A présent au moins, Yolanda savait que son amant ne l'avait ni abandonnée ni trahie. Peut-être était-ce mieux ainsi. Ou peut-être pas.

Les derniers petits fours engloutis, les visiteurs partirent enfin. Il était tard et Gray, resté seul avec sa mère et Monica, sirotait un whisky. Clémence lui manquait. Il voulait être auprès d'elle. Il aimait tout en elle: lui faire l'amour, l'écouter, lui parler... Il la voulait tout entière, rien qu'à lui. Il se souvint que son cœur avait failli se briser de bonheur lorsqu'elle lui avait révélé son amour. Jamais il n'avait éprouvé une telle émotion. Et lui, idiot qu'il était, ne lui avait même pas encore dit qu'il l'aimait. Mais c'était un oubli qu'il se promettait de rectifier dès qu'il la verrait.

— Je vais me marier, annonça-t-il soudain d'une voix calme.

Deux paires d'yeux écarquillés se tournèrent vers lui. Le regard d'abord consterné de Monica se résigna puis ses lèvres s'étirèrent en un petit sourire crispé. Sa mère, elle, prit assez bien la chose. Noëlle semblait n'avoir jamais été aussi en forme que depuis qu'elle avait enterré son mari.

— Vraiment ? murmura-t-elle. Je suis navrée, je ne me suis pas tenue informée de ta vie privée. Quelqu'un de La Nouvelle-Orléans ?

— Non, Clémence Devlin.

Sans un battement de cils, Noëlle reposa son verre de vin sur le guéridon.

— C'est une plaisanterie de très mauvais goût, Grayson.

— Je ne plaisante pas, mère. Nous allons nous marier aussi vite que possible.

— Je te l'interdis !

— J'ai depuis longtemps passé l'âge de vous obéir, mère.

Noëlle réagit comme s'il venait de la gifler. Elle se leva et se tint immobile, droite comme une reine.

— C'est ce que nous verrons ! Ton père fréquentait peut-être les prostituées mais il avait le bon goût de ne pas les ramener à la maison !

— Assez, mère ! martela Gray.

— Ça ne fait au contraire que commencer ! Si tu épouses cette moins que rien, je lui mènerai une vie infernale et…

— Non, coupa-t-il en posant si brutalement son verre que le whisky gicla sur la table. Et puisque vous m'obligez à vous mettre les points sur les i, laissez-moi vous rappeler que le testament de père vous a laissé suffisamment d'argent pour maintenir votre train de vie, mais que tout le reste nous revient à

Monica et à moi. Alors je vous préviens, mère, et je ne le répéterai pas : si vous ne vous conduisez pas correctement envers ma femme, je vous jetterai moi-même hors de cette maison ! Suis-je clair ?

Noëlle, livide, recula sans quitter son fils des yeux.

— Monica, dit-elle d'une voix faible, aide-moi à monter à ma chambre, s'il te plaît. Les hommes ne sont que des brutes…

— Non, mère ! répliqua Monica. Désormais, vous vous passerez de moi.

— Pardon ? fit Noëlle de cette voix glacée à laquelle sa fille avait toujours obéi.

Monica serra les poings. Elle était aussi pâle que sa mère mais elle tint bon et affronta le regard de Noëlle sans broncher.

— Je suis navrée, mère. Je n'aurais pas dû vous parler ainsi, mais Gray a le droit d'être heureux. Si vous refusez d'assister à son mariage, c'est votre problème, mais moi j'y serai et en grande tenue ! Et puisque nous parlons mariage, il se trouve que je vais me marier moi aussi… avec Michael McFane.

Noëlle afficha une moue de dédain.

— Le shérif ! Tu n'y penses pas, ma chère, c'est…

— L'homme qu'il me faut !

Monica avait l'air à la fois terrorisée et ravie d'avoir enfin réussi à tenir tête à sa mère.

— Si vous voulez assister à mon mariage, j'en serai heureuse, mais vous ne m'empêcherez pas d'épouser Michael. Et permettez-moi de vous dire que vous seriez beaucoup plus heureuse si vous déménagiez à La Nouvelle-Orléans.

— Excellente idée, ajouta Gray en faisant un clin d'œil à sa sœur.

Le lendemain, Clémence se rendit à La Nouvelle-Orléans pour l'enterrement de Francis Pleasant. Elle avait espéré un coup de téléphone de Gray mais comprenait qu'il n'ait pas pu l'appeler. Le shérif McFane, qu'elle était allée voir pour régler le rapatriement de la dépouille du détective, l'avait informé des problèmes juridiques dans lesquels Gray se débattait : la validation du testament de Guy lui prenait beaucoup de temps et d'énergie.

La cérémonie funèbre fut brève et seule une poignée de gens y assistèrent : quelques voisins, la secrétaire du bureau voisin, amie de sa femme, et, à sa grande surprise, l'inspecteur Ambrose, toujours vêtu du même costume élimé. Il tapota la main de Clémence avec compassion et sa gentillesse bourrue la réconforta. Les obsèques avaient eu lieu en fin d'après-midi.

Trop fatiguée pour retourner à Prescott, Clémence passa la nuit à l'hôtel.

Le lendemain, elle profita de son passage à La Nouvelle-Orléans pour visiter son agence sur place et ne reprit le chemin de Prescott qu'en début d'après-midi.

A quatre heures elle était de retour au motel. Reuben l'y accueillit et l'aida à porter ses paquets comme si elle était une amie de toujours.

Affamée par son expédition, elle reprit aussitôt la voiture pour se rendre au café de Halley. Elle discuta un petit moment avec son amie, puis commanda la salade au poulet en passe de devenir son ordinaire. Assise à une table, dos à la porte, elle s'apprêtait à commencer son repas lorsque la porte s'ouvrit à toute volée. Un silence glacé se fit aussitôt dans le café.

Etonnée, Clémence jeta un coup d'œil par-dessus son épaule. Gray se dirigeait vers elle d'un air furibond. Ses cheveux, qui pour une fois n'étaient pas attachés, lui couvraient les épaules.

— Où diable étais-tu passée ? aboya-t-il.

— A La Nouvelle-Orléans, répondit-elle d'un ton apaisant, consciente de toutes les oreilles qui les écoutaient.

— J'espère que tu t'es amusée!

— J'étais à l'enterrement de M. Pleasant.

La colère de Gray se dissipa aussitôt.

— Désolé...

Il s'assit en face d'elle, l'air vaguement penaud. Ses longues jambes enserrèrent les siennes sous la table, il se pencha et lui prit les mains.

— Excuse-moi! J'étais mort d'inquiétude. Reuben t'a vue mettre une valise dans ton coffre et j'ai cru que tu étais partie. Je l'ai obligé à m'ouvrir ta chambre pour voir si tes affaires y étaient encore.

— Je ne serais pas partie sans t'avertir, dit-elle d'un air amusé.

— J'espère bien! Bon... je sais que l'endroit n'est pas très bien choisi, mais j'ai encore des tonnes de paperasses à régler et je ne sais pas quand je te reverrai. Alors autant en finir tout de suite. Veux-tu m'épouser?

Pour une surprise, c'en était une! Elle s'appuya sur le dossier de sa chaise et le regarda bouche bée. Une demande en mariage! Jamais elle n'aurait osé y songer. Avec leurs passés emmêlés, sa mère et sa sœur qui la détestaient... Cela paraissait tout simplement impossible.

Comme de bien entendu, il prit son silence pour un rejet et fronça ses noirs sourcils.

— Tu dois m'épouser, fit-il suffisamment fort pour que tout le café l'entende. Après tout, notre union est déjà plus que consommée, tu ne crois pas? Si ça se trouve, je ne vais pas tarder à être père, alors autant régulariser!

Clémence faillit s'étrangler d'embarras.

— Espèce de...

Elle se leva brusquement en repoussant sa chaise. Rouge de honte, elle crut apercevoir les visages avides des consommateurs qui n'en perdaient pas une miette. Gray la contemplait d'un air épanoui et son sourire satisfait acheva de la mettre hors d'elle.

Folle de rage, elle attrapa son verre de thé glacé et le lui jeta à la figure.

— Espèce de mufle! hurla-t-elle. Je ne suis pas enceinte!

Gray se leva et essuya avec la serviette de Clémence le thé qui dégoulinait de son visage. Apparemment, la douche n'avait en rien altéré son humeur: son sourire s'élargit encore.

— Ne t'inquiète pas: on va y remédier. C'est bien pour ça qu'il faut que l'on se marie!

— Epouse-le, conseilla Halley, penchée sur le comptoir, avec un sourire jusqu'aux oreilles. Et fais-lui en voir de toutes les couleurs, ça lui apprendra!

— C'est de bonne guerre, fit Gray. Après tout je l'ai mérité!

Clémence leva vers lui des yeux ronds comme des soucoupes.

— Mais... et ta mère?

Il haussa les épaules, comme s'il ne comprenait pas la question.

— Elle va bien, merci!

Clémence s'apprêta à se fâcher de nouveau mais il l'arrêta d'un geste avec un sourire malicieux.

— Je lui ai annoncé que je voulais t'épouser. Ce serait mentir de dire qu'elle a sauté de joie, mais Monica nous souhaite tout le bonheur possible. Elle se marie avec Michael la semaine prochaine. Elle a aussi fortement conseillé à mère de déménager à La Nouvelle-Orléans et apparemment mère a décidé de suivre son conseil. Ce qui veut dire que je ne vais pas tarder à errer tout seul dans ma grande maison et que j'ai besoin de mon petit chaperon rouge pour me tenir compagnie.

C'était sérieux, alors. Clémence déglutit, incapable de prononcer un mot. Gray pencha la tête en souriant, ses yeux noirs brillant de tendresse et de désir.

— Je voulais te dire autre chose aussi, murmura-t-il. Je t'aime, ma chérie. J'aurais dû le faire plus tôt mais j'ai été débordé, ajouta-t-il avec malice.

Elle songea à le battre, à lui jeter un autre verre de thé glacé à la figure, mais à la place répondit :

— Pas trop tôt ! Tu as intérêt à être un bon mari, Grayson Bouvier ! Sinon, gare à toi !

Il ouvrit les bras et elle vint se blottir contre lui, sous les applaudissements et les hourras des clients du café.

Ce livre est imprimé sur papier 100% recyclé,
fabriqué en Espagne par Green & Paper ®

Composition Interligne B-Liège
Achevé d'imprimer en Europe (Angleterre)
par Cox & Wyman à Reading
le 11 avril 1997.
Dépôt légal avril 1997. ISBN 2-290-04480-6
Éditions J'ai lu
84, rue de Grenelle, 75007 Paris
Diffusion France et étranger: Flammarion